ВАЛЕРИ БОУМЕН

Скандал с герцогиней

РОМАН

АСТ
москва

UDC 821.111-31(73)
BBK 84(7Сое)-44
B 72

УДК 821.111-31(73)
ББК 84(7Сое)-44
Б 72

Серия «Шарм» основана в 1994 году

Valerie Bowman

SECRETS OF A SCANDALOUS MARRIAGE

Печатается с разрешения издательства St. Martin's Press, LLC
и литературного агентства Nova Littera SIA.

Перевод с английского *Н.Ф. Орловой*

Компьютерный дизайн *В.А. Воронина*

В оформлении обложки использована работа,
предоставленная агентством Fort Ross Inc.

Боумен, Валери.

Б 72   Скандал с герцогиней : роман / Валери Боумен ;
[пер. с англ. Н. Ф. Орловой]. — Москва : АСТ, 2015. —
320 с. — (Шарм).

ISBN 978-5-17-084318-3

Циничный и удачливый автор весьма популярных памфлетов
Джеймс Бэнкрофт, виконт Медфорд, намерен спасти из тюрьмы
герцогиню Кэтрин Таунсенд, обвиненную в убийстве мужа. На самом деле он решил использовать скандальную историю в своих целях, а уж если удастся, и впрямь помочь прелестной узнице.

Однако чем ближе виконт узнает герцогиню, тем яснее понимает: он единственный может исправить роковую судебную ошибку.
Постепенно равнодушие Медфорда сменяется жгучим интересом к
рыжеволосой красавице, а интерес — состраданием и нежностью...

УДК 821.111-31(73)
ББК 84(7Сое)-44

ISBN 978-5-17-084318-3

Глава 1

Лондон. Тауэр
Декабрь 1816 года

Лязгнул замок, с протяжным скрежетом открылась тяжелая металлическая дверь. Кейт инстинктивно вздрогнула, как вздрагивала от этого звука каждый раз, и на секунду закрыла глаза. Она осторожно шагнула вперед, продвигаясь из одной холодной камеры в другую, где ее ждал посетитель. Первый с тех пор, как она попала в тюрьму.

Сквозь единственное окно прихожей сочился резкий зимний свет. Кейт зажмурилась и открыла глаза. На лице тюремщика застыло невозмутимое выражение. Впрочем, надо отдать ему должное, он, как и другие охранники, относился к ее титулу с уважением. Нравилось им это или нет.

Он отошел в сторону, открывая того человека, который ждал ее. Прищурившись, Кейт пыталась рассмотреть незнакомца. Кто он и чего хочет от нее? Он стоял к ней спиной. И был высокого роста, это, пожалуй, единственное, что она могла разглядеть.

Обычный для Тауэра запах сырости и гнили ударял в ноздри, мешая свободно дышать. Неумолимый зимний ветер проникал сквозь каменную кладку стен, покрывая руки Кейт мурашками. Дрожа всем телом, она покрепче затянула на плечах шаль.

3

— Только десять минут, ни секундой больше, — объявил тюремщик, прежде чем выйти и закрыть за собой тяжелую дверь, оставив Кейт и ее посетителя одних в камере. Она невольно отступила на шаг. Их разделял небольшой шаткий стол. И она была рада хоть этой сомнительной преграде. Кто бы ни был этот человек, но по его одежде можно было сделать вывод, что перед ней джентльмен.

Посетитель повернулся, чтобы поздороваться с ней. Хотя он приподнял шляпу, Кейт все еще не могла разглядеть его лицо. На нем было серое шерстяное пальто, без сомнения, стоящее немало денег. Сквозь темноту через маленькое окошко в стене напротив них пробился яркий луч солнечного света.

Посетитель вежливо поклонился.

— Ваша светлость?

Кейт усмехнулась. О, как она ненавидела этот титул.

— Вы кланяетесь заключенной? — спросила она, в ее тоне сквозила неприкрытая ирония. — Разве вы не джентльмен?

Он улыбнулся, в темноте сверкнули белые зубы.

— Вы все еще герцогиня, ваша светлость.

Сняв с головы капюшон, она сделала маленький шаг вперед. Глаза незнакомца сверкнули, и он шумно втянул воздух.

Сердце Кейт упало. Несомненно, она выглядит ужасающе. Уже несколько дней она не могла как следует помыться, так что вполне отдавала себе отчет, что за запах исходит от нее. Ее рыжие с золотистым отливом волосы, обычно аккуратно уложенные, сейчас падали на плечи бесформенной массой кудрей. Ну, уж нет, она может быть хмурой и печальной, но только не жалкой. И ничто не заставит ее показать незнакомцу, как сильно задела ее его реакция. Подняв подбородок, Кейт с вызовом взглянула на посетителя.

Тогда он сделал шаг вперед, попав в то ограниченное пространство, куда падал свет из окна. Теперь Кейт, наконец, могла рассмотреть его. Прищурившись, она медленно впитывала каждую деталь. Нет, она не знала этого человека. Но, кто бы он ни был, нельзя было не заметить, что он, несомненно, очень красив. Ошеломляюще красив. На вид ему было лет тридцать с небольшим. Темно-каштановые волосы, совершенной формы нос, резко очерченные скулы. Но его глаза... его глаза завораживали. Можно было бы сказать, что они светло-карие, нет, скорее зеленые, проницательные, умные глаза. На секунду она почти задохнулась. И поспешила опустить взгляд ниже, на его красиво очерченные губы, где играло некое подобие улыбки.

— Вы знаете, кто я? — Его голос нарушил тишину камеры с той же резкостью, с какой молоток разбивает лед.

— Вы адвокат? — предположила она, отвечая ему неподвижным взглядом. — Видимо, взялись защищать меня?

— Вы до сих пор не выбрали адвоката? — Незнакомец был явно озадачен.

— Я... ждала, — проговорила она, расправляя плечи.

Прекрасные глаза незнакомца смотрели на нее отчужденно и холодно.

— Насколько я знаю, вы в тюрьме уже несколько недель. Трудно поверить, что леди в вашем положении до сих пор не позаботилась о своей защите. И до сих пор не встретилась с адвокатом...

— Но это так, и, если вы... — Она вздернула подбородок.

— Я должен разочаровать вас, ваша светлость, но я не адвокат.

5

— Не адвокат? — Она отступила на шаг. — Тогда кто же вы и зачем пришли сюда? Пожалуйста, не говорите, что увидеть герцогиню, обвиняемую в убийстве, вас сподвигло простое любопытство.

Он по-прежнему не сводил глаз с ее лица, в них читалось явное беспокойство.

— Я здесь для того, чтобы помочь вам, ваша светлость.

— Помочь мне? — Она недоверчиво покачала головой, но все же подошла на шаг ближе, чтобы получше рассмотреть его. — Позвольте усомниться в этом. Скорее, помочь себе. Скажите мне, сколько вы дали тюремщику, чтобы он позволил вам взглянуть на скандально знаменитую герцогиню, которая застрелила собственного мужа?

— Вы? Убили своего мужа? — Брови незнакомца взлетели вверх.

Она с такой силой стиснула зубы, что они скрипнули.

— Вы пришли сюда, чтобы мучить меня своими вопросами? Или вы хотите добиться моего признания? — еле сдерживаясь, проговорила она.

— Прошу простить меня, ваша светлость. — Он покачал головой. — Я не хотел оскорбить вас. Заверяю вас, я вовсе не сплетник, пришедший полюбоваться вашим плачевным состоянием. Я пришел, чтобы помочь вам. И не скрою, получить в ответ то, чего хочу сам.

На этот раз Кейт удивленно приподняла брови. Ей импонировала откровенность посетителя, но, прежде чем продолжить разговор, необходимо знать, чего хочет от нее этот импозантный незнакомец.

— Что ж, тогда скажите мне, чего вы хотите?

Он снова вежливо поклонился.

— Я пришел к вам с предложением, которое может принести выгоду нам обоим.

Еще покрепче завернувшись в шаль, Кейт скрестила руки на груди.

— Извините за мою тупость, сэр. За свои двадцать восемь лет я видела достаточно лжи, чтобы с определенным скепсисом относиться к предложениям мужчин.

Склонив голову набок, он с интересом оглядел герцогиню. Ее утверждение, по всей видимости, удивило его.

— Я понимаю, ваша светлость, и, разумеется, готов объяснить. Но сначала я должен заручиться вашим согласием, вы выслушаете меня и не станете торопиться с ответом. Если мы готовы помочь друг другу, то я, безусловно, открою вам мое имя, но только в том случае, если вы пообещаете мне хранить в секрете то, что я вам скажу.

— В секрете? Вы что... шпион? — Поджав губы, она, прищурившись, взглянула на него.

— А вы стали бы помогать мне, если бы это было так? — Всем телом подавшись вперед, он ждал ответа.

— Вон, — тихо и уверенно проговорила она и взглядом указала на дверь.

— Что, простите?

Ее ногти с такой силой впились в вязаную шаль, что она едва не разорвала ее.

— Меня могут обвинять в убийстве, которого я не совершала, но быть обвиненной в предательстве моей страны, нет, этого я не перенесу. Если вы ищете моей помощи в таком деле, — продолжала она прерывающимся голосом, — то вы обратились не по адресу. Я не та, кто вам нужен, и никогда ею не буду. — Она повернулась к двери, чтобы позвать конвоира.

Подняв руку, незнакомец поспешил остановить ее.

— Заверяю вас, ваша светлость, я не шпион.

Кейт прикусила губу и вновь повернулась к нему, в ее глазах все еще сквозило недоверие.

— Тогда что именно вам нужно от меня?

Он медленно кивнул.

— Я скажу, но сначала пообещайте мне...

Она окинула его взглядом, начиная с красивой головы и кончая начищенными до блеска и, несомненно, очень дорогими высокими сапогами. Очевидно, что-то заставило этого джентльмена довериться обвиняемой в убийстве. Интересно, что же это? Тем не менее у нее не было никаких причин, чтобы доверять ему. Абсолютно никаких причин. И все же, куда предпочтительнее разговаривать с красивым джентльменом, чем считать кирпичи на стене камеры или писать письма в никуда... никому...

— Хорошо, я даю вам это обещание. Теперь расскажите мне, кто вы и зачем пришли сюда?

Незнакомец галантно поклонился и щелкнул каблуками своих безупречных сапог.

— Джеймс Банкрофт, виконт Медфорд, к вашим услугам.

Она не смогла сдержать невольный вздох удивления. Этот человек пэр. Ради всего святого, какая причина могла заставить виконта прийти в это ужасное место?

— Зачем вы пришли, милорд?

Приоткрыв полу пальто, он достал из внутреннего кармана пачку бумаг и бросил ее на стол. Кейт следила за каждым его движением, подойдя ближе, она взяла бумаги со стола. Это был памфлет. Она пробежала глазами первую страницу. Потом быстро полистала другие, но они были пусты.

— Что это? — спросила она, указывая подбородком на бумаги.

Уголок рта виконта дернулся.

— Можете считать, что это мое хобби. Дело в том, что я владею печатным станком.

Ее взгляд прошелся по его лицу, и она быстро отступила назад, сжимая памфлет и не скрывая своего удивления. Честно говоря, она была заинтригована.

— Вы — виконт и... работаете?

Он усмехнулся.

— Это секрет. — Его улыбка угасла, и он прошел вперед. Наклонившись, уперся руками в стол. — Я предлагаю дамам, попавшим в скандальные ситуации, уникальную возможность. Ваша светлость, это ваш шанс. Вы можете сами рассказать свою историю.

— Что... вы хотите сказать?

Его глаза вспыхнули. Мускул на щеке напрягся.

— Напишите для меня памфлет. Это будет настоящий бестселлер, уверяю вас.

— Памфлет? — Она покачала головой. — Рассказать свою историю? Я не понимаю, что от этого выиграю я?

— А чего бы вы хотели? — Его глаза, которые сейчас стали темно-зелеными, встретились с ее взглядом.

Круто повернувшись, Кейт мерила шагами маленькую комнату. Возможность рассказать все, что с ней случилось? По спине пробежал легкий холодок надежды. Да, возможность рассказать всему городу, каким отвратительным мужем был Джордж. Рассказать правду. Это искушение. Тем не менее она должна быть осмотрительна. Было еще кое-что, чего она хотела.

Она снова повернулась к виконту.

— Просто из любопытства, если я соглашусь написать этот памфлет, то как вы назовете его, милорд?

Его скулы расслабились, из глаз ушло напряжение. Он снова выпрямился и теперь смотрел на нее с высоты своего роста.

— «Секреты скандального брака».

Глава 2

— Медфорд, как вы можете быть таким несерьезным? — воскликнула Лили Морган, маркиза Колтон, расхаживая по роскошному обюссонскому ковру, устилавшему пол гостиной в городском доме Джеймса.

Они только что перешли сюда, в голубую гостиную. В камине потрескивали дрова, небольшую комнату наполнял запах смолы и горящего дерева, создавая атмосферу уюта и спокойствия. Джеймс подал сигнал Локу, своему старому дворецкому, что пора подавать чай. Все было готово для визита маркизы Лили и ее сестры Энни, графини Эшборн, двух очень близких приятельниц Джеймса.

— Кто несерьезный? — проговорил он, улыбаясь гостьям.

— Вы, разумеется, и знаете это, — кокетливо проговорила Энни, удобно усаживаясь и кладя очередной кусочек сахара в свою чашку. Помешивая чай изящной серебряной ложечкой, она продолжила: — Я, например, думаю, что с бедной герцогиней произошла чудовищная ошибка, я не слышала ни одного доказательства, которое бы заставило меня поверить в ее вину.

— Я тоже так думаю, — кивнула Лили. Подбоченившись, она расхаживала по гостиной, отказываясь сесть. — Кроме того, я имела несчастье встречаться с ее мужем, и не один раз. Надо сказать, это был совершенный мерзавец. Время от времени он делал мне сомнительные предложения. Вы представляете? — Она снова повернулась к Медфорду. — Но просить ее написать памфлет весьма легкомысленно с вашей стороны.

— Не согласен, — возразил Джеймс. — Я думаю, для нее это будет прекрасная возможность. Не говоря о том, что я готов на все ее условия.

10

— И что же она попросила? — поинтересовалась Лили.

— Пока ничего. — Джеймс пожал плечами. — Я сегодня вернусь в Тауэр за ответом... и узнаю ее условия.

— Гмм. Окутанная тайной леди Кейт Таунсенд. — Лили вытянула губы и покачала головой.

— Я читала, — отставляя чашку, вмешалась в разговор Энни, — что она дочь помещика из Кента. Да? Очевидно, когда ей было восемнадцать, она попалась на глаза герцогу Маркингему. Они поженились, и все эти годы она провела взаперти в деревне. — Энни запнулась, потом продолжила: — До безвременной кончины ее мужа.

Лили постучала по щеке кончиком пальца.

— Да, сейчас она в центре скандала. Весь свет убежден, что она убийца.

— Возможно, — усмехнулся Медфорд, — но убийца, которой есть что рассказать. И это все меняет.

— Я не сказала, что она убийца, я сказала, что все думают, что она убийца, — вспылила Лили. — Лично я не берусь судить, пока не получу достаточно достоверные факты, касающиеся этого дела. А что вы думаете о ней? — спросила маркиза, приподняв тонкие брови.

Джеймс мысленно воскресил свою встречу с герцогиней днем раньше. Она вошла в затхлую, мрачную камеру легкой, воздушной походкой. Шаль наброшена на плечи. Темный плащ с капюшоном скрывал ее лицо. Оно оставалось в тени, но от Джеймса не укрылась ни ее неуверенность, ни ее гордость. Прямая спина. Высоко поднятая голова. И чуть-чуть гнева. Он почувствовал это, когда, прищурившись, разглядывал ее. Но мог ли он винить ее за это? В конце концов, она не знала, зачем он пришел. Она была худощава. Возможно, даже чересчур. Среднего роста, и казалось совершенно невероятным, что эта хрупкая леди могла убить крупного мужчину. Герцог Маркингем, насколько Джеймс помнил, был высокий и сильный.

Когда герцогиня вошла в пятно света и скинула с головы капюшон, Джеймс шумно втянул воздух. Герцогиня Маркингем был ослепительна красива. За свои тридцать три года он не видел ничего подобного. Алебастровая кожа, тонкий прямой нос. И неуправляемая масса золотисто-рыжих волос, которые падали на плечи и дальше на спину. Она подняла глаза, синие, словно васильки, окаймленные черным бархатом невероятно длинных ресниц. Грязное пятно на скуле только оттеняло красоту ее лица.

Джеймс отвернулся. Он был наслышан о красоте герцогини, но не был готов к тому, что увидел. О Господи, да она не просто красива, нет, перед ним богиня, сошедшая с небес на землю.

Он снова посмотрел на Лили.

— Она похожа на леди... попавшую в беду, — прозвучал довольно обтекаемый ответ.

— Герцогиня действительно так красива, как говорят? — вздохнула Энни с мечтательной улыбкой на лице.

Черт подери, от этих вопросов ему стало не по себе. Он покрутил шеей и ослабил узел галстука.

— Она... красавица. Да. Пожалуй, можно так сказать.

— Но вы сами что думаете о ней? — Лили исподлобья наблюдала за Джеймсом. — Как она вам показалась?

— Если честно, — он поправил манжету, — она удивила меня. В своем воображении я скорее рисовал мегеру, ни с чем подобным я никогда прежде не сталкивался. Вместо этого я увидел абсолютно непредсказуемую леди.

Лили прекратила хождение. Ее взгляд остановился на лице Джеймса.

— Почему?

Джеймс прикусил внутреннюю сторону щеки, минуту обдумывая вопрос.

— Я думаю, потому, что она не выглядит испуганной.

— Что вы хотите сказать? — заинтересовалась Энни, подвигаясь ближе.

Джеймс пожал плечами и снова уселся на свое место.

— Она была спокойна. Холодна. Она вела себя как... герцогиня.

— Как это возможно? — Подушечкой пальца Лили потерла подбородок. — Неужели она не боится? Ей вскоре предстоит предстать перед судом, можно сказать, ее жизнь висит на волоске.

— Не могу представить, — поддержала сестру Энни. — Говорят, когда их нашли, она была там, возле тела мужа. На груди герцога зияла рана от выстрела его собственного пистолета...

— Это так страшно, — продолжила Лили. — Неудивительно, что слухи распространились с такой скоростью. И даже если она не убивала его, это ей не на пользу.

— Да, к сожалению, на то есть причины, — согласилась Энни.

— Почему это? — Джеймс склонил голову набок.

— Потому что спустя два дня после убийства герцога леди Беттина Суинтон, его близкая подруга, рассказывала всем, что незадолго до убийства герцогиня требовала развода, — быстрым полушепотом проговорила Энни.

— Это правда? — Джеймс смотрел на нее с удивлением.

Энни кивнула.

— Это говорит не в ее пользу, — вздохнула Лили. — Дело запутанное. Я читала, что толпа окружила карету, когда герцогиню перевозили из поместья в Тауэр. И на всем пути возникали беспорядки. Пришлось вызвать королевскую охрану, чтобы довезти ее до Тауэра невредимой.

Джеймс поднял газету, которая лежала на столе рядом с ним.

— Не каждый день герцогиню обвиняют в убийстве.

— И все же я не тороплюсь с осуждением. — Поднеся чашку к губам, Энни сделала маленький глоток и покачала головой. — Это абсолютно недопустимо, бедная герцогиня сидит в холодной камере, пока общество занято пересудами, убила она своего мужа или нет. Должна заметить, что никогда не встречала ее, но готова поверить, что она не виновна.

— Энни, — Лили повернулась к Джеймсу, — в отличие от Медфорда, мы не знакомы с ней.

Обе сестры внимательно смотрели на него.

— Итак, лорд Медфорд, что думаете вы? — спросила Энни. — Опираясь на свое знакомство с герцогиней Маркингем, вы можете сказать, она убийца или невинная жертва ошибки?

— Что касается меня, — начал Джеймс, складывая газету пополам, — я убежден, что это не имеет значения. Факт остается фактом, общество взбудоражено этой историей и жаждет подробностей. А как можно узнать больше подробностей? Разумеется, если об этом расскажет сама герцогиня. Так что скандал мне на руку. Виновата она или нет, я хочу, чтобы она написала для меня этот памфлет. «Секреты скандального брака» будут невероятно популярны.

Лили вздохнула.

— Ну вот, опять... К чему это легкомыслие?

— Напротив, — парировал Джеймс, откладывая газету в сторону и поправляя и без того идеальный галстук. — Я просто хочу познакомить общество с тем, чего оно страстно жаждет, с памфлетом, написанным герцогиней Маркингем. Уверяю вас, это вызовет ни на что не похожий скандал, который когда-либо возникал в городе. Люди хотят знать детали. Честно говоря, даже «Тайны брачной ночи» и «Секреты сбежавшей невесты» не были столь популярны, каким обещает стать этот памфлет. — Джеймс имел в виду те два памфлета, которые были написаны двумя сестрами — Лили и Энни годом раньше, когда они обе были вовлечены в весьма скандальные ситуации.

Фиалковые глаза Лили смотрели на него с вопросом и недоверием.

— Но, Джеймс, — сказала она, — наши памфлеты были анонимны. А этот совсем иное дело, ведь так? Все будут знать, что его написала герцогиня, если она согласится, конечно. Она и так уже вовлечена в грандиозный скандал, стоит ли добавлять к этому списку памфлет? Лично я думаю, что она должна отказать вам.

— Это не очень справедливо с вашей стороны, миледи, — улыбнувшись, заметил Джеймс.

— Не знаю, что и думать. — Энни задумчиво потягивала чай. Сделав пару глотков, она продолжила: — Если герцогиня напишет свою историю, памфлет может привлечь к ее делу общественное мнение. Но если она виновна? — Энни вздрогнула. — Не могу представить, что она согласится написать его, если действительно совершила это ужасное преступление.

Джеймс вытянул ноги перед собой и скрестил их в лодыжках.

— В любом случае, решение остается за герцогиней. Она обещала дать мне ответ сегодня, и я почему-то уверен, что она скажет «да».

— Откуда такая уверенность? — Лили подошла к камину, протянула руки поближе к огню и через плечо посмотрела на Джеймса.

— Откуда? — переспросил он, улыбаясь — Потому что я предложил ей неприличную сумму денег.

— Насколько неприличную? — Энни потянулась вперед, ее темные глаза сверкнули.

— Достаточно неприличную.

— Что могут дать деньги даме, которую, вполне возможно, приговорят к смертной казни? — спросила Лили, передернув плечами.

— Действительно, — с дрожью в голосе отозвалась Энни.

— Прежде всего, это поможет ей нанять хорошего адвоката, — парировал Джеймс. — Если она умна, то наймет еще и частного сыщика с Боу-стрит, дабы вести следствие отдельно от официального расследования, — объяснил он Лили. — А если говорить о неприличии, — улыбнулся Джеймс, — то я положил неприличное количество сливок в вашу чашку с чаем, дорогая, так как мы оба знаем, как вы обожаете сливки.

— Это правда, — рассмеялась Энни, поглядывая на сестру. — Она как кошка, сливки ее слабость.

— Тот факт, что герцогиня еще не приняла ваше предложение, заставляет меня думать, что она отвергнет его, — заявила Лили, отходя от камина и присоединяясь к чаепитию.

— Глупости. — Джеймс передал Лили ее чашку. — Просто она хотела обдумать мое предложение, вот и все. Было бы глупо с ее стороны отказаться.

— Она и так достаточно богата, — возразила Энни, медленно придвигая чашку.

Джеймс скептически приподнял бровь.

— Сбережения ее мужа будут заморожены до окончания суда. У герцогини нет доступа к наследству, и я очень сомневаюсь, что ее свекровь готова расщедриться на подарки.

— Если она невиновна, Медфорд, мы надеемся, что вы поможете ей.

— Помочь ей? Но как я могу это сделать?

— Не забывайте, с кем вы говорите, Джеймс. — В глазах Лили вспыхнули лукавые искорки. — Мы имели счастливую возможность убедиться, что вы сочувствуете дамам, попавшим в неприятные истории. — Лили едва заметно подмигнула сестре.

— Здесь нечему радоваться. — Джеймс покусывал нижнюю губу. — Я намерен сохранить в тайне мои дела с герцогиней... как и все прочие.

— Но если вы поймете, что она невиновна, вы поможете ей? Я знаю вас, — добавила Энни, потянувшись к нему и похлопывая его по руке.

— Не знаю, — отвечал Джеймс, пожимая плечами, — виновна она или нет, и, честно говоря, мне нет до этого дела. Все, что я знаю, ее история будет написана и продана.

— И это все, что имеет для вас значение? — нахмурившись, спросила Энни. — Продать памфлеты?

— Конечно нет, — усмехнувшись, ответил он. — Я намерен продать как можно больше памфлетов.

— Но если герцогиня невиновна? — настаивала Лили, на этот раз глядя на него серьезно.

— Я даю ей шанс рассказать свою историю, разве нет? Кроме того, не я взял пистолет и стрелял в ее мужа, и не мне обвинять ее в этом. Вся эта история случилась до того, как я услышал о ней.

— Но как вы можете быть так безразличны, когда речь идет о женщине, которую могут приговорить к смертной казни? — Энни пролила половину чая на блюдце — верный знак, что она расстроена.

— Вы не одурачите меня ни на секунду, Джеймс Банкрофт, — вмешалась Лили. — Я даю вам неделю для того, чтобы разобраться с герцогиней, а потом вы займетесь ее защитой.

— Но это полная чушь! — возразил Джеймс, качая головой. — Вы ставите меня в ряд с теми, кто помогает убийце?

— Но вы ведь не знаете точно, что она убийца? — воскликнула Энни, стряхивая крошки со своей юбки.

Джеймс поднялся и бросил салфетку на стол.

— Я надеюсь, правда восторжествует. Ну а теперь я должен извиниться, леди. Я спешу навестить заключенную.

Глава 3

На этот раз, когда герцогиню привели в маленькую, холодную камеру Тауэра, она встретила Джеймса с любопытной улыбкой на лице.

— Доброе утро, ваша светлость. — Он склонился к ее хрупкой руке, которую она протянула ему. Нет. Этого он прежде и представить не мог. Она и вправду похожа на неземное создание.

— Милорд, — произнесла она неспешно.

Джеймс был вновь очарован ее поразительной красотой. Неудивительно, что Маркингем женился на ней. Этот человек, должно быть, схватил ее тут же, как только увидел. Джеймс не винил его. Но, черт побери, герцог не подозревал, чем обернется для него эта женитьба.

— Надеюсь, вы хорошо спали? — спросил Джеймс, стараясь скрыть волнение. Проклятье, почему, когда герцогиня рядом, все его нутро завязывается в тугой узел? Нервы, волнение, все это не его стихия. Пожалуй, такое случилось впервые. Ему хотелось рассмотреть ее поближе, как будто внешность могла ответить на вопрос, почему его сердце в ее присутствии начинает биться быстрее.

Уголки рта герцогини приподнялись в неком подобии улыбки, и Джеймс сразу же представил, какой она была в той, другой жизни. Сама изысканность и совершенство, но вместе с тем в ней было что-то настоящее, что-то такое, что влекло его к ней. Заставляло с нетерпением ждать, что она скажет или сделает дальше. Она была... пленительна. И он не мог не заметить это.

Она потуже закуталась в шаль.

— Ах, если бы... — вздохнула она. — Разве можно спать в таком месте спокойно? — И кивком головы указала на стены, окружавшие их. — Здесь холодно и так неуютно, вы даже не представляете.

Джеймс нахмурился. Заговорил, понизив голос:

— Они... плохо обращаются с вами?

— Нет, конечно нет. К моему титулу они относятся с большим уважением. — Она подчеркнула два первых слова.

Джеймс жестом предложил Кейт сесть, подождал, пока она сядет, затем сам сел напротив нее по другую сторону стола.

— Вам не нравится ваш титул?

— Не нравится? — Ресницы дрогнули, и небесно-голубые глаза остановились на нем. — А что, собственно, дал мне этот титул? Замужество без любви, одиночество, и сейчас вполне возможный смертный приговор. — Она горько рассмеялась.

Джеймс опустил голову. На какой-то момент в нем проснулась жалость. Жалость и чувство вины. Он пришел сюда, чтобы попытаться извлечь выгоду из ее ситуации. А если герцогиня не виновна? Но это еще большой вопрос. Для всех она убийца своего мужа, и у Джеймса нет причин жалеть ее. Вполне возможно, она злится просто потому, что ее поймали. Что ж, учитывая все это, маловероятно, что ему удастся обсудить с ней все детали. Он дает ей шанс описать в памфлете все, что она хочет. Разумеется, если она согласится написать его.

Пришло время заговорить о деле. Он кашлянул, прежде чем начать.

— Вы приняли решение, ваша светлость? Вы напишите памфлет?

Скрестив руки на груди, она прямо посмотрела ему в глаза.

— Вы очень нетерпеливы, милорд, — сказала она, приподнимая золотисто-рыжие брови.

Джеймс поправил галстук. Проклятье, почему в комнате так душно?

— Я не уверен, что мы все обсудили.

— Узница Тауэра, — пробормотала она, глядя куда-то в пустоту. — Не этого я ожидала, когда росла на ферме. — Одним пальцем она обводила узоры на поверхности грубой деревянной столешницы. Вздохнув, спросила: — Жизнь преподносит порой неожиданные сюрпризы, разве нет, милорд?

— Да, это так, — кивнул Джеймс.

Сделав глубокий вдох, она встала и подошла к окну. Сложив руки на груди, минуту-другую молча смотрела в окно.

— Там, — указала она кивком головы. — Там внизу лужайка, где Анна Болейн лишилась головы. — Она повернулась лицом к Джеймсу, который, прищурившись, смотрел на нее. К чему она клонит? — А какое преступление совершила Анна Болейн[1]? — продолжала она.

---

[1] А н н а Б о л е й н (1507—1536) — вторая жена Генриха VIII, мать будущей королевы Елизаветы I, была обвинена в государственной и супружеской измене и приговорена к смертной казни.

— Измена, — отвечал он. — Адюльтер.

Кейт круто повернулась к нему.

— Ах да, измена, во всяком случае, так говорил ее муж, обладавший властью, один из тех, кто писал законы. Ее провезли через Ворота изменников и казнили. Мать будущей королевы! И все для того, чтобы угодить ее мужу.

Джеймс встал и снова откашлялся.

— Болейн не обвиняли в убийстве короля Генриха.

Кейт опалила его сверкающим взглядом.

— Это правда, хотя и не лучший способ добиться успеха, милорд. Скажите мне еще раз, почему я должна согласиться на ваше предложение? Вы же понимаете, что казненной не нужны деньги.

Он постарался снять напряжение.

— Да, но леди, которой предстоит предстать перед судом, отстаивая свою жизнь, нужна самая лучшая защита, какую только можно позволить. А также возможность рассказать публике о том, что случилось с ней на самом деле. И это бесценно. Напишите памфлет, и вы получите эту возможность.

— Так вы... вы думаете, я невиновна? — с вызовом спросила она, сложив руки на груди и барабаня пальцами одной руки по локтю другой.

— Я этого не знаю, — встретив ее взгляд, ответил он.

— Тогда зачем даете мне возможность отстаивать мою правоту?

— Каждый обвиняемый заслуживает этого, разве нет?

Она сделала неопределенный жест в воздухе.

— Когда я предстану перед судом, все газеты только и будут делать, что писать об этом.

— Но газеты напечатают лишь то, что ваш адвокат позволит вам сказать на суде. А памфлет откроет все, что вы захотите.

Она не торопилась с ответом. Молча изучала его своими поразительными небесно-голубыми глазами.

— Вы все продумали, не так ли? — наконец спросила она.

— Вы сделаете это? — Джеймс вытащил из внутреннего кармана пальто сложенные листы бумаги. — Я принес контракт.

— Контракт? — На ее губах промелькнула улыбка. — Разве не достаточно моего слова? Вы не доверяете мне?

Он бросил бумаги на шаткий стол, который стоял между ними.

— Дело не в этом, просто я всегда заключаю контракт.

— Это была шутка, милорд, — проговорила она, вздернув подбородок.

— Я попрошу принести чернила и... — Он повернулся к двери.

— Минуту, — сказала Кейт, одной рукой беря контракт и просматривая его. — Я не согласилась... еще.

— Вы хотите отказаться? — Он снова повернулся к ней.

— Я не говорила этого.

— Я жду вашего решения, герцогиня. — Он поклонился. — Хотя вы должны знать, что если вы согласитесь, то опять нарушите правила общества, и реакция может быть...

Его прервал резкий взрыв смеха.

— Правила общества. Ха! Какое мне дело до них? Вы знаете, что я просила мужа о разводе? Я уже смирилась, что мое будущее разрушено скандалом. Кроме того, я кое-что узнала о вас, милорд. Здесь есть одна леди, которой я доверяю. Она знает вас. Она рассказала мне, что вы обожаете следовать правилам, лорд Медфорд, несмотря на ваш незаконный печатный станок.

Выражение его лица не изменилось.

— А, — протянул он. — Значит, моя репутация опережает меня.

— Я тоже всю жизнь следовала правилам, — продолжала она. — И взгляните, куда это привело? К браку без любви и смертному приговору, который как дамоклов меч навис над моей головой.

Джеймс отвел глаза, но ее слова о браке без любви вызвали невольное сочувствие к ней и почему-то были неожиданно приятны. Почему? Вряд ли он мог объяснить.

Джеймс покачал головой. Несмотря ни на что, он должен убедиться, что она понимает, во что он ее втягивает. Он не был бы джентльменом, если бы не объяснил ей детали.

— Памфлет получит широкое распространение, и вполне можно ожидать...

Она продолжала разглядывать бумаги.

— Повторяю, я привыкла следовать правилам, милорд.

Несколько минут она просматривала контракт, потом бросила бумаги на стол и подняла глаза на Джеймса.

— Я согласна, но у меня есть два условия.

Сейчас, когда он так близко видел ее лицо, Джеймс старался не замечать ее красоту. Это работа. Только работа.

— Два? И что же это?

— Первое — я хочу, чтобы вы наняли для меня лучшего адвоката, сколько бы это ни стоило.

— Я ожидал подобной просьбы, — кивнул Джеймс. — Вы получите самого лучшего, обещаю вам. Какое второе условие?

— Возможно, мне осталось жить недолго, милорд. — Она распрямила плечи и посмотрела ему прямо в глаза. — Я все прекрасно понимаю. Я не дура. В лучшем случае несколько месяцев. Последние десять лет я провела практически как в тюрьме, которой стало для меня поместье мужа, а сейчас мне грозит смертная казнь. — Она стряхнула невидимую пылинку с темной юбки. — У меня не так много возможностей для того, чтобы противостоять обвинениям, которые могут быть предъявлены, но при всем этом я хочу и могу подумать о том, как провести оставшиеся дни.

— Я понимаю. И как бы вы хотели провести их? — спросил он, напоминая себе, что ему не важен ее ответ.

Встав к Джеймсу спиной, она смотрела в окно.

— Я хочу прожить их так, чтобы чувствовать себя счастливой. Наслаждаться. — Она повернулась к нему лицом. — Я хочу жить, милорд.

Джеймс нахмурил брови. Жить?

— Не уверен, что понимаю вас.

Она отошла от окна и вновь вернулась к столу. Уперлась обеими ладонями в стол и потянулась к Джеймсу.

— Закон позволяет мне находиться под домашним арестом ровно столько, сколько я буду... под опекой пэра.

Взгляд Джеймса замер на ее лице.

— Я хочу, — продолжала она, расправляя плечи, — чтобы вы вытащили меня отсюда.

Глава 4

Когда за виконтом затворилась железная дверь, Кейт тяжело опустилась на деревянный стул, стоявший рядом с маленьким столом в комнате, которая служила ей камерой. Уронив голову на руки, она глубоко вздохнула. Ее трясло, как в лихорадке. Господи, как ей только удалось справиться с нервами и попросить виконта вызволить ее отсюда? Да, он хотел от нее чего-то в ответ, что ж, она вступила в эту игру. Рискованную игру. Если виконт ушел и больше не вернется, возможно, она упустила единственный шанс поведать людям правду о том, что с ней случилось. Не сглупила ли она, попросив слишком много?

За то короткое время, что прошло после первого визита лорда Медфорда, ей удалось навести справки о нем. В Тауэре находилась еще одна леди, которая тоже ждала суда в палате лордов. Ее обвиняли в шпионаже в пользу Франции. Но суд над Мэри откладывался снова и снова. Она сидела в Тауэре со времен Ватерлоо. Кейт очень хорошо понимала, что должен чувствовать невиновный человек. Леди Мэри — единственный друг, которого она обрела в тюрьме.

Заключенным разрешалось выходить на прогулку в тюремный двор, и как раз в этот день Кейт спросила Мэри, что она знает о виконте.

— Его называют Лорд Совершенство, — сказала Мэри, и ее светло-серые глаза затеплились улыбкой. — Лорд, Следующий Всем Правилам. И еще Виконт Безупречность. И первый красавец, если уж вы меня спрашиваете, — подмигнув Кейт, заключила она.

Кейт спрятала улыбку. Следующий правилам? А как же печатный станок? Нет, она дала обещание лорду Медфорду и не расскажет об этом Мэри. Очевидно, он гордился своей безупречной репутацией и делал все, чтобы не запятнать ее. Но если он тайно публиковал скандальные памфлеты, то под всей этой безупречностью и правильностью должен же был скрываться и нарушитель тех самых правил, который таким образом выражал свой протест? Это интриговало Кейт больше всего. Она задумчиво покусывала губу.

Но, если это правда, если он во всем следует правилам общества, возможно, она отталкивает его своей просьбой об убежище? Она закуталась в шаль. Однако дело сделано. Ей остается только одно — ждать его ответа.

Слава богу, лорд Медфорд сказал, что он обдумает ее просьбу и ушел, оставив Кейт одну и давая ей возможность присесть. Ноги отяжелели, ее мутило, казалось, вот-вот вырвет.

Господи! Почему так случилось, что ее жизнь изменилась в одно мгновение? Все это походило на ночной кошмар. Неужели всего десять лет назад она жила с родителями на ферме, наслаждалась всеми прелестями спокойной сельской жизни, играла с животными?.. А сейчас ее родителей нет в живых, а она, несчастная двадцативосьмилетняя герцогиня, на волосок от смерти?

Запрокинув голову, Кейт уперлась затылком в холодную, сырую стену. Лорд Медфорд был явно удивлен, когда она попросила его вызволить ее из тюрьмы. И удивился еще больше, когда она объяснила причину. Но в эти последние несколько недель у Кейт не было никаких занятий, зато у нее было достаточно времени, чтобы подумать. И она пришла к пониманию, чего действительно ждет от этих последних дней своего существования на земле.

Разумеется, она собиралась бороться. Бороться за свою жизнь. Бороться изо всех сил, коими обладала. Но вместе с тем она хотела жить. Жить полной жизнью. Конечно, даже если лорд Медфорд заберет ее из Тауэра, она не сможет появляться в обществе. Нет, честно говоря, это и прежде никогда особенно не привлекало ее, но она хотела иметь хорошую еду, спать на тонких простынях, ласкать какое-то доброе маленькое существо, щенка или котенка... танцевать. Да. Она хотела танцевать, танцевать и танцевать. Когда из родительского дома она переехала в имение мужа, то совершенно иначе представляла свою новую жизнь. А сейчас, когда ей оставалось жить совсем немного, она не желала подчиняться несправедливой бездушной системе, которая отказывала ей в последней радости. Муж никогда не любил ее. И она никогда не любила его. О, она была так юна и так наивна, когда выходила за него замуж, и тогда ей казалось, что она его любит. Но уже в начале замужества стало ясно, что они не подходят друг другу. Они постоянно ссорились, Джордж предпочитал проводить время вне дома, в компании друзей или в занятиях спортом. Он никогда не оставался дома вдвоем с Кейт, они не проводили вместе вечера, как подобает супружеской паре. И чуть ли не в первую неделю брака она узнала, что у него есть любовница, с которой он не намерен расставаться.

Кейт вела одинокую и несчастливую жизнь, прерываемую редкими визитами мужа, уделявшего ей мало внимания. Она ощущала свою никчемность и бессилие. И сейчас она намерена взять реванш. Джеймс Банкрофт хочет от нее памфлет? Что ж! Прекрасно, он получит его. А Кейт использует эту маленькую силу, которой обладает, чтобы получить то, чего хочет она.

Громкий стук в дверь заставил ее вздрогнуть.

— Ваша светлость, вам ничего не нужно? — послышался голос тюремщика.

Кейт моментально приподняла голову.

— Нет, ничего, — ответила она.

Она не могла не улыбнуться, услышав вопрос. Лорд Медфорд интересовался, хорошо ли с ней обращаются. Она ответила правду. Надзиратели Тауэра относились к ней с уважением. Губы дрогнули в улыбке. Если даже люди, державшие ее в заточении, верили, что она убийца, они не показывали это ни словом, ни делом. Но, видимо, все они думали именно так. А что им еще оставалось?

Муж не любил ее, но она никогда не убила бы его. Более того, она сожалела о его смерти. Даже ощущала печаль. С печалью думала она о всех тех годах, которые сделали несчастными их обоих, с печалью же вспоминала человека, которого, как ей казалось, когда-то любила. Да, это правда, когда она узнала, что Джордж отказывается даже обсуждать развод, она была вне себя. Разгневана до крайности. Она писала ему, умоляла, объясняла, что развод — лучшее решение для них обоих. Это правда, развод получить не просто, необходимо предоставить обоснованную причину, но Джордж должен был согласиться, что они несчастливы вместе. И потом, если бы он не получил развода, то мог бы остаться без законного наследника. Они оба понимали это.

А дальше... дальше он ворвался в дом, обрушив на нее лавину ругательств за то, что она посмела даже заикнуться о разводе. Его мать будет опозорена! Имя Маркингемов покрыто грязью! Затем он сообщил Кейт, что намерен отправить ее в свое родовое поместье на границе с Шотландией. То есть отправить в изгнание. Тогда она думала, что это последнее из позорных деяний, которые Джордж проделывал с ней за время их брака. Включая и демонстрацию вереницы любовниц, с которыми он развлекался под одной крышей с Кейт. Но нет, видимо, этого было недостаточно. Он и сейчас не оставляет ее. Видимо, она должна лишиться жизни, чтобы он, наконец, успокоился. Тогда это будет последним аккордом его предательства. О да, порой вещи полны иронии.

А убийца между тем оставался на свободе. Сначала она боялась, что тот, кто убил Джорджа, придет за ней. Но дни шли, и, в конце концов, все сошлось на ней. Ее обвинили в убийстве мужа. Она понимала, что настоящего убийцу Джорджа вполне удовлетворяло такое решение вопроса. Как и то, что, скорей всего, ее приговорят к смертной казни. Нет. Зачем же негодяю убивать ее? Для него она была козлом отпущения.

Она поднялась. Дрожа от холода, обняла себя за плечи, пытаясь согреться, и прошла к окну. Сквозь каменные стены просачивался холод, через щели в старых рамах проникал ветер. Кейт вздохнула и провела кончиком пальца по холодному стеклу. Лужайка, где Анна Болейн лишилась жизни, была пустынной, кое-где, словно заплаты на серой земле, лежали остатки грязного снега. Небо было серым и темным. Интересно, тот день, когда казнили бывшую королеву, был таким же серым и темным? И каким будет небо в тот день, когда к смерти приговорят ее? Кейт задрожала. Да, она и Анна Болейн — родственные души. По ее просьбе охранники принесли книги, и за последние несколько недель Кейт прочитала о протестантской королеве все, что могла. Они были похожи. Обеих несправедливо обвиняли. Обе были преданы мужьями, которые клялись в вечной любви. И сейчас Кейт заключена в ту самую камеру, где когда-то сидела Анна Болейн.

Кейт прошла в смежную комнату и развернула шерстяное одеяло, которое лежало на узкой железной кровати. Она накинула его на плечи и покрепче закуталась. Господи, как же холодно! Декабрь. Рождественские праздники! Где она проведет праздник? Если виконт Медфорд не примет ее условия, она останется здесь, одна, в этом печальном месте. Если же он согласится увезти ее, она окажется в чужом доме. Ни одна перспектива не радовала ее, но, по крайней мере, она будет жива. В это Рождество. Она задрожала. И, весьма вероятно, это последнее Рождество в ее жизни.

Она отбросила печальные мысли, нет, лучше подумать о виконте. Перспектива доверить ему свою судьбу или свои секреты вовсе не радовала ее. Что же касается денег, которые он предлагал, то это мало значило для нее. Но его другое предложение, предложение опубликовать и широко распространить ее памфлет, позволить ей рассказать свою историю, было соблазнительно, даже если это увеличит неодобрение со стороны общества. Пусть никто ей не поверит, но, если памфлет будет напечатан, ее историю узнают все, а это что-то да значит.

Она прищурилась, вглядываясь в темноту. Примет ли лорд Медфорд ее условия? Учитывая то, что говорила леди Мэри, он известен как джентльмен, человек чести и слова, и он намерен заключить честную сделку. Несмотря на то что он прекрасно одет, она спрашивала себя, не беден ли он? Что еще может сподвигнуть пэра к труду? Но леди Мэри быстро разубедила ее. «Говорят, его состояние вполне может поспорить с королевским», — сказала она. И это похоже на правду. Безусловно, виконт богат, иначе он не смог бы предложить ей такую сумму денег, которая потрясла ее. Как и его уверенность в том, что ее памфлет будет продаваться очень хорошо.

В конце концов, она решила, что виконт просто эксцентричная натура. И публикация скандальных историй по какой-то неведомой причине забавляет его. Причем его привлекают самые что ни на есть скандальные истории. Даже живя в загородном поместье, Кейт удалось прочесть «Тайны брачной ночи» и «Секреты сбежавшей невесты». Хотя в то время она, разумеется, не знала, что к ним прямое отношение имеет Медфорд. Они забавляли ее и заставляли смеяться. Но в ее истории, увы, не было ничего забавного. Очевидно, виконт обратил свой взгляд на более серьезную тему. «Секреты скандального брака», кажется, так он сказал? Название ей не нравилось. Но если это поможет продать памфлет, возражать не стоит. Чем больше копий будет распродано, тем лучше, несмотря на сомнительное название.

Лорд Медфорд объяснил ей все это в деталях. Он планирует напечатать и продать памфлет. Его стратегия гарантировала большое количество копий и широкое распространение. Очевидно, он был опытным дельцом. Склонившись над столом, распространяя пьянящий запах кожи и дорогого мыла, он напоминал статую греческого бога, сошедшего на землю. Возможно, ему не откажешь в эксцентрике, но при этом он поразительно красив. Леди Мэри права в своих оценках. А что больше всего поразило Кейт, так это проснувшееся в ней влечение к нему. Она думала, что все это давно умерло и похоронено вместе с ее свободой. Джордж, ее муж, который не прикасался к ней годами, мертв, но она все еще жива, и она женщина, которая не могла не заметить и не оценить красоту виконта, как только увидела его. Джеймс Банкрофт с его прекрасной фигурой, пронзительными зеленовато-карими глазами и короткими, темными волосами был, безусловно, очень красив.

Она свернулась комочком на холодной постели, плотнее завернувшись в шаль. Да, она напишет этот памфлет для лорда Медфорда, как только он согласится с ее условиями. Она хочет выйти из Тауэра как можно быстрее. Конечно, связывая себя с виконтом, она шла на риск. После бесчинства ее ареста Тауэр, как ни странно, был для нее самым безопасным местом. Любой, кто захотел бы похитить ее, сам подвергался опасности. Но все в ней восставало против того, чтобы провести последние дни жизни в этой страшной тюрьме. Она хотела жить в доме и, по возможности, притвориться, что все нормально. По правде говоря, больше всего она хотела бы оказаться на отцовской ферме. Господи, что бы она ни отдала, чтобы вернуться к простой жизни хотя бы на месяц, на неделю, на один день! Притвориться, что она никогда не встречала герцога Маркингема, никогда не соглашалась стать его женой, никогда... О, что бы она ни отдала, чтобы изменить свое прошлое!

Кейт закрыла глаза. Виконт Медфорд пообещал вернуться сегодня и дать ответ. Что на самом деле значит для него ее история? В состоянии ли он убедить лорда-канцлера? Позволит ли он виконту взять Кейт под свою опеку? А главное, пойдет ли лорд Медфорд на риск?

Глава 5

— Как именно вы думаете осуществить это, Лорд Совершенство?

Ироничный голос Девона Моргана, маркиза Колтона, вывел Джеймса из задумчивости. Он расположился на удобном кожаном кресле в клубе, куда только что прибыл Колтон.

— Да, я тоже с нетерпением жду твоего рассказа. — Без сомнения, этот голос принадлежал Джордану Холлуэю, графу Эшборну.

Джеймс посмотрел на вошедших джентльменов. Один из них был мужем Лили, другой — Энни, и поэтому Джеймс всячески поддерживал установившееся между ними негласное перемирие, ради них же самих, разумеется. Колтон и Эшборн были двумя единственными пэрами, которые знали, что у Джеймса есть печатный станок. Для всех других он хранил этот факт в секрете. Разумеется, Джеймс должен был рассказать Кейт. Ему оставалось только надеется, что она сохранит это в тайне, как и обещала.

Он снова оглядел двух джентльменов. Несмотря на их светские узы, правда заключалась в том, что все трое учились в Итоне и Кембридже, и между ними существовало постоянное соперничество. До женитьбы Колтон и Эшборн слыли известными дамскими угодниками и любителями выпить, а Медфорд тем временем заработал прозвище Лорд Совершенство за свою любовь к порядку, безупречную репутацию, высокие оценки и неукоснительное стремление все делать правильно. Но сейчас Джеймсу требовалась их помощь. Поэтому он пригласил маркиза и графа в клуб, чтобы немного выпить и обсудить насущные проблемы. Прекрасное предложение выйти из душных кабинетов и промочить горло в такой тревожный день.

— Это просто, — сказал Джеймс, жестом предлагая приятелям сесть. — Я собираюсь поговорить с лордом-канцлером.

Колтон и Эшборн уселись рядом с ним в глубокие кожаные кресла около окна. В камине полыхал огонь, и к приятному запаху горящего дерева добавлялся запах дорогих сигар, которые курили оба джентльмена. В этот час в клубе было пусто. Казалось, в этот день сливки лондонского общества решили изменить своему обычному развлечению, предпочтя нечто иное.

— И ты ожидаешь, что лорд-канцлер отнесется к твоей просьбе с пониманием? — удобно устраиваясь в кресле, усомнился Колтон.

— Да. Я пэр, верно? Это законно. Если она будет находиться под моей опекой, то может быть освобождена из Тауэра.

— И ты хочешь, чтобы убийца жила в твоем доме? — с сомнением покачав головой, скептическим тоном произнес Колтон.

— Еще никто не доказал, что она убийца, — парировал Джеймс. — Пока.

— Но и обратного никто не доказал, — хмыкнул Эшборн.

— Я хочу использовать этот шанс. — Джеймс пожал плечами. — Все только и говорят о предстоящем суде. Если я услышу историю непосредственно от герцогини и напечатаю ее, будут проданы тысячи экземпляров.

— В этом нет сомнений, — кивнул Колтон. — Я сам не откажусь прочесть.

— А я нет, — замотал головой Джордан. — Но что-то подсказывает мне, что Энни непременно прочтет и познакомит меня со всеми деталями.

— И ты абсолютно прав. — Колтон захохотал.

Каким-то образом Эшборну уже удалось добыть выпивку, и он залпом осушил бокал.

— Ты правда не хочешь? — спросил он, протягивая Джеймсу бокал с бренди.

— Правда, спасибо, — покачал головой Джеймс.

— Ты уверен, Медфорд? Даже если это не blue ruin (название джина)? — усмехнулся Эшборн. — Он имел в виду неприятный инцидент, связанный с джином, который произошел между ними на домашней вечеринке прошлой осенью, о чем Эшборн не упускал возможности напомнить другу.

— А что говорит адвокат герцогини? — поинтересовался Колтон, подавая знак проходившему мимо слуге принести им бренди.

— У нее нет адвоката, — ответил Джеймс.

Эшборн едва не пролил выпивку. Потянувшись вперед, поставил оба локтя на колени.

— Черт побери, это правда? У нее нет адвоката?

— Пока нет, — кивнул Джеймс. — Я обеспечил его оплату, дав ей деньги для этого. Теперь она сможет нанять лучшего адвоката в городе.

— Леди вскоре предстоит предстать перед судом, от решения которого зависит ее жизнь... — Эшборн, не скрывая недоумения, всплеснул руками. — Она должна немедленно нанять адвоката. Монтгомери или Картрайт?

— Абернети. Абернети лучший, — возразил Джеймс.

— А. — Эшборн приподнял бровь. — Так ты уже навел справки?

— Конечно, Эшборн, кому-кому, но тебе следует знать своего друга. Разве я когда-нибудь бывал не готов? — усмехнулся Джеймс.

Колтон взял у вернувшегося слуги бренди и, вытянув ноги, скрестил их, поджидая пока тот уйдет, чтобы они могли продолжить конфиденциальный разговор.

— Мне кажется, — начал Колтон, — настоящая проблема возникнет, если публика узнает, что герцогиня с тобой. Если хоть кто-то скажет слово...

— Тогда, считай, тебе конец. — Эшборн присвистнул. — Общество уже осуждает ее. Она — persona non grata.

— Это действительно так. — Джеймс не мог не согласиться. — Но, несмотря на отношение к ней со стороны общества, каждый захочет прочесть ее историю.

— Они могут прочесть ее историю, но не станут сочувствовать, если узнают, что ты прячешь ее в одном из своих поместий. — Колтон сделал очередной глоток.

— Я понимаю степень опасности, — кивнул Джеймс.

Прищурившись, Колтон внимательно посмотрел на него. Понизив голос, он произнес:

— Что такое кроется в этом проклятом печатном станке, что так занимает тебя? Деньги тут ни при чем, мы все знаем, что ты богаче короля.

— И безумнее, чем король, я бы сказал, — добавил Эшборн. — Если ты намерен дать приют этой... убий-

це. — Он развел руками. — Не представляю, как ты вы-
везешь ее из Тауэра без того, чтобы толпа не следовала
за вами по пятам?

Потирая кончики пальцев, Джеймс спокойно оглядел обоих джентльменов.

— Предоставьте это мне. Но вы оба мне нужны. Ваша
поддержка понадобится в том случае, если лорду-канцлеру будет недостаточно моего поручительства, чтобы
позволить мне забрать Кейт из тюрьмы и держать ее под
домашним арестом в моем доме.

Эшборн окинул его долгим, сочувственным взглядом.

— То есть, если лорд-канцлер скажет тебе «нет»?
И ты вздумал тягаться с ним и членами парламента,
не говоря уже о большей части Лондона? Ты — Лорд
Совершенство, ради всего святого! Нужно напомнить
тебе, что именно поэтому мы так тебя не любили? — Он
рассмеялся.

— Ах, так вот почему? — смеясь, ответил Джеймс. —
А я думал, потому что вы оба были настоящими придур-
ками...

— Давай не будем начинать все сначала, — сказал
Колтон, допивая бренди. — Достаточно сказать, что мы
готовы поручиться за тебя, старина. — Он наклонился и
похлопал Джеймса по руке.

Эшборн щелкнул пальцами.

— Готов поспорить, что Лорд Совершенство во всем
этом преследует и личные цели. — Он улыбнулся Колтону дьявольской улыбкой.

— Ха! — ответил Колтон. — Я и не стал бы участвовать
в этом пари.

— Умный человек! — воскликнул Эшборн.

— Я горд, что вы верите в меня, — прокашлявшись,
ответил Джеймс. — И, разумеется, вы должны сохранить
все это в тайне.

— Само собой, Медфорд, а как же иначе. — Эшборн расплылся в улыбке и, потирая руки, добавил: — Лично я буду счастлив увидеть, как ты угодишь в самую скандальную историю века. И, конечно, можешь рассчитывать на мое молчание. — Широким театральным жестом он снял с головы невидимую шляпу и поклонился.

Джеймс не удосужился выказать удивление, просто кивнул.

— Спасибо.

— Можешь рассчитывать и на меня, Медфорд, — поддержал приятеля Колтон. — Я буду следить за этой необычной эскападой из боковой ложи.

Глава 6

Бум. Бум. Бум.

Кейт резко открыла глаза. Кто может стучать в дверь посреди ночи? Она села на постели, прижав руки к груди. Сердце отчаянно колотилось. На лбу выступили бисеринки пота, хотя в камере было холодно, как в погребе. Схватив одеяло обеими руками, она судорожным движением натянула его до подбородка.

— Кто там?

— Ваша светлость, это... вот... пожалуйста, оденьтесь и это... соберите вещи. — Вдобавок к обычной хрипоте, голос стражника определенно был сонный.

— Да. Да, подождите минуту. — Кейт быстро вскочила с постели. Одним движением стянула через голову ночную рубашку и заметалась по камере, в темноте отыскивая платье. Когда ее арестовали, она взяла с собой всего несколько вещей, запихнула их в одну-единственную сумку. Пару раз проведя щеткой по волосам, она свернула их в узел и закрепила шпильками на затылке. И быстро пошла к двери.

Кейт кашлянула и подняла подбородок. Дверь открылась с протяжным скрипом, тюремщик стоял со свечой в руке. Ночной колпак на голове и серая роба, надетая на массивное тело.

— Он... это... приехал забрать вас отсюда, ваша светлость...

Кейт задрожала и закрыла глаза.

— О, слава Богу, — прошептала она. Нет, спрашивать ничего не нужно. За ней приехал виконт Медфорд.

Накинув длинный плащ, Кейт взяла сумку с вещами и поспешила за надзирателем, который уже медленно спускался вниз по влажной винтовой лестнице. Ступени внезапно закончились в маленькой темной прихожей, и Кейт резко остановилась. Она не успела надеть чулки, и холодный ветер дул через приоткрытую дверь, студя ступни и лодыжки. Кейт стучала зубами, но не обращала на это внимания. Она готова была выйти голой, если бы понадобилось. Она огляделась. Ничего не видно, сплошная тьма. Где же он?

И тут из-за угла появилась фигура в темном плаще, у Кейт перехватило дыхание. До этого момента она его не замечала. Он, словно призрак, вынырнул из темноты.

Лорд Медфорд был так же красив, как в тот первый день, когда она увидела его. Казалось, его лицо словно высечено их камня. Красивого камня. Виконт наклонился, чтобы взять ее сумку.

— Это все, что у вас есть?

— Да, д-д-д-а, — запинаясь, сказала она, на этот раз дрожа совсем по другой причине.

— Вы говорили, что хотите жить? — наклонившись к ней, шепнул он. — Вы готовы?

— Да, — кивнула она.

Он подхватил ее сумку и перекинул ее через плечо. Остановившись, бросил монету стражнику.

— Спасибо за помощь, — сказал виконт. И далее, не говоря больше ни слова, увлек Кейт за собой в холодный мрак ночи.

Она изо всех сил старалась поспевать за его широкими шагами. Когда они подошли к его лошади, она, открыв рот, наблюдала, как он приладил ее сумку к седлу, затем подхватил Кейт и усадил на крупного коричневого мерина, и все это, не говоря ни единого слова. Секундой позже он с легкостью вскочил в седло позади нее, и Кейт постаралась не обращать внимания на его близость. Он пришпорил лошадь, и они галопом понеслись через двор Тауэра. Кейт и раньше приходилось ездить верхом, и не просто верхом, а не используя дамское седло. Само по себе это считалось в высшей мере скандальным поступком. Но вместе с тем это давало ни с чем не сравнимое чувство... свободы.

Кураж. Кураж. Кураж. Она снова и снова повторяла про себя это слово. Когда они подъехали ближе, большой деревянный мост опустился, и Кейт боролась с желанием закрыть глаза, уверенная, что их остановят до того, как они преодолеют ров, потому что произошла какая-то ошибка.

Холодный ветер трепал ее волосы, рыжие пряди хлестали лицо, ослепляя ее. Кейт старалась убрать их, откидывая назад, вдыхая ледяной воздух ночи и наблюдая, как мост становится все ближе и ближе. Она смотрела во все глаза. В этот момент ее волнение достигло предела. Когда они подъехали к воротам, она впилась ногтями в ладонь. Но вот копыта лошади застучали по дереву, отдаваясь эхом в груди и даря Кейт еще большее чувство свободы. Они ехали через мост! Часовой у сторожевой башни отдал им честь, и Медфорд махнул рукой в ответном жесте. Кейт прикусила губу, сдерживая улыбку. Неужели они сделали это? Неужели они покинули это печальное место?

А дальше потянулись тенистые аллеи Лондона, темные посреди холода ночи. Кейт снова задрожала, но не оглядывалась назад, боясь, что увидит погоню. Боясь, что им не удастся осуществить этот побег.

— Почему вы приехали за мной ночью? — почти прокричала она, преодолевая стук собственного сердца и цокот копыт.

Лорд Медфорд склонил голову поближе к ее уху, и когда она слегка повернулась, то увидела темную поросль на его щеке. Он не брился с утра, но, боже мой, это делало его еще привлекательнее. Кейт тряхнула головой, стараясь отбросить ненужные мысли, и тут же снова задрожала от холода.

— Так безопаснее, — ответил он. — Я мог приехать в карете, это было бы удобнее, но... Вы замерзли?

Должно быть, он почувствовал ее дрожь, она прочла правду в его ответе. Он отказался от кареты на случай непредвиденных обстоятельств. На лошади было куда сподручнее.

Она замерзла? Все, что Кейт могла сделать в ответ, это кивнуть. Удерживая поводья одной рукой, ему как-то удалось стянуть плащ со своих плеч и накинуть на нее.

— Укройтесь моим плащом, — сказал он тоном, не терпящим возражений, и все ее нутро отозвалось дрожью.

— А вы не замерзнете? — осторожно спросила она.

— Не беспокойтесь, — заверил он.

Она не ждала его ответа и сумела закутаться в плащ. Он был такой приятный на ощупь, хранил тепло его тела, его запах. Она зарылась лицом в мягкую ткань и украдкой вдыхала этот ни с чем несравнимый запах.

Запах кожи и чего-то еще, острого и неопределенного, чего-то прекрасного. И молилась про себя, чтобы он не заметил, что она делает.

Жить, жить, жить, шептала про себя Кейт, и холодный ночной ветер уносил ее слова прочь.

Кейт закрыла глаза. Кто этот человек? Очевидно, лорд Медфорд не обычный виконт. И не только потому, что по какой-то необъяснимой причине владел печатным станком, очевидно, что он обладал властью и связями, так как смог вызволить ее из Тауэра и получить специальное разрешение на то, чтобы сделать это посреди ночи. Не было ни толпы зевак, ни толпы осуждающих. Он все продумал. И Кейт была бесконечно благодарна ему. Безусловно, он преследовал собственные цели. Если он планировал отвезти ее в одно из своих поместий — а леди Мэри заверяла ее, что он владеет далеко не единственным, — и оставить ее там, чтобы она могла спокойно писать памфлет, он явно не хотел, чтобы об этом кто-то знал.

Она подтянула плащ к подбородку. Но какое значение это имеет сейчас? Главное, что она свободна. Кейт улыбнулась и закрыла глаза, с наслаждением вдыхая ледяной воздух. Она покрепче закуталась в плащ, стараясь игнорировать запах виконта. Черт подери, и все же, что это за запах? Печатные чернила? Она едва сдерживала смех, который клокотал в горле. Боже милостивый! Она не смеялась с того самого дня, как умер Джордж. Постой-ка, нет, со дня свадьбы, быстро поправилась она. Печальная мысль.

Сильная рука Медфорда еще крепче обняла Кейт за талию, привлекая ближе к себе. Кейт задохнулась. Он обнимал ее крепче, стараясь согреть. На ее губах невольно возникла улыбка. Как это мило с его стороны. Очень мило.

Пока они ехали по улицам ночного города, Кейт, затаив дыхание, смотрела по сторонам. Стараясь ничего не упустить из виду, ни один ориентир, ни одно здание. Возможно, она в последний раз видит все это. Находясь под домашним арестом, она не сможет покидать то место, куда лорд Медфорд привезет ее, а следующий путь может быть на гильотину или... на костер, где она примет смерть. И снова в сердце прокрался холодный липкий страх. Кейт задрожала.

Огромный купол собора Святого Павла вздымался ввысь, его шпиль разрезал черноту ночного неба, и Кейт с любопытством и волнением смотрела на это величественное творение Кристофера Рена, как будто видела его впервые. Оно заставляло ее ощущать нежность и силу одновременно. В первый раз она увидела собор, когда приехала в Лондон с матерью, чтобы сделать покупки к свадьбе. Тогда Кейт была полна надежд, а город полон обещаний. Она попросила мать задержаться у знаменитого собора и вошла внутрь, медленно, с благоволением осматривая высокий купол. В горле остановилось дыхание. И сейчас этот величественный собор, гордо возвышаясь посреди ночи, вызывал в ней сильные эмоции. Тогда она задержалась в соборе. Склонив голову, молилась, чтобы ее замужество было счастливым и радостным. Увы, ее слова не были услышаны, и вот сегодня, пока лошадь лорда Медфорда везла их мимо, она молилась вновь. И отчаянно надеялась, что на этот раз ее молитва не останется без ответа.

Она поворачивала голову из стороны в сторону, стараясь не пропустить ни одно здание, ни один звук города, хотя он был тихий, темный и холодный. Несколько минут спустя они проехали мимо парламента, и теперь их путь лежал вдоль Темзы. Кейт вдыхала, впитывая все и наслаждаясь. Это и есть жизнь! Раскачиваясь на спине лошади, чувствуя, как ветер треплет волосы, как рука красивого виконта обнимает ее за талию, ощущая биение собственного сердца... Она жила!

— Как вы себя чувствуете? — послышался голос лорда Медфорда. Он снова коснулся ее щеки своей жесткой скулой, отчего Кейт пронзила дрожь от кончиков пальцев до макушки.

— О, я живу! — почти прокричала она.

— Так вот что вы имели в виду, когда говорили, что хотите жить? — прокричал он в ответ. Она почувствовала, что он улыбается.

— Я обожаю домашних животных и так хотела бы поиграть с ними, и еще вдыхать запах роз, и танцевать ночь напролет.

В ответ она услышала его смех.

— Позвольте мне без осложнений доставить вас домой, а потом обсудим остальное.

Она кивнула.

— Куда вы везете меня?

— В Мейфэр, — ответил он. — Мы почти приехали.

Мейфэр? Ну, разумеется. Она предполагала, что он доставит ее в одно из своих самых скромных владений, но, наверное, всю его недвижимость составляли большие дома в Мейфэре? Или, что вполне возможно, он хотел поселить ее поближе, чтобы не спускать с нее глаз? Вряд ли она могла винить его. Она не собиралась сбегать, но он ведь не знал этого, а его репутация будет разрушена, если она исчезнет.

Копыта лошади ритмично стучали по дорожке аллеи, которая петляла посреди конюшен и великолепных белых городских домов. Дом ее покойного мужа тоже находился где-то здесь, хотя Кейт видела его лишь однажды. Может быть, это где-то недалеко?

Свернув на короткую подъездную аллею, они остановились позади впечатляющего четырехэтажного особняка.

— Мы приехали, — сказал на ухо лорд Медфорд, снова наклонившись к Кейт. И снова его поросшая щетиной щека задела ее щеку, и Кейт должна была сделать усилие, чтобы сосредоточиться на его словах.

Он быстро спешился, бросил поводья груму, который появился из темноты, отвязал от седла ее сумку и, протянув руки, помог Кейт спуститься на землю. Она невольно коснулась его тела своим, но не встретила его взгляда. Хотя успела ощутить его силу, твердость и мускулистость именно в тех местах, где нужно. Он так легко поднял ее, словно она пушинка.

Взяв Кейт за руку, Джеймс повел ее по аллее к заднему входу в дом. Открыл дверь той самой рукой, в которой держал ее сумку. Ногой толкнул открытую дверь, ввел Кейт в дом, и захлопнул дверь локтем.

Она огляделась. Скорей всего, это была маленькая столовая, предназначенная для завтрака. И Кейт сразу поняла, что этот городской дом очень большой. Если это меньшее из владений лорда Медфорда, то виконт, несомненно, очень богат. Наверняка здесь должна быть домоправительница или кто-то другой, кто может проводить Кейт в ее комнату. С другой стороны, было бы хорошо остаться в одиночестве. Что и говорить, это куда лучше, чем Тауэр.

Придерживая рукой плащ лорда Медфорда, Кейт повернулась, чтобы попрощаться.

— Огромное спасибо, милорд. Вы заедете завтра, чтобы мы могли обсудить памфлет?

— Заеду завтра? — Он удивленно поднял брови.

— Я имела в виду... из вашего дома. Я полагаю, вы хотели бы обсудить детали, прежде чем я начну. Вы близко живете?

— Ну, конечно, я бы очень хотел обсудить детали, — подтверждая свои слова кивком головы, заверил лорд Медфорд. — Но я живу не просто близко, а чрезвычайно близко. — Он улыбнулся, и ее колени обмякли. — Это и есть мой дом. И вы будете жить у меня.

Глава 7

Все, что происходило потом, было весьма впечатляюще. Лорд Медфорд отдавал распоряжения целой армии слуг, которые вскоре появились из разных уголков дома. Кейт никогда не видела столь хорошо одетых слуг. Ни одной морщинки на одежде. Ни одного волоска, не знающего своего места. Ни одного хмурого лица. Лорд Медфорд указывал, приказывал, отдавал распоряжения, ответом на которые была бурная деятельность и минимум непонимания. Кейт следила за происходящим, широко открыв глаза. Кто бы ни был этот лорд Медфорд, он все держал под контролем.

Лорд Медфорд наконец повернулся к Кейт, туда, где она стояла, с большим интересом наблюдая за всем происходящим.

— Миссис Хартсмид покажет вам вашу комнату, — сказал Джеймс. — Камин разожгли недавно, но она положила теплые одеяла и меховой плед, чтобы вы не замерзли.

Кейт благодарно кивнула и оглянулась. Она увидела пожилую женщину, которая подошла и взяла ее сумку. Очевидно, это и была экономка.

— Ваша светлость, я уже приготовила для вас прекрасную, горячую ванну, — проговорила она мягким, приветливым тоном.

Кейт снова благодарно склонила голову. Это было все, что она могла сделать. Все случилось так быстро.

И все было так чудесно! Стоило ей войти в этот дом, и она сразу же согрелась. Господи, более двух недель она была лишена возможности принять ванну. Можно только вообразить, что за запах шел от нее. Ванна, это звучит божественно!

Выходя следом за экономкой из комнаты, Кейт оглянулась и одарила лорда Медфорда благодарной улыбкой.

Кейт не осознавала, каким же огромным был дом виконта, пока на следующее утро не получила возможность осмотреть его. Она никак не могла понять, почему лорд Медфорд поселил ее под одной крышей с собой. И насколько огромной была эта крыша. Даже городской дом ее мужа уступал в размерах.

Виконт должен продать как можно больше памфлетов, подумала она, с любопытством разглядывая все: красивые французские обои, дорогие обюссонские ковры, часы из золоченой бронзы. Бесценные произведения искусства и портреты, украшавшие стены. И про себя отметила, что никогда не видела во всем такого порядка. Каждая вещь имела свое место. Горничные выискивали невидимые пылинки и стирали их с мебели. Лакеи стояли у дверей в отлично отглаженных ливреях, а действия дворецкого и экономки были так хорошо отлажены, что у Кейт сложилось впечатление, будто бы каждый их день расписан до секунды. В этом бурлящем деятельностью доме лорда Мсдфорда Кейт ощущала себя скромной голубкой, попавшей в гнездо павлина.

Завтрак был подан на сверкающем серебряном подносе, аккуратно накрытый накрахмаленной белоснежной салфеткой с вышитыми инициалами Д.Б.М. Джеймс Банкрофт Медфорд. Булочка и джем домашнего приготовления, чашка горячего шоколада и хрустальная вазочка с розами дополняли этот набор. Кейт вытащила одну розу и поднесла ее к носу. Закрыв глаза, она с наслаждением вдыхала тончайший аромат. Где, ради всего святого, лорд Медфорд достал эти розы посреди зимы? Кейт прикусила губу. Не может быть, чтобы он сделал это после того, как она прошлой ночью сказала, что хотела бы наслаждаться запахом роз. Ведь после этого прошло всего несколько часов? Разумеется, это не он, а миссис Хартсмид выбрала эти цветы.

Кейт удивленно наблюдала, с каким умением прислуга лорда Медфорда колдует вокруг нее. Все было выверено до мельчайших деталей. Горничные двигались вокруг, словно в отточенной хореографической миниатюре. Одна взбивала подушки, чтобы затем подложить под спину Кейт, другая принесла на удивление мягкий халат, третья помешивала в камине поленья. А сама миссис Хартсмид с улыбкой подала ей поднос с завтраком. О, да, Кейт совершила хорошую сделку, чтобы попасть сюда.

— Доброе утро, ваша светлость. Ну, как вы чувствуете себя на новом месте? — спросила миссис Хартсмид, аккуратно ставя поднос на кровать рядом с Кейт и наливая в чашку густой шоколад.

Кейт не могла не ответить улыбкой.

— Благодарю вас, намного лучше. Должна сказать, я никогда так не чувствовала себя дома... то есть в доме моего мужа.

Миссис Хартсмид нахмурилась.

— Лорд Медфорд распорядился, чтобы мы относились к вам с уважением и дали вам все, что вы захотите. Так что не стесняйтесь и говорите, если что-то нужно. Я прошу прощения, что взяла на себя смелость погладить ту одежду, что вы привезли с собой, а лорд Медфорд послал одного из лакеев в Маркингем-Эбби за вашими вещами.

Кейт покраснела. Лорд Медфорд послал за ее вещами? Ни одна деталь не ускользает от внимания этого человека.

— И не вздумайте беспокоиться, ваша светлость, — проговорила экономка, понижая голос. — Вы можете быть уверены, слуги лорда Медфорда не болтают лишнего. Никто не узнает, что вы здесь, от слуг уж точно. — И в подтверждение своих слов она кивнула.

Кейт выдохнула. Ее немного беспокоило, что в доме так много людей, но все они казались абсолютно надежными. Она и представить не могла, что кто-то из слуг Медфорда станет сплетничать, как это зачастую делала прислуга в доме ее мужа. Она улыбнулась экономке.

— Благодарю вас, миссис Хартсмид.

— Я оставлю вам завтрак, ваша светлость, — сказала экономка. — А позже Луиза поможет вам одеться.

Кейт согласно кивнула. О, как бы она хотела, чтобы миссис Хартсмид не обращалась к ней «ваша светлость»! Но разве можно предположить, что у миссис Хартсмид могут возникать мысли о том, что Кейт не хочет, чтобы к ней так обращались?

Она с наслаждением съела все, что принесла миссис Хартсмид. Завтрак был несравненно лучше, чем та еда, что ей давали в Тауэре. Кейт с удовольствием растянулась на постели. Ах, ее принимают как высокого гостя, в прекрасном доме в Мейфэре. Да, это не идет ни в какое сравнение с темной камерой в Тауэре. Ванна, которую Кейт приняла вчера, была просто божественная, она чуть не плакала от счастья и заснула потом, как не спала все последние недели. Все было похоже на мечту.

Но, даже при том, что Кейт наслаждалась своим новым положением, ее душу грызли сомнения. Она представления не имела, что ее ждет впереди. Какой бы ни была ее прошлая жизнь, она была предсказуема, и там не было никаких указаний на то, что привычный ход событий может претерпеть такие изменения и так быстро.

Осторожный стук в дверь возвестил о приходе Луизы. И умелая маленькая девушка с яркими зелеными глазами и светлыми волосами, аккуратно заплетенными в косу, помогла Кейт надеть одно из тех платьев, которые она привезла из дома мужа. Прикусив губу, Кейт смотрела на утреннее платье из бледно-голубого муслина. Да, честно говоря, оно не соответствовало моменту. Но что делать, у нее не было времени приобрести траурный туалет. И, честно говоря, она сомневалась, что слуги лорда Медфорда станут задавать вопросы по этому поводу. Разве это имеет значение? И так ли важно, если общество, которое считает, что она убила своего мужа, обвинит ее за то, что она не носит траура по нему? Она покачала головой. Поразительно, даже когда она нарушала правила, они не выходили у нее из головы. Нет. Нет. Нет. Больше она не станет обращать внимания на подобные условности. Общество и его правила разрушили ее жизнь.

— Вы позволите мне сказать кое-что, ваша светлость? — явно смущаясь, проговорила Луиза, закончив укладывать волосы Кейт в низкий узел на шее. — Вы — самая красивая леди, которую мне когда-либо случалось видеть.

— Какие прекрасные слова вы сказали, Луиза. Спасибо. — Щеки Кейт запылали.

— Лорд Медфорд просил передать, — с улыбкой продолжила горничная, — что через полчаса ждет вас у себя в кабинете. — Присев в реверансе, Луиза вышла из комнаты.

Кейт взглянула на бронзовые часы на камине. У нее в запасе пятнадцать минут. Она расправила плечи и разгладила ладонью юбки. Она может отправляться на поиски кабинета лорда Медфорда. Луиза исчезла, прежде чем Кейт успела спросить у нее, где находится кабинет хозяина.

Глубоко вздохнув, она открыла дверь и направилась в холл, сначала по длинному коридору, потом спустилась вниз по парадной лестнице в главный вестибюль. И тут в растерянности остановилась. Куда теперь? Нужно начать отсюда, и она непременно найдет кабинет виконта. Кейт заглядывала в каждую комнату первого этажа. И каждая комната имела свое назначение, как и все остальное в доме. Но где же эта армия слуг, когда они так нужны ей? Без сомнения, они заняты делом где-то еще. Кейт и представить не могла, что кто-то из них прохлаждается без дела хоть несколько минут. Кейт решила обследовать заднюю часть дома, и первое, что она увидела, две большие деревянные двери. Или кабинет, или библиотека, решила она.

Кейт постучала, и низкий мужской голос ответил:

— Войдите.

Ах, вот он, кабинет!

Она толкнула тяжелую дверь обеими руками и, войдя в кабинет, повернулась кругом, дабы не упустить ни одну деталь обширного пространства. Большой письменный стол красного дерева занимал центр просторной комнаты, за ним высились два окна, от пола до потолка. Пара больших стульев, обитых кожей светло-коричневого цвета, стояла перед столом. Полки с огромным количеством книг тянулись вдоль стен. В камине напротив письменного стола потрескивали дрова. На коврике перед камином лежала большая палевая собака. При виде Кейт она подпрыгнула и энергично завиляла хвостом, но оставалась на месте, видимо ожидая команды хозяина.

«Я обожаю домашних животных, и так хотела бы поиграть с ними...»

В памяти Кейт всплыли ее собственные слова, сказанные лорду Медфорду в Тауэре, когда он пришел со своим предложением. Он не упомянул, что у него есть собака.

— О, она замечательная. — Лицо Кейт просияло. — Обожаю собак! Я не видела собак с тех пор, как уехала с родительской фермы. — Слезы подкатили к горлу, и она крепко сжала губы, чтобы не расплакаться.

Лорд Медфорд, оторвавшись от своих бумаг, наблюдал за ней.

— Вы хотели бы познакомиться с ней? — спросил он с улыбкой, заставившей затрепетать сердце Кейт.

— Да, очень хотела бы.

Лорд Медфорд коротко свистнул, и собака подбежала к Кейт. Остановившись около нее, вежливо села и подняла одну лапу, которую Кейт взяла и пожала.

— Хорошо, хорошо, — рассмеялась Кейт. — Прекрасные манеры! Как ее зовут?

— Фемида. — Лорд Медфорд поднялся и вышел из-за стола. Прислонившись к столу, он улыбался, наблюдая трогательную сцену. — Мне нравится учить ее, — сказал он. — Хотя иной раз мне кажется, я требую от нее слишком много. — Он рассмеялся.

— Фемида... — Кейт погладила собаку по голове. — Откуда я знаю это имя? — Пытаясь вспомнить, она побарабанила пальцами по щеке. — Ах да, богиня правосудия.

— Вы знаете? — Что это? Восхищение в его зеленых глазах? — Фемида не самая известная из богинь.

— Богиня правосудия, — пробормотала Кейт. — Возможно, поэтому я и знаю ее. Теперь я должна обращаться к ней за помощью.

Он быстро перевел взгляд на собаку и попытался рассмеяться, возможно, чтобы замять неприятную тему.

— Что ж, она перед вами.

Кейт наклонилась и потрепала собаку по голове.

— Фемида, — проговорила она. — Я уверена, мы станем друзьями. — Фемида топнула лапой и гавкнула.

— Никогда не видела ничего подобного. — Кейт улыбнулась лорду Медфорду. — А что еще она умеет делать?

И тогда лорд Медфорд продемонстрировал свои достижения. Одно приказание следовало за другим: сесть, лечь, перекатиться с боку на бок, принести газету, и Фемида все исполняла без колебаний. Очевидно, она любила своего хозяина.

— Поразительно! — Кейт восхищенно захлопала. — И долго она у вас?

— Несчастное существо. — Лорд Медфорд вздохнул. — Моя приятельница Лили, леди Колтон, и ее сестра Энни имеют привычку подбирать бездомных животных. Боюсь, бедная девочка недолго бы оставалась в этом мире. Она была никому не нужна.

— И вы согласились? — спросила Кейт, внимательно наблюдая за ним.

— Да, честно говоря, я никогда не думал заводить собаку, пока не увидел Фемиду.

Кейт наклонила голову, пряча улыбку. Как замечательно. По доброте сердца он подобрал эту собаку. И, очевидно, искренне любит животное, достаточно увидеть их вместе.

— У меня был пес, очень похожий на Фемиду... — сказала Кейт. Ее голос мягко затих.

— Правда? И что же с ним случилось?

— Я не могла взять его с собой, когда вышла замуж. Он остался у родителей. К сожалению, он умер от старости, как раз перед их смертью.

— А что случилось с ними? — мягко поинтересовался лорд Медфорд. Кейт взглянула на него, и что-то дрогнуло у нее внутри. У него были такие добрые глаза! Очень добрые глаза.

— Оба умерли от лихорадки, — пробормотала она, глотая комок в горле.

— Простите. — Лорд Медфорд чуть-чуть склонил голову. — Мне очень жаль.

Кейт прочистила горло и распрямила плечи. И ущипнула себя за руку. Зачем она рассказала ему о своей собаке и родителях? Разве лорда Медфорда могут интересовать подобные вещи? Она здесь, чтобы сделать работу. Написать памфлет, а не рассказывать сентиментальные истории.

— Может быть, мы начнем? — предложила она, придавая своему лицу серьезное выражение. — Обсудим памфлет?

— Конечно. — Он встал и, обойдя стол, занял прежнее место, жестом предлагая Кейт сесть на один из стульев перед столом. Фемида потрусила к камину и, свернувшись на коврике, закрыла глаза. — Прежде чем мы займемся памфлетом, я хотел бы поговорить с вами с вашей защите в суде. Я послал за мистером Абернети. Он самый опытный адвокат в городе.

Положив руки на подлокотники стула, Кейт выпрямилась и заморгала.

— Мистер Абернети?

— Да. Я дал вам обещание и выполняю свое слово. — Он улыбнулся, и в груди Кейт опять разлилось приятное тепло. — Должен заметить, я был очень удивлен, когда узнал, что вы до сих пор не наняли адвоката. Абернети сейчас занимается другим делом, но я... убедил его на время отложить эту работу.

— Спасибо, милорд. — Кейт отклонилась на спинку стула и вздохнула. — Я собиралась нанять самого лучшего. Но, если честно, я достаточно насмотрелась на работу аристократов, чтобы не доверять палате лордов. Сомневаюсь, что даже у мистера Абернети будет достаточно шансов, чтобы противостоять обвинениям.

— Уверяю вас, — после некоторой паузы сказал лорд Медфорд, — Абернети сделает все, что сможет. В час он будет здесь.

— С нетерпением жду этой встречи. — Она снова глубоко вздохнула. — А пока, может быть, вы расскажете мне, чего вы ждете от этого памфлета?

Облокотившись на подлокотник кресла, он подпер подбородок кулаком.

— Мне нужно только одно, чтобы вы рассказали свою историю так, как хотите.

— Правда? — Она быстро взглянула на него. — Правда? Вы не хотите каких-то интимных подробностей? Я думала...

— Доверьтесь мне. Обществу будет интересно все, что вы напишете.

Кейт покачала головой. «Доверьтесь мне», — сказал он. Это заставило ее задуматься. Она не доверяла ему. Господи, она даже не знала его. Правда, он был так добр к ней, но ведь он чего-то хотел от нее? Хотя он удивил ее, сказав, что она может писать памфлет так, как хочет. И еще тем, что думает о ее защите. Но где-то здесь должна быть... ловушка.

— О чем бы вы хотели рассказать людям? — Свободно расположившись в кресле, он переплел пальцы на груди.

— Что я не виновна, — произнесла она громким, сильным голосом. Ее глаза светились уверенностью, вместе со всей той страстью, которую она ощущала по отношению к этому вопросу. — Хотя не сомневаюсь, что большинство не поверит мне, — уже мягче добавила Кейт.

— Можно я задам вам один вопрос? — Прищурившись, виконт внимательно вглядывался в ее лицо.

— Думаю, я не могу отказать вам, — сказала Кейт и улыбнулась.

— Вам было бы легче, — начал он, откинувшись на спинку кресла, — если бы у вас были друзья среди аристократов. Почему вы так долго жили в деревне? Почему никогда не приезжали в Лондон? Почему у вас нет ни знакомых, ни друзей?

— А разве это имеет значение? — Она проглотила комок в горле и отвернулась.

— Это имеет значение для вашей защиты.

— Что ж... — Прикусив губу, она помедлила, но через пару секунд продолжила прерывающимся голосом: — После нашей женитьбы мой муж и я... очень скоро мы оба поняли, что не подходим друг другу. Он искал... удовольствий в Лондоне и не хотел видеть меня там, чтобы я не напоминала ему о том, какой ужасный выбор он сделал.

— Ужасный выбор? — Лорд Медфорд сжал губы.

Она смотрела на свои руки, лежавшие на коленях.

— Вы, должно быть, слышали обо мне, лорд Медфорд? О моем прошлом? Об этом писали все газеты.

Он кивнул.

— Если вы имеете в виду то, что ваш отец был фермером, не пэром, то да. Но что заставило вас сделать ужасный выбор?

Она подняла на него глаза и скептически улыбнулась.

— Вы знаете, как огромен этот водораздел. Я никогда не была частью мира моего супруга. Несмотря на волшебные сказки, никому не суждено переместиться с фермы в герцогское поместье. По крайней мере, так, чтобы достичь успеха.

— Вам не нравилось ваше новое положение?

— Я старалась. — Вспоминая, она подняла глаза к потолку, пытаясь подобрать правильные слова. — Я правда старалась соответствовать, то есть быть хорошей женой. Но я просто не могла ей быть и не была. Я все время пребывала в печали, и это, безусловно, еще больше раздражало Джорджа. Мы оба совершили ужасную ошибку.

Брови лорда Медфорда сошлись на переносице. Он пожал плечами.

— Многие пары понимают, что они не подходят друг другу. В этом нет ничего необычного.

Она отвернулась, ее лицо покраснело. Ей следовало прекратить этот разговор. Она и так сказала слишком много.

— Были и другие причины. — Она откашлялась, прочищая горло, и покачала головой. — Но теперь все это не имеет значения. Невозможно изменить хоть что-то. Включая и то, почему мы здесь. — О Господи. Почему ей так легко разговаривать с этим человеком? Ведь она совсем не знает его. Нельзя забывать об этом. А она делится с ним интимными подробностями личной жизни.

— Я понимаю, — кивнул лорд Медфорд. — И все, о чем я прошу вас, ваша светлость, напишите свою историю. Напишите правду.

Глава 8

Когда мистер Абернети вошел в кабинет, лорд Медфорд предложил ему сесть. Потом подвинул другой стул для Кейт. Она медленно подошла и заняла стул, стоявший перед столом, а Медфорд тем временем приказал дворецкому принести чай.

Кейт, с трудом проглотив ком, вставший в горле, посмотрела на адвоката.

— Спасибо, что вы согласились представлять мои интересы в суде.

— Я делаю это с удовольствием, ваша светлость, — ответил мистер Абернети с вежливым поклоном и ничего не значащей улыбкой. Пожилой человек, с аккуратно подстриженной бородкой, высокий, худощавый, взгляд проницательный, острый. Казалось, он принадлежал к тому типу людей, которые видят тебя насквозь, и у Кейт было неприятное ощущение, что Абернети тщательно изучает ее.

Она кашлянула и распрямила плечи.

— Я полагаю, у вас большой опыт... ведения подобных дел?

Мистер Абернети достал из внутреннего кармана сюртука очки в тонкой серебряной оправе и водрузил их на кончик носа. Он сел еще прямее и рассматривал ее через край очков. Видимо, с еще большей тщательностью.

— Смею вас заверить, ваша светлость, что у меня действительно большой опыт, но, правда, никогда не было дела, похожего... с точно такими обстоятельствами, и я...

— Я понимаю. — Подняв руку, она остановила его. — Вы сделаете все, что в ваших силах.

— Тому порукой моя высокая квалификация, — заметил Абернети. — Заверяю вас, я много раз выступал перед палатой лордов, где и будет происходить суд над вами, если дойдет до этого.

— Дойдет до этого? — Она сдвинула брови.

Абернети коротко кивнул.

— Да, мы будем надеяться на лучшее, но должны предвидеть и такой поворот дел.

— Я понимаю. — Она вздохнула. — И что меня ждет тогда?

Джеймс приподнял брови. Поразительно, как Кейт повернула разговор. Она казалась сейчас более заинтересованной в собственной защите, чем он ожидал. Прекрасно. Он немного беспокоился, что она будет вести себя слишком мягко или еще хуже — чувствовать себя виноватой, но то, с какой уверенностью она сказала раньше: «Я не виновна», давало ему надежду. Ясно, что под этой красивой внешностью скрывался настоящий борец. Тот самый борец, который потребовал вызволить ее из Тауэра. Тот самый, которого Джеймс хотел увидеть сейчас.

Мистер Абернети достал из потертого кожаного портфеля толстую пачку бумаг и положил на стол перед собой. Просматривая бумаги, вытаскивал то, что требовалось.

— Для этого случая поверенный лорда Медфорда нанял меня. Я буду осуществлять вашу защиту, проводить в ваших интересах расследование, и составлять необходимые бумаги.

— Я не понимаю. — Кейт повернулась к Джеймсу. — Разве еще не было расследования?

— Да. — Мистер Абернети коротко кивнул. — Магистрат по месту жительства вашего супруга провел свое расследование. И был произведен осмотр... дознание... — Он кашлянул, прикрывая рот рукой. — Простите мне мою неделикатность, ваша светлость. — Он выразительно посмотрел на нее.

Подбородок Кейт задрожал, но она кивнула.

— Продолжайте, я хочу услышать все.

— Произведен осмотр тела, — продолжал Абернети.

— И? — Она стиснула зубы.

— А сейчас моя очередь провести расследование в ваших интересах. Мне предстоит опросить свидетелей, записать их показания и сделать заметки по поводу всего, что может иметь отношение к делу.

— Но, как я понимаю, — покачала головой Кейт, — мне уже предъявлено обвинение? В другом случае меня бы не арестовали.

Джеймс потянулся вперед на своем стуле и встретил ее взгляд.

— Да, вы обвиняетесь в убийстве. Понятые при коронере назвали в своем вердикте ваше имя.

— И не только это. — Голос Абернети долетал откуда-то издалека. — Хотя это не имеет значения.

— Что? — Кейт резко повернулась к адвокату. — Что не только это?

Голос Абернети на этот раз стал сухим, как при изложении фактов.

— В добавление к вердикту, против вас выдвинуто свидетельство под присягой.

— Выдвинуто свидетельство? Кем? — Рот Кейт приоткрылся.

Абернети посмотрел на Джеймса. Тот кивнул.

— Это леди Беттина Суинтон, — сказал Абернети.

— Леди Беттина свидетельствовала против меня? — Кейт поднесла руку к горлу.

— Да, кажется, она убеждена в вашей вине.

— Подождите. Но при чем тут леди Беттина? — недоумевал Джеймс, подвигаясь вперед на своем стуле.

Абернети остановил его жестом руки.

— Мы еще дойдем до этого, — заверил он Джеймса. И обращаясь к Кейт, пояснил: — Показания, данные леди Беттиной, не означают, что не будет полного расследования. В числе прочих будет допрошена и она.

— Что еще я должна знать? — Кейт потерла виски кончиками пальцев.

Абернети положил ладонь на стопку бумаг.

— Палата лордов уже ознакомлена с вердиктом и свидетельством под присягой, иначе, как вы совершенно справедливо заметили, вас бы не арестовали.

— И что дальше? — выдохнула Кейт.

Вошел Лок с подносом, на котором был сервирован чай, и расставил на столе все приборы.

— Жюри присяжных должно предъявить обвинение, — пояснил Абернети, принимая из рук дворецкого чашку чаю.

— И тогда... — Рука Кейт дрожала, когда она брала чашку.

Абернети подвинул блюдце поближе.

— Если парламент будет на сессии, лорд-канцлер потребует встречи с лордом-распорядителем. Все пэры будут действовать как суд и жюри присяжных.

— А если сессии не будет? — настаивала Кейт.

— Тогда процесс состоится в суде лорда-распорядителя, он будет действовать как судья, а пэры — как жюри, за исключением, конечно, епископов.

— Почему без епископов? — Кейт посмотрела на Джеймса.

— Епископы могут быть членами палаты лордов, но они не принимают участия в делах, по которым может быть вынесен смертный приговор, — сухо пояснил Джеймс.

— Понятно, — едва слышно проговорила Кейт. — И если меня признают виновной, мне грозит смертная казнь?

Абернети коротко кивнул.

— Ваша светлость, я думаю, сейчас не стоит беспокоиться по этому поводу. Я...

Поставив чашку на стол, она закрыла глаза. И с такой силой вцепилась в подлокотники стула, что побелели костяшки пальцев.

— Пожалуйста, мистер Абернети. Мне нужно услышать... прошу вас, скажите это...

Абернети выпрямил спину. И снова коротко кивнул.

— Если вы настаиваете, ваша светлость. — Он взглянул на Джеймса. — Вас приговорят к сожжению на костре.

По позвоночнику пробежала холодная дрожь. Кейт опустила голову.

— Но есть много возможностей, — быстро заговорил Абернети. — Мы можем настаивать на смягчении приговора, привести доводы о провокации... и самозащите.

— Меня никто не провоцировал, — мягко прошептала Кейт. — И не было никакой самозащиты. Я не делала этого. — Она подняла глаза на Абернети, и в первый раз Джеймс увидел настоящий страх в ее чудесных голубых глазах.

Мистер Абернети указательным пальцем сдвинул очки на переносицу.

— Я понимаю, ваша светлость. И поверьте, я сделаю все, что в моих силах. Абсолютно все, чтобы доказать вашу невиновность.

— Спасибо, мистер Абернети. Я верю вам. А сейчас... — Она подняла подбородок. — Что нужно от меня? Какая помощь?

Абернети вытащил несколько бумаг из общей стопки и взял перо.

— Мне нужно, чтобы вы рассказали мне все, что помните об этом дне.

Глава 9

Кейт набрала воздуха в легкие и медленно выдохнула, она знала, что этот момент настанет. Момент, когда ей придется оживить в своей памяти ужасные детали того утра, когда был убит Джордж. Она не стала бы скрывать, что боялась этого, но мысленно готовила себя к этой минуте. Ей придется вспомнить все в суде. Тем не менее в первый раз было особенно трудно. Она повернулась к мистеру Абернети и, проглотив комок в горле, сказала:

— Хорошо. Я расскажу вам все.

— Включая... — Мистер Абернети, колеблясь, отвел взгляд. — Если честно, ходят слухи, что вы и ваш муж поссорились в тот день. Если это правда, я настаиваю на деталях.

Кейт кивнула.

— Я оставлю вас вдвоем. — Лорд Медфорд поднялся со своего места.

— Нет, милорд, — остановила его Кейт, подняв голову и глядя на него. — Пожалуйста, останьтесь. После того участия, которое вы выказали мне, вы имеете право слышать все. Если, конечно, вы не против.

— Вы уверены? — спросил он, встречая ее взгляд.

Кейт отвернулась и коротко кивнула.

— Да. — По какой-то непонятной причине его присутствие было приятно ей.

Лорд Медфорд вновь сел и обратился к мистеру Абернети.

— Продолжим.

Адвокат прокашлялся. Его рука, сжимавшая перо, зависла над бумагами, лежавшими на столе.

— Ваша светлость, это правда, что вы и ваш супруг спорили в то утро... в утро его смерти?

— Мы спорили. Это правда. — Кейт прикусила губу, но ответила на взгляд адвоката.

Абернети что-то записал на листе бумаги.

— И каков был предмет вашего спора?

Секунду-другую она молчала, потом открыла было рот, но затем снова закрыла его.

— Не волнуйтесь, ваша светлость, — сказал лорд Медфорд. — Мы понимаем, как трудно говорить о подобных вещах.

Кейт ощутила в его словах что-то вроде поддержки. Она закрыла глаза, стараясь вспомнить. И выдохнула.

— Накануне вечером мой муж объявил, что отказывается дать мне развод. — Она снова открыла глаза.

Абернети едва заметно кивнул, как будто бы герцогиня каждый день объявляла, что намерена развестись с герцогом. И продолжал скрипеть пером.

— Вы просили его светлость о разводе?

— Да. — Она сжала на коленях вспотевшие руки.

Мистер Абернети продолжал записывать.

— Когда вы в первый раз говорили с его светлостью о разводе?

— Я писала ему за неделю до этого. Я ждала, что Джордж приедет в Маркингем-Эбби и обсудит со мной этот вопрос.

— И поэтому он был там? — спросил Абернети, записывая ее слова.

— Да.

— Он приехал не один? — спросил Абернети, оторвавшись от бумаг.

— Да. — Она проглотила слюну, и горло болезненно сжалось. — С ним была леди Беттина, его... любовница.

Джеймс стукнул кулаком по столу, и чашки зазвенели. Герцогиня и Абернети повернулись к нему. Проклятье, если бы этот мерзавец Маркингем не был мертв, Джеймс тотчас дал бы ему увесистую пощечину. Как он смел привезти с собой любовницу, когда должен был обсудить личные дела со своей женой?

Абернети снова сосредоточил внимание на герцогине, его рука опять зависла над бумагами.

— Кто-то еще сопровождал его светлость?

Кейт подняла глаза к потолку, вспоминая.

— Его слуга Такер, который всегда был рядом с ним.

Абернети, не отрывая взгляда от бумаг, что-то тщательно записывал.

— И что ваш супруг сказал вам?

— Он сказал... — Она снова проглотила комок, мешавший ей говорить. — Он объявил... что между им и леди Беттиной... что он и леди Беттина любят друг друга.

Джеймс не мог сдержать проклятья.

Но Абернети даже не поднял глаз.

— Но он отказал вам в вашей просьбе о разводе?

— Да. — Кейт кивнула. — Как вы знаете, основания для развода очень... деликатная тема, и он отказался участвовать в этом.

Абернети прочистил горло.

— И в тот вечер вы спорили с ним?

Она отвернулась к окну. Взгляд был устремлен куда-то далеко, казалось, в ее сознании оживают события той ужасной ночи.

— Нет, не в ту ночь. Я была потрясена.

— Потрясена тем, что он не захотел дать вам развод? — уточнил Абернети.

— Да, и еще потому, что он сказал мне, что влюблен. Я не могла понять, почему он отказывает мне в разводе, если хочет избавиться от меня? Видите ли, он и раньше позволял себе многое, но никогда не был так вероломен и прямолинеен, заявляя, что у него любовная связь с кем-то из его пассий.

Джеймс сжал кулаки. Если Маркингем был так груб со своей женой, наверняка у него имелось достаточно врагов, готовых поквитаться с ним.

Тем временем Абернети продолжал:

— Что случилось в ту ночь позднее? Вы видели его светлость или леди Беттину?

— Нет. — Кейт помолчала секунду-другую. — Я провела вечер одна в своей комнате. И попросила горничную принести мне ужин.

— И вы не видели никого из них до утра? — продолжал Абернети.

— Именно так.

Абернети прервался, чтобы сделать глоток чая.

— Итак, когда именно вы увидели их на следующее утро?

Кейт тоже поднесла чашку ко рту и судорожно глотнула.

— Я видела леди Беттину до... после. — Она отвернулась.

— А его светлость? — бесстрастно поинтересовался Абернети.

— Он пришел попрощаться, — заговорила она высоким, напряженным голосом. — Он сказал, что больше не желает видеть меня. Он сказал, что возвращается в Лондон и не приедет в Маркингем-Эбби, пока я здесь. Он хотел, чтобы я переехала в его маленькое поместье недалеко от Карлиша. С глаз долой, раз и навсегда.

— И поэтому вы спорили? — Морщинистая рука Абернети потянулась к бумагам.

— Да. — Она закрыла глаза и прижала два пальца к веку. — Я сказала, что уезжаю и буду настаивать на разводе, хочет он этого или нет. Что я намерена переехать в Лондон и жить там.

— И ему это не понравилось? — Абернети нахмурился.

Она отчаянно замотала головой.

— Да. Он кричал, кричал, что запрещает мне это.

— И что вы ответили? — Абернети записывал, сердито сдвинув брови.

— Я тоже кричала в ответ. Я говорила, что мне теперь все равно, чего он хочет и чего не хочет... Я всегда выполняла его приказы. Провела десять последних лет в полном одиночестве в деревне, без него, без кого бы то ни было. — Она дрожала, и Джеймс видел, чего ей стоило это признание. Его сердце сжималось от сочувствия к леди, заживо замурованной в деревне в полном одиночестве и на столь долгий срок. Но тут в его памяти всплыли слова Лили, сказанные несколько дней назад. «Я даю вам неделю, для того чтобы разобраться с герцогиней, а потом вы займетесь ее защитой». Проклятье, он и не думал беспокоиться. Не собирался вникать в это дело. Ему не следовало оставаться в комнате и слушать все это.

Абернети потянулся к Кейт, как говорится, нос к носу.

— Вам известно, что некоторые из слуг слышали вашу ссору в то утро?

— Наверное, да, — кивнула она. — Но в то время я не думала о том, что кто-то слышит нас, хотя это меня не удивило бы. Мы и не думали скрывать что-то, мы оба были страшно возбуждены.

— Да, ваша светлость. — Абернети одним пальцем поправил очки. — Мои извинения, но мы почти закончили. И все же, следующая часть может быть самой трудной для вас.

— Я готова, мистер Абернети. — Она глубоко вздохнула и положила руки на колени.

— Ваша светлость, — продолжал Абернети. — В то утро вы сказали своему мужу что-то такое, что те, кто подслушивал... могли счесть эти слова... за угрозу?

— Да. — Она изо всех сил сжала руки.

Абернети сделал паузу, погрузив перо в чернильницу.

— Что вы сказали?

— Что скорее готова увидеть его мертвым, чем оставаться его женой.

Глава 10

Признание герцогини изумило Абернети, однако он не выдал своего удивления ни единым словом.

— Почему вы сказали это, герцогиня? — это было все, что спросил адвокат. Этот человек не зря получает свои деньги, подумал Джеймс. Он хорошо знает, что делает.

Кейт закрыла лицо руками.

— В тот момент я не это имела в виду. По крайней мере, не в прямом смысле. Просто я была унижена, оскорблена. И страшно разгневана. Это была естественная реакция на страх. Но я так не думала... И, конечно, никогда бы не сделала это.

Положив перо на стол, Абернети потянулся и накрыл рукой ее руку.

— Я понимаю, ваша светлость.

Джеймс прищурившись следил за ними. Он не знал, что выйдет из этого. Кейт не плакала, но была подавлена. Она казалось такой сильной, но вместе с тем очень ранимой. Или она чертовски хорошая актриса, или... самая несчастная леди во всем королевстве. И будь он проклят, но ответить на этот вопрос он не мог. Он всегда гордился своим умением разбираться в людях, но герцогиня оставалась для него загадкой. Тайна за семью замками.

Она глубоко вздохнула.

— О, они могут, конечно, просто сжечь меня. Я знаю, моя история выглядит недостоверной и отвратительной.

— Не теряйте мужества, ваша светлость. Вы превосходно делаете свою работу и тем самым очень помогаете мне, — заверил ее адвокат.

— Пожалуйста, мистер Абернети, — проговорила она сквозь стиснутые зубы, — не называйте меня «ваша светлость».

Адвокат кивнул.

— Хорошо, а сейчас... — Он снова взялся за перо. — После ссоры ваш супруг вышел из комнаты?

Прикусив нижнюю губу, она жевала ее, обдумывая ответ.

— Да... я полагаю, он прошел в свою спальню.

— И когда вы увидели его... снова? — уточнил Абернети.

Она опять задумалась, потирая лоб кончиками пальцев.

— Меньше чем через час. Я хотела спросить его, когда он думает уехать. Мне следовало послать слугу.

Абернети, не поднимая головы, что-то пометил в своих бумагах и задал очередной вопрос:

— Вы пошли в спальню мужа, чтобы извиниться?

Она покачала головой и распрямила плечи.

— Нет, я не собиралась извиняться. — Ее тон был холоден и спокоен.

Взгляд Джеймса скользнул по ее лицу. Черт подери, он уважал ее за этот прямой ответ. Куда проще было бы солгать. И это могло хоть чуть-чуть уменьшить ее вину или хотя бы привлечь сочувствие к ее персоне. Но вместо этого, высоко держа голову, она сказала... правду. Она пошла в спальню Маркингема вовсе не для того, чтобы извиняться. Но Джеймс уже был наслышан об отношении к ней мужа и поэтому не мог винить ее.

— Прошу простить меня, но я обязан спросить, — продолжал Абернети, осторожно поднимая глаза на герцогиню. — Что вы увидели, когда вошли в комнату мужа?

— Не торопитесь, — добавил Джеймс, он видел ее сейчас так близко, что заметил слезы, готовые пролиться из ее глаз.

— Я постучала, — произнесла Кейт полушепотом и подняла кулак, словно снова стояла перед дверью спальни. — Сначала тихо, потом громче. Ответа не было.

— Продолжайте, — спокойно, уверенно сказал Абернети.

Она слегка покачала головой, и один золотисто-рыжий локон выбился из прически и упал на щеку.

— Но потом что-то, сама не знаю что, заставило меня открыть дверь. Не уйти, решив, что он уже уехал, а войти.

— Да, я понимаю. — Адвокат кивнул.

— Я повернула ручку и открыла дверь. — Кейт судорожно вздохнула. — И вошла....

— Что вы увидели? — Если Абернети и не был похож на Джеймса, то в этот момент он точно так же, как милорд, затаил дыхание.

— В комнате было холодно. Темно. Мне потребовалось какое-то время, чтобы глаза привыкли к темноте, и тогда я увидела...

— И?

Голос Кейт задрожал.

— И я увидела его... — Она смотрела отсутствующим взглядом куда-то вдаль. Джеймс был уверен, что в ее памяти вновь оживает каждое мгновение этого утра.

— Он лежал на полу в странной позе, весь в крови.

Она прикрыла рот обеими руками, словно хотела сдержать стон.

— Он был мертв? — настаивал Абернети.

— Да. — Ее голос звучал глухо, так как она все еще прикрывала рот руками.

— Вы уверены? — Глаза Абернети изучали ее, казалось, она пребывала в трансе.

— Да, я подошла к нему. Очень осторожно, очень медленно. «Джордж, — позвала я. — Джордж». Его застрелили. Рана от выстрела зияла на его груди. Я... я... не верила своим глазам. — Она, как безумная, качала головой.

— Но вы не слышали выстрела? — допытывался адвокат.

— Нет, нет, я была у себя в спальне, она расположена в другом конце дома. Я не слышала ничего похожего на выстрел.

Абернети быстро записал показания.

— А когда вы вошли в комнату, вы увидели пистолет?

— Да. — Она кивнула. — Он лежал в углу, как раз перед... ним.

— Вы прикасались к нему?

— К пистолету? Нет.

— Но вы... — Он громко проглотил слюну. — Вы прикасались к... телу?

— Да, я прикасалась к нему. Я опустилась на колени, нагнулась к нему и взяла его голову в ладони. И приподняла ее... чуть-чуть.

Абернети сел прямее и теперь смотрел ей в глаза.

— Простите меня, но я должен спросить. Вы любили мужа?

— Нет. — Коротенькое слово эхом отозвалось в большом пространстве кабинета, уставленного книжными шкафами. Она покачала головой, слезы бежали по ее щекам, и она не вытирала их.

— Нет. Я не любила мужа. И не думаю, что любила когда-то. — Ее глаза были похожи на синий влажный бархат, на котором, словно бриллианты, сверкали слезы. — Но я никогда, никогда не желала его смерти. И, уж конечно, не такой вероломной, как случилось. А когда я подумала, как сообщат его матери... Мы никогда не питали друг к другу нежных чувств, но представить потерю сына... Нет, невозможно!

Ее голос дрогнул, она едва сдерживалась, чтобы не разрыдаться. Мистер Абернети, потянувшись к Кейт, сжал ее руку.

— Я почти закончил. Вы прекрасно поработали. Еще несколько вопросов, герцогиня, и... Что случилось дальше? Кто нашел вас первый?

Она проглотила слезы и вытерла глаза тыльной стороной ладони. Джеймс протянул ей свой платок, взяв его, Кейт благодарно кивнула.

— Леди Беттина, — ответила Кейт. — Она вошла в комнату. Она выглядела... ужасно.

— Она что-то сказала?

Кейт потянула носом, проглотила слезы и кивнула.

— Она закричала: «Что вы сделали? Что вы сделали?»

— И потом... Что было потом?

— Сбежались слуги. Все слуги...

Адвокат снова взялся за перо. Какое-то время было слышно лишь чирканье пера по бумаге, потом он спросил:

— А мировой судья, он скоро приехал?

— Да. — Кейт прикусила нижнюю губу. — Его вызвал кто-то из слуг. Не знаю, кто именно.

— И что же говорили слуги?

— Они защищали меня. Говорили, что я не способна на такое.

— Все слуги? — настаивал Абернети.

— Ну... миссис Андерсон, домоправительница, дворецкий Эдвард и моя горничная Вирджиния. Конечно, они все были потрясены случившимся, но понимали, что я не могла сделать это.

— Они сказали это судье?

— Думаю, да. Хотя, право, я не могу утверждать. Тогда все было как в тумане.

— И последний вопрос.

— Да?

— Как вы думаете, кто убил вашего мужа?

Герцогиня медленно покачала головой.

— Не могу ничего с собой поделать, но постоянно думаю об этом. Задаю себе один и тот же вопрос. Кто? Поверьте, это не выходит у меня из головы.

— И? — спросил Абернети, Джеймс подался вперед, ожидая ее ответа.

— Я просто не знаю. Не знаю, кто мог желать его смерти. Не леди Беттина, конечно. Да и слуг он никогда не обижал. Он так редко бывал в том доме, что... Я абсолютно не знаю, кто застрелил моего мужа, мистер Абернети. Все, что я знаю, что это не я. И я скорее отдам свою жизнь, чем несправедливо обвиню другого человека.

— На сегодня достаточно. — Абернети отложил перо. — Спасибо, что рассказали мне свою историю.

Кейт торопливо вытирала глаза платком.

— Если джентльмены не возражают, я бы хотела немного отдохнуть в своей комнате.

— Ну, разумеется, — в один голос объявили оба джентльмена и, так как Кейт встала, тоже поднялись со своих мест.

Когда герцогиня вышла из комнаты, Джеймс снова опустился на стул и, скрестив руки на груди, посмотрел на Абернети.

— Вы думаете, она говорит правду?

На лице адвоката не отразилось ничего. Сняв очки с носа, он аккуратно сложил их и убрал во внутренний карман сюртука.

— Это не мое дело — решать, говорит она правду или лжет, милорд. Мое дело защитить ее. И я намерен осуществить это. Со всей решимостью.

— Я понимаю, но все же? Что вы думаете? — настаивал Джеймс, не спуская с адвоката внимательных глаз. Черт подери, он начинает говорить, как Лили. Но Абернети профессионал и в проницательности ему не откажешь. Джеймс хотел услышать его мнение.

Абернети не спеша собрал бумаги и убрал их в портфель. Поднялся и направился к двери, но, прежде чем подойти к ней, он повернулся к Джеймсу.

— Я думаю, если то, что она говорит, неправда, то она лжет чертовски искусно.

Глава 11

Его разбудила музыка. Проникновенные звуки «Лунной сонаты» Бетховена доносились из бального зала. Какое-то время Джеймс прислушивался, опираясь на локоть, затем, стряхнув остатки сна, встал с постели. Набросив темно-зеленый халат, он затянул потуже пояс и направился на второй этаж.

Кейт сидела за фортепьяно, пара свечей едва освещала ее лицо. Закрыв глаза, она полностью погрузилась в музыку.

Джеймс осторожно кашлянул.

— Вы так талантливы, — сказал он, эхо вторило его словам в пустом зале.

Увидев его, Кейт тотчас ошиблась нотой и перестала играть.

— Милорд!

— О, пожалуйста, не останавливайтесь. — Джеймс подошел ближе, понимая, что на ней нет ничего, кроме ночной рубашки и надетого поверх нее халата. — Это прекрасно! — воскликнул он, не будучи уверен, о чем говорит — о музыке или о ней самой в этом шелковом халате, с роскошной копной волос, свободно спадающих на плечи. В свете свечей ее лицо казалось не просто красивым, а волшебным.

— Простите, что разбудила вас, — вполголоса произнесла Кейт, виновато опуская голову. — Никак не могла заснуть. Я надеялась, что двери закрыты и музыки не будет слышно.

Подойдя к пианино сбоку, он уперся плечом в инструмент и встретился с ней глазами.

— На самом деле, я очень чутко сплю, боюсь, меня не трудно разбудить. — Джеймс улыбнулся. — Кроме того, я всегда рад услышать Бетховена. Особенно эту вещь.

— Это моя любимая, — призналась Кейт и покраснела, что придало ей еще больше очарования. — Я не играла с тех пор, как меня арестовали. В Маркингем-Эбби я обычно играла каждый день.

— Кажется, ваша светлость, вашу жизнь там нельзя назвать счастливой? — сдвинув брови, поинтересовался Джеймс.

Глаза Кейт вспыхнули.

— Пожалуйста, не обращайтесь ко мне «ваша светлость».

— Я заметил вчера, что вы попросили об этом и адвоката Абернети. Вам не нравится ваш титул?

Она покачала головой, и золотистые локоны рассыпались по плечам.

— Нет, и никогда не нравился.

— Почему? — Он удивленно приподнял брови.

— Это отвратительный титул. Как будто бы я лучше, чем кто-то другой. Ваша светлость. Ваша светлость. Ваша светлость.

— И все же я не понимаю. — Джеймс продолжал внимательно вглядываться в ее черты.

— Я не герцогиня, — прошептала она, встречая его взгляд глубокими озерами своих глаз. — Я — простая девушка, которая вышла замуж за герцога.

Джеймс понимающе кивнул. Почему-то это имело для него смысл, и почему-то она не переставала удивлять его. До того, как они познакомились, он ожидал, что она будет держаться высокомерно. Вместо этого она напоминала ему потерянную душу.

Кейт слегка тряхнула головой, словно хотела покончить с серьезностью их разговора.

— Я думаю то, что мы беседуем посреди ночи, полуодетые, это... против всяких правил... — Она взглянула на него, и ее щеки залились краской.

Джеймс заметил, что полы его халата разошлись, приоткрывая голую грудь. — Он улыбнулся, упираясь локтем в крышку пианино и подперев подбородок рукой.

— Кажется, немного поздно беспокоиться о правилах этикета. Но я готов согласиться, в нашем общении действительно нет ничего обычного.

Кейт покраснела еще больше, и Джеймс моментально пожалел о своих словах. Он выпрямился.

— Да. — Она робко улыбнулась, но отвела глаза. — Полагаю, вы правы.

Минуту-другую они молчали, потом Кейт заговорила снова:

— Можно я задам вам один вопрос, милорд? — Она сделала беспокойный жест руками.

— А сейчас вы едва ли правы. — Он снова улыбнулся. — Если я не буду обращаться к вам «ваша светлость», то и вы не должны говорить мне «милорд».

На ее лице вновь расцвела улыбка, и его сердце забилось быстрее.

— Я не знала, что и вам не нравится ваш титул.

— Мне нравится, — ответил он. — Но я настаиваю, если мы собираемся покончить с формальностями, то можем обращаться друг к другу по имени. Я не против, и если вы согласны, то....

— Да, разумеется, — кивнула она. — Можете звать меня Кейт.

— А вы можете звать меня Джеймс, — сказал он и поклонился.

— Прекрасно! Можно вас кое о чем спросить, Джеймс?

Ответом была улыбка.

— Я должен вам ответ, как я понимаю.

Оставив руки на клавишах, но не нажимая на них, Кейт спросила:

— Почему вы привезли меня сюда? В ваш дом, как я понимаю. У вас ведь много других поместий?

— Да, есть и другие. Несколько. Здесь и за городом.

Она закусила губу.

— Тогда почему вы не отвезли меня в какой-нибудь другой дом?

Джеймс облокотился о крышку пианино.

— В другом доме я не мог бы обеспечить вашу безопасность.

— Так вы привезли меня сюда, чтобы обеспечить мою безопасность? — нахмурившись, спросила Кейт.

— А вас это удивляет?

На этот раз она кивнула, локоны снова качнулись, и Джеймс с трудом удержался от того, чтобы не протянуть руку и не коснуться их, особенно того, что упал на щеку.

— Да.

— Почему? — спросил он.

— Я думаю, — она слегка пожала плечами, — вы поселили меня здесь, чтобы следить за мной. Быть уверенным, что я не сбегу.

— А вы хотите сбежать? — усмехнулся Джеймс.

Она покачала головой и расправила плечи.

— Нет, я готова принять свою судьбу.

Сейчас Джеймс мог разглядеть ее лицо. Она говорила правду. Он чувствовал это. Кейт действительно готова принять свою судьбу. Джеймс много думал о ней со дня их первой встречи, но нет, в ней не было и намека на трусость. Какова бы ни была ее вина, Кейт Таунсенд — смелая женщина. По-настоящему смелая. Ей присущ тот род смелости, который позволяет смотреть в лицо смерти. Тот род смелости, который помогал ей выстоять перед вероломством мужа, посмевшего привезти любовницу в дом. Та смелость, которая дала ей силы потребовать развода, смотреть в глаза обществу, не желая подчиняться его законам, и вести жизнь несчастливую, но соответствующую принятым правилам.

— Когда мы покидали Тауэр, вы сделали... — Она прокашлялась. — Я видела, как вы отдали честь стражнику.

Джеймс смотрел на пустой бальный зал. Она заметила и это? Какая же она внимательная, эта герцогиня. Она немножко напоминала... его самого. Джеймс повернул голову, чтобы лучше видеть Кейт.

— Когда я был еще очень молод, только-только окончил университет, я был произведен в офицеры и два года служил в армии.

Кейт не могла сдержать вздох удивления.

— У вас не было родного брата. Ваш отец, должно быть, беспокоился? Ведь вы единственный наследник.

Джеймс прикрыл рот рукой, пряча улыбку. Кажется, сейчас роли поменялись, и теперь он подвергается допросу со стороны герцогини. Прекрасная игра.

— Это правда. У меня не было ни братьев, ни сестер. Мой отец и я, мы... — Отвернувшись, он смотрел в темноту, подыскивая подходящее слово. — По правде сказать, мы чаще спорили, чем соглашались друг с другом. Включая и мое желание служить в армии.

Кейт убрала руки с клавиатуры и положила их на колени.

— Я... я рада, что все закончилось благополучно.

— Как и я. — Он снова улыбнулся.

— Еще один вопрос, — сказала Кейт, улыбнувшись в ответ.

Джеймс наклонил голову.

— Да?

— Зачем вам печатный станок, ведь вам не нужны деньги?

Ах, опять эта наивность. Настоящая аристократка никогда бы не стала говорить о деньгах. Но Кейт была очень проницательна. Чертовски проницательна и практична.

— Вы правы на этот счет, — согласился он. — Деньги тут ни при чем.

— Тогда что? — Она склонила голову набок, и свет свечей, падавший на ее волосы, сделал их похожими на золотую канитель. От Кейт исходил легкий аромат клубники. И Джеймс хотел... попробовать ее.

Сдерживая стон, готовый вырваться из уст, он провел ладонью по лицу. Кейт задала хороший вопрос. Зачем ему понадобился печатный станок? Вызов? Забава? Нечто скандальное, что он не мог позволить себе в реальной жизни? Все ответы одинаково правдивы, но было что-то еще. Что-то такое, чего он не знал, а проницательность герцогини позволила ей заметить.

— Вам доставляют удовольствие скандалы? — спросила она.

— Нет, конечно. Порядок, правила, правда. Именно эти вещи всегда были важны для меня. Я рассказываю истории. Но, прежде всего, я наслаждаюсь правдой.

Она отвернулась.

— Однако не верите, что я говорю правду? — спросила она.

Губы Джеймса сложились в жесткую линию. Он не мог позволить себе жалеть ее. Не должен продолжать интересоваться, убила ли Кейт своего мужа. Лили была права. Всю свою жизнь он пытается все исправить, а Кейт не вписывалась в рамки его нового проекта. И потом, находиться рядом с женщиной, над которой нависла угроза смертного приговора, было чистым безумием. Он резко отклонился от пианино.

— Я убежден, какова бы ни была ваша история, она будет продаваться очень хорошо.

Глава 12

На следующее утро Джеймс проснулся в обычное время. С помощью слуги он побрился и оделся. Проведя утреннюю тренировку по фехтованию, Джеймс вернулся из клуба, позавтракал и прошел в кабинет. Фемида трусила следом за ним. Повиляв хвостом, она улеглась на коврике подле его ног.

Джеймс старался сконцентрироваться на бумагах, лежащих на столе, но в его голове снова и снова всплывали события ночи.

Кейт сказала, что, скорей всего, он привез ее сюда для того, чтобы иметь возможность следить за ней. Да, частично так и было, но все же основная причина заключалась в том, что он беспокоился о ее безопасности. Если бы общество узнало, что он поселил ее в Мейфэре в своем городском доме, то не прошло бы и часа, как собралась бы толпа и разнесла бы весь дом. И тогда, если бы ей причинили вред или, хуже того, убили, Джеймсу пришлось бы нести ответственность за нее. Он не мог допустить такого хода событий. Нет. Держать ее здесь, подле себя, это и был лучший выбор. Защитить ее, и он намерен был осуществить это.

Но если быть честным с самим собой, то была и другая причина. И эта причина заставляла его беспокойно ерзать на стуле, в глубине души ощущая свою вину. Несмотря на то, что он говорил себе прошлой ночью, он хотел находиться в непосредственной близости от Кейт, чтобы, наконец, получить ответ на мучивший его вопрос — виновна она или нет? Она убила Маркингема? Или кто-то другой? Все свидетельства пока были не в ее пользу. Но она казалась такой мягкой и искренней, не способной причинить вред даже букашке. В самой Кейт было нечто несовместимое с обвинениями, выдвинутыми против нее.

Джеймс бросил перо на стол и обхватил голову руками. И почему, черт подери, его так влечет к ней? Он вел жизнь монаха. Правда, случались отдельные эпизоды, с тайной вдовой, например, но он отнюдь не был распутником. Мимолетные интрижки не интересовали его. Да и любовь вряд ли вызывала его интерес. Он был закоренелый холостяк. Все это так, но Кейт заставила его испытывать чувства, которые слишком долго спали... слишком долго. И это было совершенно неуместно. К тому же она только что потеряла мужа, и, что еще страшнее, ее обвиняли в убийстве. Как можно было ухаживать за ней, оказывая знаки внимания? Сколько раз прошлой ночью ему приходилось удерживать себя от того, чтобы прикоснуться к ее волосам? А этот пленительный запах — клубники и мыла... он так и манил Джеймса, стоило Кейт подойти ближе. «Нет, — говорил он себе. — Держи свои руки при себе, как это ни трудно». Он прежде всего джентльмен. Да, он не может запретить своему организму реагировать на нее, но он, черт подери, может побороть это влечение и, несомненно, сделает это.

Легкий стук в дверь нарушил ход его мыслей, и Джеймс поднял глаза. То же сделала и Фемида.

В дверях появился Лок.

— Милорд, — кланяясь, сказал дворецкий, — у нас визитеры.

Джеймс скрипнул зубами. Визитеры? Кто? Никто не должен знать, что Кейт находится в его доме. Где она? Нужно проинструктировать миссис Хартсмид: в том случае, если кто-то приезжает с визитом, Кейт не должна выходить из своей комнаты.

— Маркиза Колтон и графиня Эшборн, — доложил Лок.

Джеймс облегченно вздохнул. Ну, слава богу! Лили и Энни? Тогда не стоит беспокоиться.

— Скажите леди, я скоро буду.

Дворецкий смущенно кашлянул.

— Они приехали повидать не вас, милорд.

Джеймс снова взглянул на дворецкого, его брови сошлись на переносице.

— Не меня?

— Нет, они пожаловали сюда, чтобы увидеть ее светлость.

Джеймс отклонился на спинку кресла. Положив ладони на грудь, он тихонько барабанил пальцами.

— Они уже здесь?

— Да, и настаивают на встрече с ее светлостью, — с поклоном отвечал Лок.

Пряча улыбку, Джеймс покачал головой. Лили и Энни абсолютно неисправимы. Только они способны заявиться в дом, где обитает недавняя узница и где ей быть не следует.

— Что ж, проводите их в одну из гостиных и пригласите ее светлость.

Кейт шла в голубую гостиную, ее ладони вспотели, а сердце неукротимо билось. Она на секунду задержалась у двери и сделала глубокий вздох. За этой дверью ее ждут две леди, представительницы того социального класса, с которым ей предстояло бы общаться в будущем, если бы... Вместо этого единственная леди, с которой она познакомилась за эти годы, была мать ее мужа, и она невзлюбила Кейт с первого взгляда. О, и еще леди Беттина. Более неприятной женщины она никогда не встречала. Кейт провела ладонями по юбке, стараясь успокоиться. Одна надежда, что эти дамы не такие высокомерные, как ее свекровь, и не такие ужасные, как леди Беттина.

Джеймс рассказывал, что эти две гостьи входили в ближний круг его друзей и знали, что он привез Кейт в свой дом. Очевидно, он доверял им. Полностью. Но значило ли это, что и она могла доверять им? Они здесь только для того, чтобы взглянуть на нее? А может быть, чтобы посмеяться над ней? Или спросить, зачем она подвергает опасности их друга?

Что ж, сколько бы она ни гадала, это ничему не поможет. Если прийти сюда их побудило любопытство, она должна войти и покончить с этим. Взявшись дрожащими пальцами за ручку двери, она повернула ее и вошла в гостиную. Две молодые леди сидели на кушетке посреди комнаты, о чем-то оживленно болтая и смеясь. Как только Кейт появилась в дверях, они моментально прекратили разговор и посмотрели на нее.

— А вот и вы, ваша светлость, — сказала та, что постарше, и Кейт не могла не заметить, что эта леди настоящая красавица. — Вот и вы.

Кейт растерянно заморгала, не зная, как реагировать. Тон дамы был приветлив, но Кейт не была уверена, кто эти леди, чужие или....

— Садитесь, пожалуйста, — предложила леди. — Это непростительная невежливость со стороны Медфорда — не прийти и не познакомить нас. И тем более удивительно, потому что обычно он весьма щепетилен в подобных вопросах. Он не удостоился бы титула Лорд Совершенство, будь иначе. — Красавица подмигнула Кейт, и на этот раз ошибки быть не могло, кто бы ни была эта леди, ее искренность не вызвала сомнения. — Идите к нам, мы познакомимся и еще лучше проведем время одни, чем с чопорным виконтом.

Она встала и протянула обе руки навстречу Кейт. И Кейт направилась к ней.

— Официально я — маркиза Колтон, — представилась молодая дама. — Но вы можете звать меня Лили. — Она снова подмигнула, и Кейт вздохнула с облегчением. О, как чудесно! Они против церемоний. И от них она не услышит ненавистное «ваша светлость».

— А это моя сестра, графиня Эшборн, — продолжала Лили.

Юная особа поднялась, потянулась к Кейт и пожала ее руку с нескрываемым энтузиазмом.

— Пожалуйста, зовите меня просто Энни. — Энни была почти так же красива, как ее сестра, те же темно-каштановые волосы и мягкие карие глаза. Обе леди настолько не соответствовали тому, что представляла себе Кейт, что она почувствовала, как напряжение постепенно оставляет ее. И тут же с ужасом спохватилась, поняв, что до сих пор ничего не ответила на приветствия сестер, и они обе смотрят на нее с выражением ожидания на лицах.

— Я... я — Кейт. — Ей следовало быть более официальной. Она ущипнула себя за руку. — Пожалуйста, не обращайтесь ко мне «ваша светлость», — выпалила она, и ее страх, что сестры подумают, не сошла ли она с ума, быстро испарился, когда обе леди широко улыбнулись в ответ.

— Конечно нет. Мы и не думали об этом, — призналась Лили. — Присядем. — Лили указала на кушетку.

Энни с заговорщицким видом зашептала:

— Лок принесет чай и пирожные, и я поделюсь с вами секретом, если вы сами еще не успели это узнать. У Медфорда самые вкусные пирожные во всем городе.

Кейт больше не старалась спрятать улыбку. Эти милые леди так же неравнодушны к пирожным, как и она? О да, Кейт могла бы подружиться с ними, она не сомневалась в этом.

— Я счастлива познакомиться с вами, — сказала она, надеясь, что это не звучит глупо.

— О, мы тоже с нетерпением ждали этого момента, — заверила ее Лили. — Потому что ни на секунду не верим в вашу вину. Мне доводилось встречаться в обществе с вашим мужем, и могу предположить, что немало людей могли желать его смерти.

Кейт прикусила губу, стараясь скрыть горькую улыбку.

— Я понимаю. Спасибо.

— Но, моя дорогая, я не могу не спросить... Это правда, что вы просили его о разводе?

Кейт глубоко вздохнула. Она чувствовала такое радушие и открытость со стороны этих молодых дам, что это позволяло ей спокойно отвечать на вопросы.

— Да, можно сказать, наш брак не удался.

— Это, должно быть, было очень тяжело для вас? — Лили следила за ней добрым взглядом фиалковых глаз.

Кейт чувствовала, что успокаивается. Эти две леди не осуждают ее за попытку скандального развода. Да, эти сестры действительно необыкновенные.

— Я не осуждаю вас, — проговорила Энни, словно читая ее мысли. — И мы рады, что вам выпала возможность написать памфлет для Медфорда.

Кейт широко открыла глаза.

— Вы знаете о его печатном станке? — Она хотела снова ущипнуть себя за то, что задала этот вопрос. Конечно, они должны были знать, как и то, что именно по этой причине она здесь. Но вопрос уже слетел с ее губ.

— О, какое-то время мы тоже были очень популярны, — усмехнулась Лили, подмигивая Энни.

— Но вы же не... — Кейт понизила голос до шепота, — не были замешены в скандале?

— О, конечно нет, — со смехом отвечала Лили, тряся темной головкой.

Энни тоже залилась смехом.

— А теперь, Лили, нам не остается ничего другого, как поделиться с ней нашими секретами.

Кейт переводила взгляд с одной сестры на другую, понимая, что ее глаза такие же огромные, как блюдца.

— Вашими секретами?

— Да, — с лукавой улыбкой отвечала Лили. — Видите ли, вам посчастливилось сидеть с авторами «Тайн брачной ночи» и «Секретов сбежавшей невесты».

— Нет! — воскликнула Кейт, не веря своим ушам.

— Да! — Лицо Энни просияло. Она кивнула.

Лили, сидя на кушетке, била ногами по полу, заливаясь смехом. И Кейт подумала, насколько это противоречит должному поведению маркизы.

— Так что присоединяйтесь к нашему знаменитому клубу, хотя наши памфлеты были, разумеется, анонимные, — закончила Энни и снова подмигнула Кейт.

— Я обещаю никому не говорить, что это вы, — заверила их Кейт. Как чудесно, эти леди настолько открыты и приветливы, что доверили ей свои секреты. — Хотя должна признаться, что немного удивлена, — пробормотала она.

— Чем? — спросила Энни.

— Джеймс... — Она кашлянула. — Лорд Медфорд, кажется, не уверен в моей невиновности, а вы обе...

— О, не обращайте внимания на Медфорда. — Лили махнула рукой. — Он представляет себя дельцом. И наши взгляды не всегда совпадают. Зная Медфорда, я удивлена, что он сам не взялся за вашу защиту, чтобы добиться вашего оправдания.

Кейт покраснела, Лили, должно быть, заметила это.

— Или взялся? — спросила она, подбоченившись.

Кейт прикусила губу и кивнула.

— По просьбе Медфорда здесь был мистер Абернети, адвокат.

— Вот это похоже на Медфорда, — согласилась Энни.

— Да, — поддержала сестру Лили. — Он всегда все улаживает, всегда все исправляет. Это так похоже на него. Он не может помочь сам, но пытается спасти леди, попавшую в беду.

Кейт покачала головой.

— Он не пытается спасти меня... правда. Он просто хочет получить памфлет и...

— Не верьте ни на одну минуту, — возразила Лили. — Во-первых, посмотрите на себя, вы — настоящая красавица, и, во-вторых, может показаться, что Медфорд из тех, кто во всем ищет выгоду, но это не так. Совсем не так. Он не мог бы быть таким, даже если бы захотел. Кейт, поверьте, он сделает все, что в его силах, чтобы помочь вам.

Кейт снова покраснела. Маркиза назвала ее красавицей? Слышать такое от дамы, которая сама выглядит как богиня, это дорогого стоит. Но Кейт не стала спорить с маркизой о намерениях ее друга. Он дал ясно понять, что памфлет — единственное, чего он хочет от нее.

Лок принес поднос с чаем, и Энни захлопала в ладоши, меняя предмет разговора.

— О боже мой! Пирожные!

Они подождали, пока Лок установит поднос на низкий столик, сервирует чай и выйдет, и тогда Лили заговорила снова. Она повернулась к Кейт.

— Итак, Медфорд рассказал нам, что вы намерены наслаждаться жизнью, пока вы здесь.

Кейт проглотила слюну. Сейчас ее слова казались ей абсолютно неподобающими. Как эти милые леди могли верить в ее невиновность, если она была такой ужасной женой, что намерена наслаждаться, когда ее муж лежит в могиле?

— Вы должны плохо думать обо мне, зная, что я так сказала, — ответила Кейт. — Но это лишь потому... что у меня, возможно, осталось не так уж много времени. — Ее голос затих, и она продолжила еле слышно: — Это тяжело.

— О, мы вовсе не осуждаем вас. Нисколько, — заверила Лили. Она сжала руку Кейт. — Не могу вообразить, как вам тяжело... Как страшно. Кроме того, я сама была вдовой и знаю, как трудно женщине в нашем обществе. Я никогда бы не посмела осудить вас.

— Спасибо, — проговорила Кейт, проглотив комок, застрявший в горле.

Энни деликатно взяла пирожное с серебряной тарелочки и положила на свое блюдце.

— Расскажите нам, Кейт, чего бы вам хотелось больше всего? У вас есть какая-то заветная мечта?

Кейт тоже взяла пирожное и рассмеялась.

— О, если я скажу вам, боюсь, вы подумаете, что я страшно глупая.

— Нет, пожалуйста, скажите, — попросила Энни, прежде чем поднести чашку к губам. — Я обожаю всякие глупости.

— Да, расскажите нам, — поддержала сестру Лили. — Вы и представить не можете те глупости, которые мы могли бы совершить, дай нам только волю. — Она подмигнула Энни.

Кейт улыбнулась. Сестры такие приятные. Они относились к тому типу женщин, с которыми она могла бы подружиться, если бы была частью того мира, к которому принадлежал ее муж. Если бы все было по-другому. Но, увы, их знакомство может продлиться очень недолго. Она снова проглотила комок, вставший в горле. Прикусила губу и подвинулась к маркизе и графине.

— Что ж... хорошо. А правда заключается в том, что я бы хотела поехать на ферму.

— На ферму? — Энни удивленно заморгала.

— О, я понимаю. — Кейт оглядела комнату, не может ли она спрятаться куда-то от стыда. — Вы считаете, это глупо?

— Нет, нет, нет, — поспешила заверить ее Энни. — Совсем не глупо. Я просто должна была удостовериться, что правильно поняла вас. Не думаю, что когда-нибудь встречала герцогиню, которая хотела бы посетить ферму.

— Я знаю, это смешно. — Кейт залилась краской. — Но, видите ли, я выросла на ферме. И скучаю по этой жизни. Животные, луга, поля, амбары...

— Лично я никогда в жизни не была на ферме, — призналась Лили, откусывая кусочек пирожного. — Это было бы для нас целое приключение! Хотя сомневаюсь, что зимой луга могут выглядеть привлекательно. Но мы должны извлечь из этого все, что можем.

— О да, ферма! — Энни кивнула. — Это звучит удивительно приятно. Вы, Кейт, должны показать нам, что же это такое.

— Что вы имеете в виду? — Кейт внимательно оглядела сестер.

— Ну, а теперь скажите, кто глупее? — рассмеялась Лили. — Мы хотим сказать, что собираемся взять вас с собой на ферму.

В груди остановилось дыхание.

— Вы действительно считаете, что мы можем съездить на ферму?

— Считайте, что это уже решено. — С невозмутимым видом Лили передала ей пирожное.

Глава 13

Когда Абернети вернулся, чтобы вновь встретиться с Джеймсом, новости, которые принес адвокат, были далеко не радостные.

— Оказывается это не такое простое дело, милорд, — заявил Абернети. — Боюсь, куда труднее, чем я предполагал ранее.

Джеймс сидел на стуле, поставив локти на стол.

— Что случилось? — с тревогой спросил он.

Прочистив горло, Абернети вытащил из портфеля стопку бумаг. Бумаги со стуком шлепнулись на стол, и Абернети прихлопнул их ладонью.

— Я просмотрел показания всех свидетелей, собранные во время расследования. В основном они носят обвинительный характер. Несколько слуг, включая камердинера его светлости, а также леди Беттина Суинтон слышали ссору между герцогом и герцогиней незадолго до того, как он был убит.

— Леди Беттина сказала что-то существенное? — нахмурившись, поинтересовался Джеймс. С того момента, как он узнал, что в этом деле фигурирует леди Беттина, он стал особенно подозрителен. Эта красивая молодая вдова не раз делала Джеймсу недвусмысленные предложения. Она отличалась повышенным легкомыслием, что обычно не сулило ничего хорошего. Леди, которая переходила от одного покровителя к другому, выбирая их исключительно среди пэров и рассчитывая заполучить подарки, деньги и власть. Да, Джеймс хорошо знал, что представляет собой эта дама. И она не нравилась ему. Никогда.

Абернети выудил из внутреннего кармана сюртука очки и, водрузив их на нос, рассматривал какой-то документ, который вытащил из толстой стопки.

— Леди Беттина повторила лишь то, что уже сказала нам герцогиня. Она слышала ссору герцога и герцогини. Затем, примерно час спустя, она пошла к его светлости и обнаружила герцогиню на полу около мертвого тела мужа. Пистолет лежал тут же неподалеку, платье и руки герцогини были в крови. Любопытно, что леди Беттина тоже не слышала выстрела.

— Все это очень плохо, так, Абернети? — Джеймс криво усмехнулся.

— Боюсь, что так, милорд. — Абернети покачал головой.

— Что еще вам удалось обнаружить?

Адвокат снова вернулся к бумагам. Вытащил один лист, быстрым взглядом пробежал его и сдвинул брови.

— Камердинер, экономка и, по крайней мере, одна горничная слышали ссору. Дворецкий сказал, что он не слышал. Все они прибежали в комнату на крик леди Беттины.

Джеймс перевел дыхание.

— А что сказала Кейт, когда они вошли?

Абернети щелкнул листком по столу.

— Они все говорили одно и то же. Что касается герцогини, она не произнесла ни слова. Просто молча смотрела на тело мужа.

Джеймс с мрачным видом жевал нижнюю губу.

Если Кейт не виновна, размышлял он, а это еще большой вопрос, скорей всего, в тот момент она была потрясена до крайности. Его нутро завязалось в тугой узел. Ее буквально схватили за руку, но тогда она едва ли понимала это. А что касается остальных, видимо, никто не сомневался, что это преступление — дело ее рук.

— Я полагаю, это хорошо, что она хранила молчание, — задумчиво произнес Джеймс.

— Да, — согласился Абернети. — Единственное, что требуется от обвиняемого — не изобличать себя в дальнейшем. Если бы она призналась, то не было бы никакой надежды на ее защиту. Хотя и сейчас шансы... — Адвокат замялся.

— Очень небольшие? — спросил Джеймс. С глубоким вздохом он отклонился на спинку стула и, потирая виски кончиками пальцев, попытался заглушить начинающуюся головную боль.

— Да, — ответил Абернети. — Если честно, то очень маленькие.

Их взгляды встретились.

— И все же, Абернети, я не сомневаюсь, что вы сделаете все, что в ваших силах.

— Даю вам слово, милорд. — Адвокат снял очки с носа и убрал их во внутренний карман.

— Вы узнали, были ли у кого-то из обитателей дома причины убить Маркингема? — поинтересовался Джеймс.

— Ни у кого, — ответил Абернети, переплетя пальцы на груди. — Все слуги вполне лояльны по отношению к семье, и никто не выказывал недовольства. У леди Беттины тоже нет никаких причин совершить убийство и никакой финансовой выгоды от смерти герцога.

Джеймс убрал руки ото лба и прищурился.

— А другие мотивации?

Абернети покачал головой.

— Мать его светлости в тот день находилась у себя дома, по всем свидетельствам, она любила сына и в тот момент, когда произошло убийство, спокойно спала в своей постели. Ее прислуга подтвердила это.

Джеймс стиснул ручки стула.

— У Маркингема был наследник? Кто должен был унаследовать титул в случае его смерти?

— Я проверил и это, милорд. Наследник титула — его кузен. Сын младшего брата его отца. Мистер Оливер Таунсенд.

— Я слышал это имя, — кивнул Джеймс. — Где находился в тот день мистер Таунсенд?

— Боюсь, в своем собственном доме в Лондоне, что подтвердили его слуги. Но не беспокойтесь, я намерен заняться этим более тщательно... и немедленно.

— А его жена? — спросил Джеймс. Он не сомневался в добросовестности адвоката, как и в том, что светская леди вполне могла иметь мотив для убийства.

— Мистер Таунсенд не женат, милорд. Хотя, честно говоря, как новый герцог вскоре станет объектом повышенного внимания со стороны женского пола.

— Я не завидую ему, — сказал Джеймс и шумно выдохнул.

— Как и я, милорд.

Джеймс потер подбородок. Внезапно он почувствовал страшную усталость.

— Что-нибудь еще, Абернети?

— Да. — Адвокат кашлянул. — Я получил подтверждение из нескольких источников, что леди Беттина и герцог Маркингем на самом деле были...

Джеймс поднял руку, дабы освободить беднягу от печального признания.

— Я понимаю.

Итак, у Маркингема была любовница. И ему хватило наглости привезти любовницу в дом жены и сообщить ей, что у него близкие отношения с другой женщиной. Демонстрируя новую возлюбленную перед Кейт и при этом отказывая ей в свободе. Джеймс до боли сжал кулаки. Мерзавец! Поведение Маркингема доставляло ему почти ощутимую физическую боль.

С другой стороны, подобные обстоятельства могли заставить Кейт переступить дозволенную черту. Возможно, даже совершить убийство. В любом случае Джеймс должен докопаться до правды. Свое общение с герцогиней он начал с единственным намерением получить памфлет, написанный ею, и, в свою очередь, этот памфлет мог повлиять на ее судьбу. Но сейчас Джеймс должен узнать. Он должен. Виновна она или нет?

Абернети собрал бумаги со стола и засунул их в портфель.

— Милорд, все, что я узнал до сих пор, основывается на расследовании мирового судьи. В дальнейшем я намерен провести собственное расследование. Возможно, откроется новая информация. Не известные до сих пор факты.

Джеймс обдумывал все, что случилось с Кейт с тех пор, как он встретил ее. В тот момент, когда она объявила свои условия, ему следовало отказаться от этой затеи. Одному Богу известно, насколько нелепо было его решение поселить ее в своем доме. Но что-то такое слышалось в ее просьбе, что пробудило в нем давно уснувшие чувства. Она сказала, что хочет жить. Наслаждаться. Наслаждаться жизнью. Лили и Энни были правы. Возможно, Кейт невиновна, возможно, что ее лишат жизни из-за преступления, которого она не совершала. Если так, если ее последнее желание заключалось в том, чтобы провести оставшиеся ей дни в относительно нормальных условиях, Джеймс должен признать, что это не лишено смысла.

Ее просьба интриговала его. Желание жить. Жить! Господи, когда его посещали подобные мысли? Может быть, когда он был еще совсем юным? Прежде чем понял, чего ждет от него отец? Но уже в юном возрасте Джеймс узнал, что жизнь отнюдь не наслаждение. Это долг, честь, учение, работа и обязательства. И поэтому его не могло не завораживать последнее желание обреченной на смерть герцогини, такое простое и вместе с тем такое всеобъемлющее. Жить!

Он вновь взглянул на адвоката.

— У герцогини репутация похуже, чем у самого Наполеона. Даже если вы проведете собственное расследование, это будет не просто, да, Абернети?

— Очень не просто, милорд, — печально согласился Абернети.

Джеймс поднял глаза к потолку. В его жизни все было ясно. С одной стороны, человек, владеющий печатным станком, провоцирующий скандалы и сам получающий от этого удовольствие. С другой стороны, виконт, пользующийся благосклонностью света, имеющий безупречную репутацию и в этом, можно сказать, уступающий только Веллингтону.

Но сначала он должен узнать правду.

Наклонившись вперед, он снова поставил локти на стол. Встретив взгляд Абернети, прямо посмотрел ему в глаза.

— Я хочу, чтобы вы наняли сыщика, Абернети. Лучшего сыщика с Боу-стрит. Цена не имеет значения. Я хочу знать каждую подробность того дня.

Глава 14

Поджав ноги, Кейт сидела на своем излюбленном месте в библиотеке. На маленьком столике, который предупредительный слуга Джеймса поставил перед ней, лежало все необходимое для работы.

Перо замерло в ее руке, Кейт молча смотрела на листы бумаги, лежавшие перед ней. Памфлет.

Задумавшись, она наматывала золотистую прядь на палец. Сочинение памфлета оказалось делом более трудным, чем она воображала. Нет, она и не ждала, что это будет легко. Кейт вздохнула и ладонью разгладила лист, лежащий перед ней. Чернила давно высохли. Но, увы, ничего не получалось. Она уже несколько раз пробовала начать и прекращала. Скомкав очередной листок, бросила его в корзину для бумаг.

Снова и снова она пыталась рассказать свою историю. Она писала, стараясь передать свои чувства. Пыталась объяснить, почему она и Маркингем не подходили друг другу. Но на бумаге все получалось совсем не так, как ей хотелось бы. Хотя все правда. Именно то, чего и хотел от нее Джеймс... правды. Но какой правды? Какую правду ей следует рассказать? Какая правда будет правильной?

Кейт вздохнула и потерла шею пальцами, испачканными чернилами. Как объяснить другому, что ты не убийца? О, вернее, как объяснить, что ты не убийца, когда тебе противостоит гора обвинительных свидетельств? Каждое слово, которое выходило из-под ее пера, казалось ей неубедительным и ненужным.

Внезапный стук в дверь заставил ее замереть, чувствуя, как сердце готово выпрыгнуть из груди. Кейт никак не могла привыкнуть к тому, что она больше не в Тауэре. Там стук в дверь мог означать лишь одно — либо ее должны отвести в суд, либо еще дальше... на эшафот. Постоянный страх не оставлял ее.

— Войдите, — проговорила она, стараясь успокоиться.

В ту же минуту дверь открылась, и Джеймс вошел в комнату. И теперь сердце Кейт замерло по другой причине. Он стоял, засунув одну руку в карман, его темные волосы были, как обычно, аккуратно причесаны, на губах играла легкая полуулыбка. Кейт отвела глаза. Нет, ему не откажешь в привлекательности, подумала она и тут же одернула себя, ущипнув за руку. К чему эти неуместные мысли? О Господи, она действительно заслуживает того, чтобы ее сожгли на костре из-за неуважения к памяти мужа. Но ей тут же вспомнилась леди Беттина, которая провела ночь в ее доме, выставляя напоказ свои отношения с Джорджом, и Кейт не смогла вызвать в себе чувство вины, которую следовало ощущать за неприязнь к мужу, хотя он был мертв.

Она старалась не обращать внимания на дурманящий мужской запах, который сопровождал Джеймса. И постаралась вновь сосредоточиться на памфлете.

— Милорд? — сказала она, поднимая перо и изображая интерес к работе. — Вам что-нибудь нужно?

Он остановился в нескольких шагах от нее.

— Я пришел, чтобы кое о чем спросить вас, Кейт.

Он сел на стул напротив нее, и она выжидающе смотрела на него.

— О чем же? — спросила Кейт, отложив перо и изучая его лицо, которое сейчас было так близко.

— У меня был разговор с Абернети... — начал Джеймс.

— Мы с ним уже закончили. — Кейт пожала плечами. — Я не думаю....

— Предоставьте мне беспокоиться об этом, — прерывая ее, проговорил Джеймс и, потянувшись вперед, поставил локти на колени.

— Это не ваше дело, милорд. И не ваша забота. — Она отвернулась, на глаза неожиданно навернулись слезы.

— Скажите мне, Кейт... — Он сделал паузу. — Есть что-то еще? Что-то еще, что вы вспомнили?

Она глубоко вздохнула и посмотрела ему в глаза.

— Я думала об этом много раз. Много, много раз. Я мысленно проигрывала то утро снова и снова. — Она сжала виски кончиками пальцев. — Кроме Джорджа, в доме были я, леди Беттина и слуги.

— Вы уверены в этом?

— Так же уверена, — кивнула она, — как и то, что у нас не было других гостей.

Он внимательно наблюдал за ней. Она не могла не чувствовать взгляд его проницательных глаз.

— Вы не думаете, что это могла сделать леди Беттина? — На этот раз его голос звучал требовательно и властно.

Опустив руки на колени, она сложила их и, подняв голову, смотрела в потолок.

— Я полагаю, это возможно, но, честно говоря, не знаю, зачем ей это? Это лишено всякого смысла. Казалось, они были так... увлечены друг другом. — Кейт прерывисто вздохнула. Джеймс заметил, с каким трудом дались ей последние слова. Проклятье, он даже сейчас горел желанием устроить Маркингему нешуточную взбучку.

— Возможно, между ними была ссора? Вы не знаете?

Она пожала плечами, снова встречая его взгляд.

— Возможно. Все возможно. Но единственное, что я помню... — Она отвернулась, глядя в темное окно. —

Единственное, что я действительно помню... это как я вошла в комнату... и он лежал на полу... — Она не договорила, горло перехватило от конвульсий.

Джеймс потянулся и сжал ее руку. Она была такая маленькая и холодная по сравнению с его теплой ладонью.

— Должно быть, это было ужасно, — прошептал он.

Она заморгала, прогоняя слезы, и снова повернулась к нему.

— Боюсь, я мало чем могу помочь. Это все, что я помню. И все, что я знаю.

— Достаточно, Кейт. Спасибо. Мне не надо было мучить вас.

— Если я вспомню что-то еще, то тут же расскажу вам, — заверила она его.

— Спасибо. — Он быстро отвернулся. — А теперь обсудим более приятный вопрос. — Он отклонился на спинку стула и улыбнулся, от этой улыбки сердце Кейт перевернулось в груди. К вечеру на его подбородке и щеках небритость проступила еще явственнее, но Кейт делала все, чтобы не замечать это.

— Какой вопрос, ми... Джеймс? — спросила она.

Он вытянул ноги и скрестил их, оставив руки на бедрах.

— Вы говорили, что хотите жить. Жить полной жизнью, да? Это ведь и была наша сделка, не так ли? Лили и Энни заверили меня, что уже обдумывают поездку на ферму, как вы хотели. Чего еще вам хочется?

Она улыбнулась.

— Я думала об этом и пришла к решению. — Кейт прикусила нижнюю губу, колеблясь, может ли она сказать ему, чего хочет. Но если он не поднял ее на смех за желание посетить ферму, возможно, и следующее желание его не удивит? Она набралась смелости и сказала:

— Мне бы очень хотелось потанцевать на балу.

Джеймс заморгал. Его руки беспомощно повисли.

— На балу?

Она кивнула.

— Да, я была только на одном балу в своей жизни. Еще до замужества. Это было так красиво! И тогда я в последний раз чувствовала себя счастливой. О, как бы мне хотелось, надеть красивое платье и наслаждаться. Танцевать, смеяться и ни о чем не думать. Я знаю, сейчас зима, и мы не можем пригласить гостей, и не будет залитого луной сада и шампанского на балконе, но, Джеймс, я так хочу танцевать!

Джеймс одарил ее лукавой улыбкой, от чего ее сердце забилось быстрее.

— Если бал — то, чего вы желаете, то вы получите его.

Глава 15

Когда миссис Хартсмид и две служанки вошли в спальню Кейт, вооруженные иголками, ножницами, булавками, нитками и рулоном атласа, Кейт не знала что и думать.

— Его светлость поручил нам сшить для вас бальное платье, — объявила миссис Хартсмид.

— Что? — изумилась Кейт и, не успела оглянуться, как уже поворачивалась по команде Луизы, пока та измеряла ее талию.

— Бальное платье, ваша светлость, — повторила Луиза, сияя улыбкой.

— Его светлость сказал, он сожалеет, что не может воспользоваться услугами модисток с Бонд-стрит, он не рискнул... вы понимаете?

Миссис Хартсмид потупила глаза. И Кейт кивнула.

— Это так замечательно, так великодушно с его стороны, и я благодарна вам, но мне не нужно какое-то особое платье, так как....

— Нет, ваша светлость, на этом настаивает милорд. Он сам выбрал цвет. Вот этот, золотисто-желтый... — Она показала Кейт отрез золотистого атласа. — Он сказал, что этот цвет еще сильнее подчеркнет оттенок ваших прекрасных волос. Хотя я сомневаюсь, что ему бы понравилось, если бы он узнал, что я пересказываю вам его слова. — Миссис Хартсмид хихикнула, качая головой. А Кейт молча ахнула и прижала руки к животу, где вновь порхали бабочки.

— Он так сказал? — спросила она, чувствуя себя восемнадцатилетней девушкой, которой предстоит первый выход в свет.

— Да, именно так, — подтвердила Луиза. — Я сама слышала.

Кейт проглотила улыбку. Она протянула руку и жадно погладила золотистый атлас. Такой красивой ткани она в жизни не видела. Вряд ли она сама могла бы сделать лучший выбор.

— Тогда, что бы ни было, сотворите мне бальное платье.

Когда день подходил к концу, Кейт и три служанки все еще обсуждали детали платья, включая глубину декольте.

— Ниже, — настаивала Кейт, заставляя Луизу краснеть. Возможно, она переусердствовала, но это был ее последний шанс танцевать с красивым джентльменом на балу в платье с глубоким декольте. И она хотела ощутить жизнь во всей полноте. Это прежде всего.

К тому времени, как миссис Хартсмид, выпроводив Луизу и других служанок, покинула комнату Кейт, платье было полностью скроено, оставалось только сшить его. Кейт улыбалась больше, чем когда-либо. Она бросилась на постель и, не в силах сдержать эмоции, заколотила кулаками по подушке. Бал! Она собирается на бал! И с кем? С потрясающим джентльменом, с лордом Медфордом! Она била ногами по холодным простыням и скулила, зарывшись в подушки лицом.

Минуло два дня, и платье было готово. Для Кейт эти два дня прошли в безуспешных попытках написать памфлет. Она снова и снова читала то, что написали Лили и Энни, надеясь, что тот или другой памфлет даст ей идею для ее собственной истории. Откроет глаза на формулу успеха. Оба памфлета носили скандальный характер и некий нравоучительный тон, но Кейт не могла представить, что способна написать нечто подобное. Это было бы не признание. Не мольба о милосердии. Она просто хотела, чтобы это было... искренне. Да, искренне и... честно. Именно об этом просил ее Джеймс. Рассказать свою историю собственными словами. Но что, если никто не поверит ей? Что, если памфлет не станет бестселлером, как надеется Джеймс? Что, если экземпляры сожгут на улице? Сожгут... Она задохнулась. Она не станет думать об этом. Она должна сделать все, что в ее силах.

На второй день миссис Хартсмид вошла в библиотеку, чтобы объявить, что платье готово. Вместе со служанками она трудилась день и ночь, колдуя над роскошным нарядом, и после нескольких примерок их труды, наконец, успешно завершились.

— Ах, боже мой, какое же оно красивое, — шептала Кейт, осторожно прикасаясь к пене юбок, проводя пальцем по великолепной ткани.

— Его светлость просил меня передать вам это, — сказала экономка, вручая Кейт пергаментный свиток, скрепленный восковой печатью. Кейт сломала печать и быстро пробежала глазами текст. Приглашение на бал к виконту Медфорду. Он продумал все.

— Вы — высокий гость, ваша светлость, — с быстрой улыбкой напомнила экономка.

Кейт прикусила губу, желая проглотить возглас восторга, готовый сорваться с губ.

Она театрально присела перед экономкой в реверансе.

— Пожалуйста, передайте его светлости, что я с радостью принимаю его приглашение.

Кейт смотрела на свое отражение в зеркале. Бабочки снова порхали в ее животе, и на губах играла нежная улыбка. Кейт чувствовала себя Золушкой. Конечно, она помнила свой первый бал, помнила и то платье, которое было на ней. Что и говорить, оно было куда скромнее, чем это. Она покружилась. Легкие воздушные юбки поднялись и медленно опустились. Пышные юбки, лиф с жестким корсетом, длинные рукава, закрывавшие руки до запястья — все это напоминало французскую моду конца прошлого столетия. Прелестное платье, и Кейт ощущала себя во всех этих юбках, кружеве и золотистом шелке как нечто нереальное, некое подобие мечты...

Луиза забрала ее волосы наверх в мягкий узел, пустив вдоль щек вертикальные локоны, обрамляющие нежное лицо. Миссис Хартсмид припасла баночку румян, и Кейт чуть оттенила губы и щеки, и даже маленькую ложбинку в декольте. «Жить! Жить! Жить!» — пела душа.

Кейт бросила еще один взгляд на свое отражение в зеркале и легко вздохнула. У нее не было никаких драгоценностей, да и зачем? И так все чудесно. Оценит ли лорд Медфорд ее красоту? О, зачем она думает об этом? Какое это имеет значение? Эта ночь для наслаждения. Не больше, не меньше. Нет, не стоит думать, что

Джеймс — поклонник, а она — юная дебютантка, ищущая мужа. Нельзя придумать более противоположную ситуацию. Она — вдова, обвиняемая в убийстве, заставившая виконта устроить для нее этот бал. Нет, не будет ни лунной ночи в саду, ни поцелуев украдкой. На улице холодно, и она ждет приговора, с горькой усмешкой подумала Кейт.

Очевидно, не стоило ничего романтизировать. Кейт вздохнула. Она хотела танцевать? Что ж, нет смысла ждать дольше. Она разгладила брови кончиками пальцев и приподняла юбки. Миссис Хартсмид принесла изящные золотые туфельки, которые виконт привез для Кейт с Бонд-стрит. Совершая подобную покупку, он, должно быть, дал пищу сплетникам. О, подождите. Скорей всего, он послал за туфлями Лили или Энни, такой вариант больше походит на правду. А эти барышни так добры и предусмотрительны, без сомнения, именно сестры выбрали эти золотые туфельки с крохотными кисточками на носу.

Кейт прошла к двери спальни и уже взялась за ручку, когда появилась запыхавшаяся Луиза.

— О, ваша светлость, простите. — Она сделал книксен, держа что-то за спиной.

— Вы что-то забыли, Луиза? — спросила Кейт.

— Нет, не забыла. — В глазах горничной сверкнуло любопытство.

— Что же это? — Кейт не могла удержаться от улыбки.

Луиза протянула ей синюю бархатную коробочку.

— Это от его светлости, он хочет, что бы вы надели их сегодня вечером.

Кейт, едва сдерживая любопытство, взяла коробку и, подцепив большим пальцем крышку, открыла ее.

— О боже! — На кремовом шелке лежало сапфировое ожерелье и рядом такие же серьги. Камни были крупные, округлой формы и сверкали, переливаясь бесчисленными гранями.

— Он сказал, что они под стать вашим глазам, — проговорила Луиза, хлопая ресницами.

Кейт чувствовала, как ее щеки покрылись румянцем, а горло перехватило так, что стало трудно дышать.

— О боже, Луиза. Никогда в жизни не видела ничего подобного. Помоги мне надеть их. — Она поспешила подойти к зеркалу и, приподняв локоны, придерживала их, пока Луиза застегивала ожерелье.

— Ужасно хочется завизжать, — призналась Кейт, тихонько подпрыгивая на цыпочках. — Но я воздержусь.

— Разве герцогини визжат? — спросила Луиза, стоя за спиной Кейт и глядя на ее отражение в зеркале широко распахнутыми глазами.

— Не знаю насчет всех герцогинь, но герцогиня, которая выросла на ферме — да. — Она подмигнула горничной, и та ответила ей широкой понимающей улыбкой.

— Если и есть что-то, из-за чего может завизжать герцогиня, я точно могу сказать, что это вот эти драгоценности, — ответила Луиза.

— Не могу не согласиться. — Кейт сделала два глубоких вдоха и шумно выдохнула.

— Я заметила, что вы часто делаете это...

— Что делаю?

— Два глубоких вдоха.

— Ах, это, — отмахнулась Кейт. — Да, этому меня научила моя матушка. Ничто не лечит лучше, чем два глубоких вдоха, всегда говорила она. Особенно, когда волнуешься.

— Вы волнуетесь? — удивилась Луиза.

Кейт рассмеялась и повернулась к горничной лицом.

— А как же? Разве любая молодая леди не волнуется перед балом?

— Не знаю. — Луиза, потупившись, разглядывала свои руки. — Я никогда не была на балу.

Кейт заморгала и ущипнула себя за руку. Разумеется, горничная никогда не была на балу. Что должно произойти, чтобы она могла оказаться там?

— Я вот что скажу тебе, Луиза, надень свое лучшее платье, спустись попозже в зал, и я попрошу лорда Медфорда потанцевать с тобой.

Глаза Луизы стали огромными, словно собирались вылезти из орбит.

— Нет, миледи! — Она отчаянно замотала головой. — Это совершенно невозможно.

— Почему невозможно? — рассмеялась Кейт. — Очень даже возможно.

— Потому что... — Подбородок Луизы задрожал. — Это абсолютно неуместно.

Кейт сделала неопределенный жест в воздухе.

— О, кого это волнует? Кроме того, не забывай, я герцогиня, и я тебя приглашаю.

Луиза недоверчиво смотрела на нее, хлопая ресницами.

— Вы правда думаете... лорд Медфорд не будет возражать?

— Я уверена, что он будет рад. У меня были соседи, так вот они раз в год устраивали балы для слуг. Не сомневаюсь, что он тоже слышал об этом.

— Да. — Луиза прикусила губу. — Мне тоже доводилось слышать об этом, но у нас здесь такого никогда не бывало.

— Что ж, когда-то все бывает в первый раз, — вздохнула Кейт. Она бросила взгляд на каминные часы. — Уже почти десять. Приходи в полночь.

Луиза улыбнулась от уха до уха.

— Я просто загляну, а там посмотрим, как пойдет...

— Приходи, Луиза. И танцуй. Если лорд Медфорд не захочет танцевать с тобой, я сама буду тебе партнером.

Луиза рассмеялась, и Кейт похлопала ее по плечу.

— А сейчас я должна торопиться. Нельзя заставлять лорда Медфорда ждать. Спасибо за помощь. — Она подала горничной руку и поспешила к дверям. Выйдя в коридор, Кейт быстрым шагом направилась в нижний холл.

Миновала холл, окруженный мраморной балюстрадой, и направилась в бальный зал. Лок стоял у входа, облаченный в парадную ливрею. Ее глаза широко открылись, когда она увидела его. Что делает здесь дворецкий?

— Мисс Кейт Блейк, — объявил он. Кейт была довольна. Лок использовал ее девичье имя. Он не стал представлять ее как герцогиню Маркингем, не сказал «ваша светлость», и, может быть, это ее воображение, но ей показалась, что дворецкий подмигнул ей, когда она проходила мимо.

Переступив порог зала, Кейт замерла, не веря своим глазам. Прижав руку к груди, она вдохнула дивный аромат, ударивший ей в лицо. Зал совершенно преобразился. Он был декорирован так, словно это была большая беседка. Вдоль стен тянулись вазы с цветами, сверху спускались виноградные лозы и другие вьющиеся растения. Да он ограбил все оранжереи в стране! Где ему удалось достать эти прекрасные свежие цветы посреди зимы? Она не могла представить. Но они были повсюду, всех сортов и оттенков, включая ее любимые красные розы. Все это выглядело... как сад в лунную ночь. Именно то, о чем она мечтала. В глазах стояли нежданные слезы. Никто, включая ее мужа, не делал для нее ничего подобного... прежде.

В дальнем конце зала она заметила длинный стол с напитками, за деревянной ширмой расположилась группа музыкантов, они настраивали инструменты.

Затаив дыхание, Кейт оглядывалась вокруг. Мечта, и она посреди этой мечты. Кейт ни на каплю не сомневалась в этом. Движение в противоположной стороне комнаты привлекло ее внимание.

Да, это он. Джеймс. Он стоял, оглядывая зал, зажав в одной руке красную розу и засунув другую руку в карман. На нем был идеального покроя строгий черный сюртук, брюки из великолепной тонкой шерсти, пышное жабо рубашки, видное в разрезе сюртука, сверкало белизной, от которой слепило глаза. Галстук завязан в небрежный узел, но более интригующим было выражение его лица. Он был так красив, что Кейт на мгновение лишилась дара речи. И быстро потупила глаза, чтобы прийти в себя. Через пару секунд она вновь подняла голову и улыбнулась Джеймсу.

Он медленно двинулся к ней, и она присела в реверансе.

— Милорд.

Он поклонился.

— Миледи.

Вытащив руку из кармана, он протянул ее Кейт. Она шагнула к нему и, невольно скользнув рукой по его руке, даже через ткань сюртука смогла ощутить силу его мускулов. И сделала глубокий вдох.

— Вы очаровательны, — сказал Джеймс, вручая ей розу. — Я подозревал, что так и будет.

— Розы — мои любимые цветы, — пробормотала Кейт, замечая, что на стебле срезаны все шипы. Она покрутила ее в руке и, поднеся к носу, вдохнула тонкий аромат.

— Я помню. — Джеймс улыбался, наблюдая за ней. — Я посылал их вам каждое утро.

Ее ресницы вспорхнули, небесно-голубые глаза удивленно смотрели на него.

— Так это вы? Я думала, это простое совпадение. — Сердце подкатило к горлу.

— Никаких совпадений, — сказал он и добавил: — Эти сапфиры идут к вашим глазам.

Она осторожно потрогала ожерелье рукой, в которой держала розу.

— Спасибо, что позволили мне надеть их, — пробормотала Кейт. — Они великолепны.

— Надеть их? — Его взгляд выражал недоумение. — Это подарок.

Их взгляды встретились, и дыхание в ее груди остановилось. Она не может позволить ему делать столь дорогие подарки. Это совершенно неприемлемо. Не говоря уже о том, что, скорей всего, у нее не будет случая надеть эти украшения, ни сейчас, ни в будущем... Но, в то же время, это так мило с его стороны.

— Я не могу... — начала она, но он не дал договорить, словно прочел ее мысли.

— Я надеюсь, вы не думаете, что это неприемлемо? — сказал он. — Мы уже давно преодолели эту границу.

Она промолчала и улыбнулась. Она не могла ничего поделать с собой.

— Я просто думала... что они не понадобятся мне... — Горло перехватило, не в состоянии закончить фразу, Кейт опустила глаза в пол.

Джеймс скользнул пальцами по ее подбородку и, приподняв ее лицо, заглянул в глаза.

— Позвольте мне позаботиться об этом. И напомнить вам, что сегодняшний вечер для... танцев. — Он убрал руку, и Кейт стало жаль.

Она отвела глаза, внезапно чувствуя робость. Вертя розу между пальцами, жестом указала на невидимых музыкантов.

— Почему вы их спрятали?

— Я не хотел, чтобы они увидели мою гостью. Возможно, это не лучший выход, но мы должны соблюдать осторожность.

Тут, как по команде, заиграла музыка, и раздались первые звуки чарующей мелодии.

— Вы позволите? — Он предложил Кейт руку.

— Какой это танец? — сведя брови, спросила она.

— А, я вижу, что должен научить вас танцевать вальс.

— Вальс? — Она вскинула голову.

— Да, это последний писк. Принц-регент ввел его в моду прошлым летом.

Кейт подала Джеймсу руку, его рука была такой сильной и мускулистой. Нет, она не должна об этом думать. Оказывается, вальс заключал в себе столько интимности, гораздо больше, чем те танцы, которые она помнила из своего прошлого. Раз, два, три. Раз, два, три. Джеймс показывал ей па, и она сосредоточилась, чтобы усвоить их. Но это оказалось куда труднее, когда его рука легла на ее талию, и когда она почувствовала его сильные плечи под своими пальцами.

Взяв розу из руки Кейт, Джеймс засунул ее ей за ухо, и они закружились в танце.

— Вы прекрасно танцуете, — проговорила Кейт, концентрируясь на шагах и стараясь не думать о его широких плечах под вечерним костюмом.

— Вы хотите сказать «совершенно»? — Он засмеялся.

— Что? — переспросила она. — Я сказала что-то смешное?

— Нет. — Он покачал головой. — Просто меня прозвали Лорд Совершенство.

— Ах да, я слышала.

— И кто же вас просветил? — Джеймс изогнул бровь.

Кейт, смутившись, поджала губы. Как она могла рассказать ему, что расспрашивала о нем соседку по Тауэру? Но тут же вспомнила, что не одна леди Мэри упоминала об этом.

— Мне рассказала Лили.

— Лили? — На этот раз приподнялись обе брови.

— Да.

— А она рассказала вам почему?

— Зачем? — Кейт рассмеялась. — Это лишнее. Достаточно того, что я видела ваш дом, ваш кабинет, ваш письменный стол, ваши бумаги и даже... вашу прическу. О, и еще ваш галстук.

— Что-то не так с моим галстуком? — спросил он с притворной тревогой.

— Ничего! — Она хихикнула. — Это мое мнение. Все в вас абсолютно совершенно. Включая этот бал. — Она шумно втянула воздух. — Это похоже на сказку!

— Я рад, что вам нравится, — сказал Джеймс, не отрывая взгляда от ее лица.

— А вам не нравится, что вас так зовут?

Он вздохнул.

— Я гордился этим.

— Гордились?

— Да.

— А сейчас — нет? — Она склонила голову набок.

Он задумался, словно потерял мысль.

— Совершенство — опасное слово. Порой оно ограничивает выбор.

Кейт была все еще под впечатлением от его слов, когда он спросил:

— А вы довольны?

— Да, бесконечно. — Она застенчиво улыбнулась ему. — Я всегда обожала танцы, но очень редко имела возможность танцевать.

— К сожалению, мы не можем исполнить все танцы. Для кадрили нужно больше танцоров.

— Все прекрасно, правда, — заверила она. — Мне очень нравится вальс. — Если не сказать больше. Кейт не возражала бы, если бы они танцевали только вальс.

Она вздохнула и на мгновенье закрыла глаза.

— Я надеюсь, что запомню сегодняшний вечер навсегда.

— «Запомни, это начало всего...» — произнес Джеймс.

Сердце Кейт замерло в груди. Цитата из Данте всегда была одной из ее любимых. И Джеймс произнес именно ее. Почему-то это заставило сердце болезненно сжаться. Боясь поднять на него глаза, она не отводила взгляда от его безупречного сюртука, стараясь прогнать подступившие слезы, которые вот-вот готовы были пролиться.

Она станцевали три тура вальса, прежде чем Джеймс подвел Кейт к столу с напитками и закусками. Он с поклоном предложил ей бокал шампанского, и она взяла бокал из его рук.

— Мы не можем выйти на балкон, но можем притвориться, что мы там, — предложил Джеймс.

— Благодарю вас, милорд, — ответила она, приседая в поклоне.

— Кажется, мы вновь вернулись к титулам?

— Нет, — выдохнула она, делая большой глоток шампанского. — Я хочу притвориться. Хочу притвориться, что мне опять восемнадцать, а вы ухаживаете за мной, и мы флиртуем.

От его улыбки ее колени задрожали.

— Это я попросил Лока объявить вас, как мисс Блейк.

— Я оценила это, спасибо. — Уголки ее губ приподнялись в улыбке. — Все сразу стало по-другому.

Он коснулся локона, упавшего на шею Кейт, и от этого прикосновения ее колени вновь задрожали.

— Итак, если бы мы были приглашены на бал и если бы вздумали флиртовать, то я бы сделал все, чтобы остаться с вами наедине.

— А я дала бы вам пощечину, — сказала она и рассмеялась.

— И только? — Он приподнял бровь, Кейт не смогла выдержать этот взгляд и отвернулась.

— Я не верю вам, — проговорила она сквозь смех. — Вы, прежде всего, джентльмен. Как же вы могли пытаться остаться со мной наедине? — Но смех быстро оборвался, когда он взял ее за руку, затянутую в перчатку, и увлек следом за собой в уединенный уголок, спрятанный за живой изгородью из винограда и цветущего кустарника. Музыка все продолжалась, но в этот момент они были совершенно одни.

— Не рассчитывайте на это. — Голос Джеймса завораживал.

Кейт с трудом проглотила комок, застрявший в горле. Его дурманящий мужской запах, смесь мыла, хорошего одеколона и чего-то еще, присущего только Джеймсу. Она хотела прикоснуться к нему. Эта навязчивая мысль пришла неизвестно откуда и не давала ей покоя. Но он ведь просто играет с ней? Дразнит. Старается устроить все так, как могло быть на настоящем балу, то есть то, о чем она просила. Разве нет? Она расправила плечи. И все же, может быть, попробовать и узнать? Есть единственный способ...

— Ну, вот, милорд, теперь, когда мы одни, скажите же мне, что вы намерены делать со мной дальше? — Где она взяла смелость, чтобы произнести эти слова? Видимо, этого она никогда не узнает. Должно быть, это шампанское. Даже небольшое количество шампанского всегда делало ее чуть смелее. Нужно выпить еще бокал.

Джеймс подошел ближе, и их взгляды встретились. В темноте его глаза сверкали, как изумруды.

— Чего хочет любой джентльмен, когда остается в укромном месте наедине с красивой женщиной?

— Но... — Она запнулась, пораженная его прямотой. — Я полагаю... он постарался бы... украсть поцелуй? — Она прикоснулась кончиками пальцев к сапфировому ожерелью. — Но вы никогда не позволите себе... перейти границы дозволенного.

Потянувшись к ней, он взял бокал с шампанским из ее рук и поставил его на подставку с виноградом. Кейт наблюдала за Джеймсом как зачарованная. Он наклонился к ней. Его щека коснулась ее горячей щеки. И Кейт услышала его шепот.

— Повторяю, мы уже нарушили все дозволенные границы. — Джеймс привлек ее к себе, и его губы захватили в плен ее рот.

Голова Кейт безвольно откинулась назад, ее руки раскрылись, и она потянулась к нему всем своим существом. Нет, этого не может быть! Лорд Медфорд не может целовать ее. Красивый, обворожительный, совершенный лорд Медфорд. Она ни на секунду не могла вообразить, что он зайдет так далеко и поцелует ее. О, разумеется, она хотела этого. Но он ведь Лорд Совершенство? Он слишком правильный, или, может быть, нет? И она должна извлечь преимущество из этого факта. Жить. Жить. Жить.

Она медленно подняла руки и прошлась ладонями по его широкой груди, обняла сильные плечи. Приподнявшись на цыпочки, с замиранием сердца встретила его губы. Горячие и требовательные. Всем своим существом она ощущала мощь его тела и не сопротивлялась, когда он с силой прижал ее к стене. И сам прижался к ней. С ее губ сорвался легкий стон. Джеймс терзал ее рот, она и представить не могла, что мужчина может так целовать женщину. Что она помнила? Вялые поцелуи Джорджа, когда он ухаживал за ней? И те нетерпеливые и поспешные, когда они были женаты? Но разве то, что было между ней и мужем, можно было сравнить с этим полным чувственности выплеском эмоций, который она испытывала сейчас.

Завладев ее губами, Джеймс жадно исследовал ее рот. Осыпал поцелуями ее щеки, висок, мочку уха. Кейт стонала, прикрыв глаза, и единственное, чего она хотела, как можно теснее прижаться к нему. Хотела, хотела, хотела...

— Ты такая красивая, Кейт, — шептал он ей на ухо.

Она могла притвориться, почему нет? Он — кавалер, а ей восемнадцать.

— Ты пахнешь как роза, и, о Господи... — Он не закончил, потому что она прижалась грудью к его груди и снова подставила ему свои губы. Он осыпал поцелуями ее шею, ласкал языком чувственное местечко, где кончалась скула и начиналась шея. — Это бальное платье весь вечер сводит меня с ума.

Кейт задрожала.

Джеймс снова приник к ней и прижался лбом к ее лбу.

Кейт подняла глаза, где-то в отдаленном уголке ее замутненного сознания всплыла мысль... Часы в доме пробили двенадцать. Полночь.

Полночь!

Она пригласила Луизу. Горничная могла появиться в любой момент.

— Джеймс, мне надо кое-что сказать вам.

Кейт выбралась из его рук.

Он посмотрел на нее, на его красивом лице отпечаталось чувство вины.

— Нет необходимости, Кейт. Это моя вина, мне не следовало...

Кейт покачала головой.

— Нет, вы не понимаете. Я обещала Луизе, что вы потанцуете с ней сегодня. В полночь.

Глава 16

Закрыв за собой дверь спальни, Кейт прислонилась к ней спиной и тяжело вздохнула. Золотистый атлас платья переливался и сверкал в зыбком свете одинокой свечи, Кейт переполняли эмоции. Мелодия вальса все еще звучала в ее голове, и Кейт закружилась... Раз, два, три. Раз, два, три... Юбки развевались вокруг, и она улыбалась своим мыслям. Какая ночь! Вальс, шампанское, поцелуи. Все, все сразу. Но поцелуи? О, это было поразительно. Конечно, Джеймс сделал это только в ответ на ее желание, иначе он не был бы джентльменом. Не был бы? Или, может быть, он просто хотел этого? В любом случае потом он пожалел об этом. Но он заставил Кейт вспомнить юность, почувствовать себя так, словно ей восемнадцать. И жить! И это такой подарок, за который она никогда не сможет отплатить.

Если бы обстоятельства складывались иначе. Если бы ей снова было восемнадцать... Если бы она была... но она обвиняемая в убийстве. Изгой общества.

Джеймс вел жизнь добропорядочного джентльмена. Место в парламенте, успешный бизнес, богатство, совершенное ведение хозяйства и еще многое, многое другое. Зачем ему Кейт? Все, что она могла, — нарушить привычный ход его жизни, внеся в нее большие неприятности. Именно это она и сделала.

А он? А он был великолепен, она должна признать это. Он вел себя как настоящий джентльмен. Ровно в полночь появилась Луиза и робко остановилась в дверях. На ней было простое платье, и она так нервничала, что сердце Кейт переполнилось сочувствием. Бедняжка, очевидно, боялась, что хозяин отнесется к ее выходке без понимания. Но Джеймс с радостью согласился потанцевать с Луизой. Он вел себя с ней как с настоящей леди, скорее даже как с принцессой. С поклоном предложил ей руку и в конце попросил Лока присоединиться к ним, чтобы они могли вчетвером станцевать несколько деревенских танцев. Это была незабываемая ночь... Даже лучше, чем на тех балах, где Кейт доводилось присутствовать прежде, там все не заканчивалось поцелуем красавца лорда.

О, она понимала, что была немножко не в себе. Представляла, какой скандал разразится в свете, если станет известно, что убийца герцога Маркингема скрывается в одном из домов в Мейфэре, где сам хозяин танцует с ней и целует ее. Да, они тут же придут, чтобы сжечь ее собственными руками. Кейт задрожала. Ей следовало носить траур по мужу, а не целоваться с виконтом. Да, она понимала это, но не желала следовать правилам общества, жаждущего предать ее смерти за преступление, которого она не совершала.

Но как объяснить все это в памфлете? Наверняка это прозвучит фальшиво. И она должна спросить себя, действительно ли она хочет поскорее закончить этот памфлет? Как только работа будет сделана, Джеймс отвезет ее назад в Тауэр. Неужели? Но он должен. Она не может бесконечно оставаться в его доме. Это, уж точно, было бы совершенно неприлично. В памяти всплыли слова, которые Джеймс сказал в начале вечера. И ее с головы до ног обдала жаркая волна. «Мы и так уже перешли все дозволенные границы». Так он сказал, прежде чем... Кейт задрожала.

Она подошла к маленькому столику в углу комнаты. И посмотрела на первые слова памфлета. «Он в себе обрел свое пространство, и создать в себе из Рая Ад и Рай из Ада может»[1].

Вздохнув, Кейт провела по строчке пальцем. Казалось, Мильтон прекрасно понимал, о чем говорил, человеческий разум способен сотворить ад. Но сегодня, сегодня это был рай.

Кейт позвонила. Пришла Луиза и помогла ей снять платье. Кейт пообещала себе, что покончит с безумными фантазиями в отношении Джеймса. Ничего хорошего из этого не выйдет. Не может виконт влюбиться в убийцу. Даже если бы случилось чудо, и она была бы оправдана, все равно их отношения обречены. У них нет и не может быть будущего. Из-за связи с ней его репутация будет разрушена окончательно. И, кроме того, брак с одним аристократом уже не привел ни к чему, кроме разбитого сердца и трагедии. Зачем же повторять собственные ошибки? Нет, для них обоих будет лучше, если Кейт оставит бесплодные мечты и сосредоточится на том, чтобы поскорее закончить памфлет. Они заключили сделку, и она сознательно пошла на это. Разве нет? Памфлет в обмен на наслаждение, на возможность ощутить вкус жизни. И она испытала это наслаждение с Джеймсом.

Джеймс с такой силой захлопнул за собой дверь спальни, что она завибрировала. Он тихо выругался, стукнув себя по бедрам. Проклятье! Что это был за поцелуй? Поправка. Что это были за поцелуи, так как их

---

[1] Мильтон. «Потерянный рай». Джон Мильтон (1608--1674) — английский поэт и публицист.

было много? Что-то невероятное есть в красоте Кейт. Ее женственность и обаяние. Что-то есть и в этих танцах при свечах... Нет, это не объяснение. Он вел себя как законченный негодяй. Воспользовался своим преимуществом. Прекрасно! Но Кейт не невинная девушка, ей, слава богу, не восемнадцать, и это не был бал дебютанток. Она — леди, которая живет в ожидании приговора. Леди, живущая под его крышей, так как они заключили сделку. А он воспользовался своим преимуществом. И это не давало Джеймсу покоя. Проклятье. Проклятье. Проклятье. Он должен как-то загладить свою вину.

Резко дернув галстук, он стянул его с шеи и швырнул угол. Его грудь тяжело вздымалась, что он говорил ей? «Иногда совершенство ограничивает выбор».

Черт побери, но это проклятая правда! Единственное, чего не было в этот вечер — его совершенства. Он был далек от этого. Господи, неужели эта борьба с самим собой будет преследовать его вечно? Его внешний облик не соответствовал тому, каким он действительно хотел быть. Присущее ему стремление к совершенству заставляло получать отличные оценки в школе, зарабатывать безупречную репутацию, но бунт внутри него рос и, в конце концов, подвиг его к тому, чтобы приобрести печатный станок и публиковать скандальные памфлеты. Это же заставило его бросить галстук в угол, и это же принудило его подобрать его.

Закрыв лицо руками, Джеймс застонал. Что теперь подумает о нем Кейт? Она вдова, черт возьми! Хотя и необычная вдова. Но он прекрасно понимал, что значит целовать вдову, не говоря о том, что она еще и работает на него, а в довершение всего еще и подозревается в убийстве. Дурно. Дурно. Дурно.

Стянув рубашку через голову, Джеймс закрыл глаза. Хорошо. Он готов признать это. Он увлекся ею. Безумно увлекся. Увлекся настолько, что, обнимая ее, забыл о своих холостяцких устоях. И хотел пойти дальше, хотел делать с ней вещи, менее невинные, чем поцелуи. Вырвать цветок из ее волос, разорвать лиф ее платья... Он хотел...

Он стиснул зубы. К черту! Его тело реагирует моментально, стоит подумать о ней. Слава богу, что пришла Луиза. Если бы не она, то неизвестно, сколько бы продолжалось это безумие с поцелуями и объятиями.

Джеймс аккуратно сложил рубашку и убрал ее в шкаф. Он не стал звать слугу. Этот вечер стоил ему сил. Тяжело и продолжительно вздохнув, Джеймс продолжил раздеваться.

Ему необходимо уснуть. Хороший сон — лучшее лекарство. Если бы он смог сегодня заснуть! Слишком много ночей он лежал без сна, думая о красавице, которая спала этажом ниже. Он и прежде видел красивые лица, возможно, даже более красивые. Они не раз заставляли его поворачивать голову. Лили и Энни тоже слыли красавицами. Но он не испытывал ни к той, ни к другой ничего, кроме братских чувств. Что же такое особенное было в Кейт, что заставило его отбросить джентльменское поведение и забыть все правила, которые с детства вбивали ему в голову? Что такого было в Кейт, что заставило его забыть о своем добровольном монашеском образе жизни и желать одного — увидеть ее в своей постели? И ночь напролет заниматься с ней любовью? Можно ли представить более предосудительное поведение? Кто знает, может быть, Кейт убийца? Дорога в общество для нее закрыта. Даже если ее оправдают, в чем он сильно сомневался, вряд ли у них есть будущее. Если он будет с ней, то общество от него отвернется. Он понимал это, понимал прекрасно. Правда, он делает хорошие деньги, печатая скандальные памфлеты, но о его причастности к этому занятию знают единицы, и он совсем не хотел бы оказаться в центре скандала.

Нет, он не должен забывать, зачем познакомился с Кейт. Она пишет для него памфлет. И это все. Она просила его о помощи, а он попросил ее написать историю. Это деловая сделка, ничего больше. Он не собирается из-за этого рисковать своей жизнью. Это правда, что за ним закрепилась слава человека, который стремится исправить то, что считает неправильным, по возможности помочь людям. Что ж, он сделал это, наняв Абернети и сыщика с Боу-стрит, но на этом надо остановиться. Кейт просто автор, который пишет для него свою историю. Он должен помнить это.

Даже если это убивает его.

Глава 17

Рассвет еще только-только занялся, когда роскошная карета Колтона подъехала к городскому дому Джеймса. Кейт выскользнула через боковую дверь, надвинув на голову капюшон. Несмотря на теплое пальто, холодный зимний ветер пробирался к открытым участкам лица, неприятно холодя кожу. Кейт поежилась и потерла замерзший кончик носа. Кучер помог ей подняться в карету, и дверца за ней мягко затворилась.

— Ну вот, вы сделали это, — раздался приятный голос Лили Морган, как только Кейт уселась за заднее сиденье.

— И мы не скроем, что очень рады видеть вас, — поддержала сестру Энни.

Шторки на окнах поспешили задвинуть. Кейт оглянулась. В карете сидели только Лили и Энни.

— Мы едем одни? — спросила Кейт, стараясь скрыть разочарование в голосе из-за того, что с ними нет Джеймса.

— Нет, — отозвалась Лили. — Мы просто решили ехать в разных каретах, на случай, если кто-то последует за нами из города. Кроме того, здесь было бы слишком тесно, если бы нас было шестеро. Джентльмены последуют за нами в карете Медфорда.

Кейт улыбнулась и кивнула, вновь чувствуя радость. Она проведет целый день за городом, на ферме... рядом с Джеймсом. Это глупо, конечно, но факт оставался фактом, бабочки вновь ожили в ее животе, нашептывая ей, что она не в силах припомнить, когда в последний раз была так... счастлива.

— Должно быть, день будет холодный, — проговорила Кейт, ежась и обнимая себя за плечи.

— Глупости, — возразила Лили. — Такая погода бодрит. — Но тут же подала Кейт шерстяной плед, которым она быстро накрыла колени.

— Все будет отлично, — добавила Энни, высовываясь из-под своего пледа. — Я уверена.

Кейт улыбнулась сестрам.

— Как мило с вашей стороны, вы из-за меня даже готовы притворяться.

Карету тряхнуло на очередном изъяне дороги, и Кейт отбросило к спинке сиденья. Она никогда не думала, что снова отправится в деревню. И какая разница, холодно или нет? Она намерена получить удовольствие.

— Сейчас, пока мы в дороге, — начала Энни, — пожалуйста, расскажите нам, на что это похоже, жить под одной крышей с лордом Медфордом?

Кейт почувствовала, как к лицу приливает кровь. Но в карете царил полумрак, так что барышни не заметят, как покраснели ее щеки.

— Что именно вы хотели бы знать?

— Мы не можем представить, как Джеймс живет бок о бок с леди? — ответила Лили. — Это совершенный феномен.

— Да, — кивнула Энни. — Как он себя ведет? Чем занимается? О, я не сомневаюсь, он джентльмен, но...

— Конечно, джентльмен, — подтвердила Кейт, может быть, излишне быстро. — И он так добр, всегда готов исполнить мои маленькие желания...

— Например? — Лили наклонилась вперед, обхватив руками колени.

— Например, он устроил для меня бал. — Кейт не могла сдержать улыбку.

— Что? — Рот Энни открылся от удивления.

— Бал, — рассмеялась Кейт.

— А как же гости? Только вы двое? — спросила Лили, широко открыв глаза. Устроившись удобнее на сиденье, она приготовилась слушать.

— Да, мы двое, и еще Луиза, и... Лок.

— Кто такая Луиза? А Лок? Это дворецкий? — Прекрасные фиалковые глаза Лили открылись еще шире.

— Луиза — горничная, я обещала, что Джеймс потанцует с ней. — Кейт подтянула плед к лицу и спрятала подбородок. — Понимаете, она никогда в жизни не танцевала на балу... и... О, я, наверное, кажусь вам совершенной дурой?

— Вовсе нет. Я думаю, все это невероятно! — воскликнула Энни, тоже натягивая плед до подбородка. — Я просто не могу представить Медфорда, танцующего с горничной и дворецким.

— Он обычно такой... правильный, — кивнула Лили.

— Мне кажется, он не задумывается об этом. Во всяком случае, он не сноб, — возразила Кейт.

— О, разумеется, дорогая, не сноб. Я никогда не думала так. Он просто привык... следовать правилам, — отвечала Лили.

— Я все равно утверждаю, что это невероятно! — вздохнула Энни.

— А кто спорит? — На лице Лили сияла широкая улыбка. — И это то, что нужно Джеймсу. — Она подмигнула Кейт.

— Что вы имеете в виду? — Кейт сдвинула брови.

— Только не говорите, что вы не заметили, — ответила Лили. — Медфорд немножко... как бы это сказать... слишком правильный. Да, правильный.

— Да, я заметила, что в его доме идеальный порядок, — согласилась Кейт. — Каждая вещь знает свое место, вы это имели в виду?

— Да вы нигде не увидите такого порядка, — воскликнула Энни. — Хотя он устроил в своем доме мой дебютный бал, и это было совершенно потрясающе. Совершенно. — Она рассмеялась.

— Я помню, именно так и было, — подтвердила Лили.

— Бал, который он устроил для меня, тоже получился замечательный, — с мечтательной улыбкой сказала Кейт. Но в ее памяти не столько запечатлелся бал, сколько последовавший в конце поцелуй.

— Медфорд танцевал с Луизой? — поинтересовалась Лили.

— Ну да, — кивнула Кейт.

— Я всегда знала, что Медфорд — славный парень. Я думаю, он и этот печатный станок придумал ради добра. Он не тот, кто утверждает, что джентльмен не может танцевать с горничной.

— Нет, он не говорил ничего такого. — Кейт рассмеялась. — Но здесь, я думаю, сработал мой план. Это была хорошая идея.

— Это исключительная идея, — воскликнула Лили. — Абсолютно исключительная.

Три молодые леди скоротали дорогу за разговором, смеясь и рассказывая разные истории. Когда они спустя час прибыли на место, Кейт казалось, что они старые друзья. И тут же ее сердце пронзило горькое ощущение одиночества.

Нет, они не были друзьями и не будут. Она может провести несколько приятных часов с этими милыми леди, но вскоре их разделит тюрьма или нечто более худшее, подумала она, глотая горький комок в горле. И если даже ее оправдают, ни Лили, ни Энни не суждено стать ее подругами. Бывшая герцогиня с испорченной репутацией, включая обвинение в убийстве и несостоявшийся развод? Если они хотят погубить себя, совсем погубить, достаточно, чтобы их просто увидели с ней. Неудивительно, что они взяли две кареты для этой поездки.

Карета остановилась, и кучер помог Энни спуститься. Она повернулась к Лили и Кейт.

— Вы останьтесь. Я должна проверить, нет ли здесь кого. Не нужно, чтобы кто-то видел нас.

Кейт кивнула, но почувствовала себя неловко. Она подвергает опасности своих новых приятельниц, попросив их сопровождать ее в этом путешествии. Даже при том, что они сделали все, чтобы сохранить ее местопребывание в секрете, всегда оставалась опасность, что кто-то может увидеть ее и выследить на обратном пути в дом Джеймса.

— Где мы? — спросила Кейт у Лили.

— Мы на ферме рядом с поместьем Джордана, — ответила Лили. — Мы попросили владельцев разрешить нам приехать и остаться на день. Они уехали в город и сегодня не вернуться. Это хорошо.

Кейт захлопала. Как хорошо они все спланировали.

Несколькими минутами позже вернулась Энни и жестом пригласила их следовать за ней.

— Они все приготовили для нас. Кроме нас, здесь нет ни души.

Кучер помог Лили и Кейт выйти из кареты. Как и предполагала Лили, ветер здесь был сильнее, но Энни быстро объяснила план.

— Думаю, нам лучше пойти в амбар, чтобы не торчать на холоде. Но если кто-то хочет лепить снежную бабу или еще что-то, то только скажите слово. — Она хихикнула, и Кейт счастливо рассмеялась.

— Амбар — это прекрасно, — кивнула она. — Я уже продрогла.

— А тебя ждет сюрприз, Лили, — добавила Энни, подмигивая сестре.

— Что это?

— Они родились осенью. Двое деток со своей мамашей.

Сделав смешную гримасу, Лили завизжала, и Кейт, в конце концов, получила ответ на свой вопрос. Очевидно, аристократки визжат, когда бывают очень счастливы. Она прикусила губу, пряча улыбку.

— Вы должны извинить меня, Кейт. Я обожаю разных животных, особенно молодняк, — сказала Лили и снова залилась смехом.

— О, я всегда обожала поросят, где они? — призналась Кейт.

— Пойдемте со мной. — Энни направилась к амбару. Кейт и Лили шли следом за ней. Если джентльмены и прибыли, то Кейт нигде не заметила их. Она должна снова ущипнуть себя, чтобы не лезть с вопросом к Энни. А где же Джеймс?

Они вошли в амбар, Кейт немедленно окружили знакомые запахи. Сено, животные, навоз, дерево, земля... Кейт вдыхала их полной грудью. Она никогда не думала, что так соскучилась по этим запахам. Но она соскучилась. Отчаянно соскучилась.

Ее внимание привлекло какое-то движение в противоположном углу. Кейт присмотрелась и замерла. Джентльмены уже здесь. Джеймс стоял, небрежно прислонившись к стене амбара и скрестив ноги в лодыжках. В желтовато-коричневых облегающих бриджах, белой льняной рубашке, и темно-синем шерстяном пальто он выглядел особенно импозантно. Да, он выглядел потрясающе и в галстуке и жилете, но сейчас, пожалуй, еще лучше.

— Они здесь, — сказал красивый джентльмен, которого Кейт не знала. — Лили, Энни говорила тебе, что здесь поросята?

— Да, Джордан, она сказала, — отвечала Лили. — И я не могу дождаться, когда увижу их.

Ах, так этот красивый джентльмен муж Энни? Хороший выбор.

— Они здесь, — продолжал Джордан, указывая на загон рядом с тем местом, где стояли джентльмены.

Лили, Энни и Кейт подошли ближе и перегнулись через ограду, чтобы заглянуть в загон.

Свинья лежала на подстилке из сена, пригревая двух поросят

— О, какие они хорошенькие! — прошептала Лили.

— Такие малюсенькие!

— Очевидно, они особой породы и не бывают большими, — пояснил Джордан.

— Даже не думайте об этом, — изогнув бровь, предупредил другой джентльмен. Должно быть, это лорд Колтон, и он такой же красивый, как и его жена.

— О чем? — невинно спросила Лили, подбрасывая носком ботинка клочок сена. — Кейт, это мой муж, маркиз Колтон, вы можете звать его Девон.

— А это — граф Эшборн, — представила мужа Энни. — Мой дорогой супруг. Но для вас просто Джордан.

Кейт присела в реверансе.

— Очень приятно познакомиться с вами, джентльмены. Пожалуйста, зовите меня Кейт. — Она переводила взгляд с одного на другого. Боже, какие красивые люди! Маркиз Колтон — высокий брюнет, а у его друга графа Эшборна удивительно добрые серебристо-серые глаза. Но, несмотря на привлекательную компанию, взгляд Кейт был прикован к третьему джентльмену. К Джеймсу.

Пока маркиз и граф раскланивались с ней, Джеймс продолжал стоять, прислонившись спиной к стене амбара. Помнил ли он их поцелуй или нет? Они не виделись с тех пор. И сейчас эта встреча... Кейт чувствовала себя неловко.

— Видишь этих поросят, Лили? — спросила Энни, подмигнув сестре. — Я знаю, ты думаешь о том же, что и я.

Услышав их разговор, Кейт повернулась.

— И чем же? — спросил жену Джордан Холлуэй.

— Их как раз двое. Мы с Лили могли бы взять по одному.

— Как это я сразу не сообразил, о чем вы шепчетесь, — рассмеялся Джордан, хлопая себя по лбу.

— Я вовсе не хочу брать поросят домой, — возразил Девон. — С меня хватит енота.

— А у нас уже есть лиса, — добавил Джордан.

Кейт покачала головой. Они, конечно, шутят. И потом, она представить не могла, что это за енот? Но от маленьких поросят оторваться была просто не в состоянии.

— Я сомневаюсь, что можно держать поросят дома, — заметил Девон.

Лили хотела возразить, но Кейт опередила ее.

— На самом деле, это вполне возможно.

— Правда? — обрадовалась Энни.

— Ну да, — продолжала Кейт. — Эти малыши напомнили мне о свинке, которая жила у меня еще до моего замужества.

— У вас был поросенок? — спросил Джеймс, отталкиваясь от стены и подходя к ней. Она сделала все, чтобы проигнорировать ту дрожь, которая пробежала по телу при звуке его голоса.

— Да, — кивнула Кейт. — Маленькая свинка по имени Маргарет.

— Вот видишь, — с укором проговорила Энни, обращаясь к мужу. — У Кейт был поросенок, и она говорит, что их можно держать в доме.

— Поверьте, поросята прекрасные животные. Вы можете дрессировать их, как собак, они очень понятливы. Я бы многое отдала, чтобы опять завести свинку, — добавила она со вздохом.

Джеймс смотрел на нее с любопытством. О Господи, что он думает о ней? Герцогиня с маленьким поросенком, что дальше?

— Пусть мамаша покормит их, — шепотом проговорила Энни. — А нам тоже пора завтракать. Наш ждет ленч в маленьком коттедже на окраине поля.

Все вышли из амбара и направились к противоположной стороне поля. Пронзительный ветер трепал волосы и обдувал щеки. Энни подвела компанию к небольшой рощице на краю леса, где среди вечнозеленых деревьев приютился небольшой домик. И Кейт тут же вспомнила другие домики, которые были рассыпаны среди земель, где был и дом ее родителей. Ее захлестнула тоска по дому. Как все-таки хорошо, что эти милые люди привезли ее сюда. Как она сможет отблагодарить их и сможет ли?

Энни подошла первая и открыла дверь. Внутри горел камин, было тепло и уютно. Завтрак был накрыт на большом столе, застеленном простой холщевой скатертью, шесть стульев с высокими спинками окружали стол. Как только их маленькая компания вошла в дом, все быстро расселись. Лили и Девон сели рядом, Энни и Джордан тоже, оставшиеся места в конце стола заняли Кейт и Джеймс.

Джордан открыл вино и наполнил деревянные кружки.

— Рановато для спиртного, но это поможет нам согреться. — Он широко улыбнулся.

— Расскажите нам, Кейт, — попросила Энни, передавая по кругу тарелки с сырами, мясом, яйцами и хлебом. — Ведь ваше детство прошло на ферме?

— Это было... чудесно. — Кейт улыбнулась. — Всегда какие-то дела, всегда что-то случалось. Нет, ничего значительного, такого, чем богата ваша жизнь. — Она подняла кружку и обвела жестом маленькую комнату. — Конечно, я жила с родителями, и наш дом был скромнее, чем этот, но я постоянно посещала и других фермеров. Этот домик не намного больше, чем тот, где я жила ребенком.

Рука Лили описала неопределенный жест в воздухе.

— Мы все росли в больших поместьях, — заговорила она. — Но там никогда ни на что не хватало денег. Мой отец вечно проигрывал большие суммы. Без сомнения, мы были бы счастливее, если бы жили в таком доме, как этот.

Кейт сосредоточенно жевала нижнюю губу. Она никогда не думала о таких вещах. Ей всегда казалось, что люди, живущие в больших имениях, богаты. Слова Лили заставили ее задуматься. Детство Кейт было счастливым, и не деньги тому причина, вовсе нет.

— У вас не было ни братьев, ни сестер? — спросила Энни. — Это так печально! Не знаю, как бы я жила без Лили. — Она потянулась к сестре и сжала ее руку.

Кейт не могла не улыбнуться, видя это.

— Нет. — Она покачала головой. — Только родители и я. Но у нас всегда было много животных, они и составляли нам компанию.

— Например, поросята? — поинтересовался Девон и улыбнулся Кейт

— Именно, я уговорила маму позволить мне взять в дом одного поросенка из тех, что родились на ферме.

Джордан откашлялся.

— Если вы не возражаете, то я бы хотел знать.... Как произошло, что вы стали герцогиней?

Энни дернула мужа за рукав и укоризненно взглянула на него, но Кейт рассмеялась.

— Я вовсе не против, — сказала она и пригубила вино. Кейт чувствовала на себе взгляд Джеймса, он следил за ней, ждал ее ответа. — Я встретила своего будущего мужа на деревенских танцах.

— На деревенских танцах? — Глаза Энни широко раскрылись.

— Да. — Кейт сделала еще один глоток.

— И он просто сделал вам предложение? — спросила Лили, подаваясь вперед.

— Да, все произошло очень быстро.

— О, как романтично! — воскликнула Энни, игриво подталкивая мужа в бок. — Я тоже хотела бы, чтобы твое ухаживание было постремительнее.

— Неужели? Но вам обоим потребовалось время, — со смехом заметил Девон.

— Смеешься? — возмутилась Энни. — И это говоришь ты, которому потребовалось целых пять лет, чтобы жениться на своей жене?

— Лучше поздно, чем никогда! — Предлагая тост, Девон поднял кружку с вином.

— Выпью за это! — поддержала его Лили.

Вздохнув, Энни снова повернулась к Кейт.

— Я сказала, что это так романтично! Вы встретили герцога на деревенских танцах, и он попросил вас выйти за него замуж? Невероятно!

— Да, — согласилась Кейт. — Я... я думала тогда, что влюблена... — Она чувствовала на себе взгляд Джеймса, но сама не могла взглянуть на него. Он сидел такой тихий, молчаливый. Едва сказал несколько слов с тех пор, как они приехали. Он за что-то сердится на нее? Ему здесь неуютно? И он думает, что эта поездка — пустая трата времени, вместо этого он мог бы заниматься чем-то более важным, например, обдумывать очередной памфлет или заниматься делами в своем кабинете?

— Вы никогда не были влюблены? — спросила Энни и тут же вскрикнула, потому сестра ткнула ее локтем в бок. — Что? — Энни подняла на сестру удивленные глаза.

— Не спрашивай у Кейт такие вещи, — недовольно прошептала Лили. — Ты ставишь ее в неловкое положение. Она не может отвечать на такие вопросы.

— Нет, нет, отчего же? — Кейт подняла руку. — Правда в том, что после того, как началась наша семейная жизнь, я быстро поняла, что любовь, оказывается, совсем не то, что я себе представляла.

Протянув руку, Энни накрыла своей ладонью руку Кейт.

— Но, Кейт, поверьте, любовь — самое прекрасное чувство в мире.

— Возможно, — ответила Кейт, вяло улыбаясь, — если это касается ваших отношений с лордом Эшборном. — Эшборн наклонил голову. — Или союза лорда Колтона и Лили. — Девон улыбнулся.

— Просто нужно найти свою половинку, — подсказала Лили.

Энни печально покачала головой.

— Есть много людей, которые вступают в брак ради связей или исполнения долга.

— Да, — кивнула Кейт. — Но мы думали, что вступаем в брак по любви. Печально, однако то, что из этого получилось, никак нельзя назвать любовью.

— Вы были очень молоды, — сказала Лили и, потянувшись к Кейт, похлопала ее по руке.

— Да, — согласилась Кейт.

— Я надеюсь, вы все еще верите в любовь? — спросила Энни.

Кейт отвела глаза. Она не хотела говорить об этом. Любовь доставила ей столько боли, больше, чем что бы то ни было. Обещание любви и верности держало ее в узах брака целых десять лет. И чем все это закончилось? Теперь она смотрит в лицо смерти. О, насколько другой могла бы быть ее жизнь, если бы она нашла такого мужа, как у Лили и Энни? Они сделали своих жен счастливыми.

— Любовь — это роскошь, — услышала Кейт голос Джеймса, в котором слышалось напряжение.

— О присутствующих не говорят, — дернула его за рукав Лили. — Я думаю, вы не станете спорить?

— Разумеется. — Он кивнул и отпил вина.

— Ну, вот что. — Энни хлопнула рукой по столу. — Мы обещали Кейт приятно провести время, а сами своими разговорами о прошлом расстроили ее. Давайте говорить о чем-то приятном.

Утро подходило к концу, и Кейт раскраснелась от выпитого вина. Ее щеки порозовели от смеха, которым она наслаждалась, и болели от беспрестанных улыбок.

А ведь ей следовало помнить, что она в трауре. Ее место в тюрьме. И, может быть, все это не имело смысла, но эта поездка — самое прекрасное, что могло быть. Она вернулась на ферму, пусть всего на один день и, скорей всего, последний раз в жизни.

Они катались на лошадях, наблюдали за овцами, играли с поросятами, когда те проснулись, а мамаша была занята едой.

И, слава богу, Джеймс постепенно вышел из своего панциря. Он помогал Кейт лепить снежную бабу, сопровождал ее во время верховой прогулки по полям, и, взяв поросенка из вольера, передал его ей. Кейт робко улыбалась ему, заметив, что Лили и Энни с интересом следят за повышенным вниманием, какое оказывал ей Джеймс. Кейт краснела, но не могла не улыбаться. Проводя время среди этих милых людей, она чувствовала, как ее сердце оживает. Она гладила маленького поросенка и говорила:

— Если бы ты была моя, я назвала бы тебя Маргарет ll.

— Прославленное имя, — заметил Джеймс, прежде чем вернуть поросенка на подстилку к братику и мамаше.

Время прошло быстро, и вот уже вся компания засобиралась в Лондон. Три леди, держась за руки, шли к карете. На этот раз Энни подвела их к карете Джеймса, и Кейт вошла первая. Лили просунула голову внутрь.

— Не забудьте опустить шторы, — напомнила она.

— И набросьте капюшон, когда будете выходить, — добавила Энни.

— Разве вы не едете со мной? — удивилась Кейт.

— Нет, мы решили, что поедем ко мне, так что вам удобнее ехать с Медфордом, — объяснила Лили.

А что же Кейт? Лишилась дара речи.

Глава 18

Прошло несколько минут, Джеймс и Кейт попрощались со своими друзьями, и вскоре карета уже двигалась по направлению к Лондону.

Джеймс, сидя на противоположном сиденье, внимательно наблюдал за Кейт. Шторы были опущены, в карете царил полумрак.

Кейт чувствовала себя неловко.

— Вам не кажется, что можно открыть шторы, пока мы находимся за городом? — спросила она, поднимая одну из занавесок. — Здесь нас никто не увидит.

Он пожал плечами. Почему она вдруг застеснялась, оставшись с ним наедине? Ее рука действительно дрожала, когда он прикоснулся к ней, или ему показалось? Все, о чем он мог думать сейчас, как прекрасно она выглядела сегодня и как она красива, когда смеется. Как хорошо, что Кейт не утратила способности смеяться. И вообще, можно сказать, поездка за город удалась. И ему опять отчаянно захотелось услышать ее смех.

Сначала, вспоминая их поцелуй на балу, он принял решение держаться подальше от нее. Воспоминания о бале не давали ему покоя два последних дня. Он решил, что будет лучше для них обоих, если они будут соблюдать дистанцию, и честно хотел осуществить это. Поэтому он поехал на ферму в другой карете и, когда они прибыли на место, тайком наблюдал за Кейт, не в состоянии отвести от нее глаз. А потом они чудесно провели утро, много смеялись, ездили верхом, играли в снежки... Господи, когда он чувствовал себя так радостно и так свободно? Нет, такого не было даже в детстве. А с Кейт все было так легко, так просто. И даже то, что их общение не укрылось от Лили и Энни, не могло остановить его. Он обещал Кейт сделать все, чтобы она могла ощутить вкус жизни, и он выполняет обещание, в то время как она выполняет свое, то есть пишет памфлет. Он невольно улыбнулся, вспоминая, как она восторгалась поросятами.

— Скажите, — начал он, — когда вы были девочкой, у вас действительно был поросенок?

Успех! Наконец-то она рассмеялась, и это был дивный мелодичный смех.

— Действительно.

— И вы держали его в доме?

— Да, свинка жила в доме. Она была очень маленькая, — пояснила Кейт. — Но в то же время настоящая живая свинка.

Джеймс не мог удержаться от улыбки. Он старался представить Кейт девочкой, как она бегает по дому со свинкой в руках, но почему-то не мог вообразить ее ребенком. Он мог думать о ней, только как о красивой леди, которая, сидя напротив него, сосредоточенно наматывала золотисто-рыжий локон на палец и поглядывала на него из-под завесы бархатисто-черных ресниц.

— Пожалуйста, скажите, — начала Кейт таким веселым тоном, который сразу же привлек внимание Джеймса.

— Все, что хотите.

— Что за животное этот енот?

Он рассмеялся, причем так заразительно, что, казалось, его смех способен сотрясти карету.

— Это злое маленькое животное, черно-бело-серое, с длинным полосатым хвостом. И мордочка выглядит так, как будто надета маска. Насколько я слышал, он обычно водится в Америке.

— А у Лили и Энни действительно есть лиса и енот?

— И да, и нет. — Он улыбнулся. А в ответ на ее вопросительный взгляд пояснил: — У Энни действительно живет лиса, а енот — это просто пес, который по своему окрасу похож на енота. Его имя Бандит.

— О, понятно, — Кейт рассмеялась. — Видимо, я совсем некстати рассказала про свою свинку.

— Нет, — возразил он. — Вы прекрасно вписались в компанию.

— Приятно слышать это. — Она сделал паузу, покусывая нижнюю губу. — Джеймс, я могу задать вам еще один вопрос?

— Сколько угодно. — Он вежливо наклонил голову.

— Почему вы были так молчаливы на ферме?

— Я? — переспросил Джеймс и отвернулся к окну.

— Вы знаете, что это так. — Кейт опустила голову, разглаживая складки юбки.

— По правде говоря... Я чувствую свою вину за то, что поцеловал вас. — Он подвинулся и облокотился о подушку.

— Вы... виноваты? — Рот Кейт приоткрылся от удивления. Очевидно, она не ожидала от него такой... откровенности. — Но почему?

— Я не имел права. — Его голос звучал на удивление мягко.

— Но тогда на балу вы были не один, Джеймс. И обычно в этом участвуют двое.

— Я понимаю, но...

— Я тоже виновата, — прошептала она.

— Почему? — Он, прищурившись, взглянул на нее.

— Вы попросили меня написать для вас памфлет, а не отвлекать всякими глупостями, вроде танцев и...

Он покачал головой.

— Вы даже сейчас отвлекаете меня, когда просто сидите здесь, но это не дает мне право вести себя как полный осел...

— Но вы и не вели себя так! — Она резко выпрямилась на сиденье. — Вовсе нет!

— Вы так считаете?

— Конечно.

— Спасибо за эти слова. Мне следует держать руки подальше от вас и дать вам возможность спокойно сосредоточиться на памфлете.

Неужели на ее лице появилось разочарование? О, сейчас он виноват, что позволяет себе вообразить такое. Идиот.

— Как вам кажется, я нравлюсь Лили и Энни? — Отвернувшись, Кейт снова взялась за свой локон.

— Да, даже очень, — успокоил ее Джеймс.

— Мне кажется, они чуть-чуть колебались, когда спрашивали о Джордже, и я...

— Они не были уверены, носите ли вы траур. Это странная ситуация.

— Если не сказать больше. — Она усмехнулась. — Я все понимаю. Мне неприятно, что я заставила их испытать неловкость, я знаю, мне положено носить траур, но я просто не могу. Джордж и я... мы едва знали друг друга, и последние пять лет я редко видела его. Как я могу скорбеть по человеку, которого не знала?

— Поверьте мне, я понимаю.

— Правда? — недоверчиво переспросила она. Джеймс взъерошил волосы. Он не мог объяснить ей, почему понимает, но он понимал. Он просто кивнул.

— А хуже всего, — проговорила она, глядя в окно, — что у нас был самый обычный брак. Я бы сказала, он был даже нормальнее, чем любой другой.

— Но большинство мужей не отправляют своих жен в деревню, — качая головой, попытался возразить Джеймс, — пока сами развлекаются в Лондоне, если вы это имеете в виду.

— Может быть, и нет, — вздохнула Кейт, положив голову на подушку сиденья. — Но многие женатые пары проводят врозь долгие часы. Хотя, я думаю, предполагаемый развод и убийство сделали нас совершенно необычной парой. — Она попыталась улыбнуться, но на глаза навернулись слезы.

— Кейт, — проговорил он внезапно севшим голосом. И потянулся к ней.

— Мне очень жаль, что он умер... так, — тихо сказала она, отвернувшись к окну. — Мне жаль, и я злюсь. Злюсь на него за то, что он был таким негодяем, злюсь на себя за свою реакцию и злюсь на того, кто сделал это и взвалил вину на меня. Убийца где-то ходит, Джеймс. Убийца.

— Я знаю, — процедил он сквозь стиснутые зубы.

Остаток пути Джеймс постарался заполнить чем-то светлым. Кейт упорно хранила молчание, и тогда он сказал:

— Вы волнуете меня, даже когда просто сидите здесь. — От этих слов ее бросило в жар, а потом в холод. Она старалась выбросить их из головы, но они возвращались, заставляя ее улыбаться снова и снова.

Он и дальше говорил что-то, пытаясь рассмешить ее, и, когда они подъехали к городскому дому Джеймса, оба так увлеклись разговором, что Кейт забыла набросить капюшон на голову и закрыть занавески на окнах.

Она испуганно ахнула и быстро натянула капюшон, когда они спустились по ступенькам кареты. И тайком огляделась вокруг. Несколько людей спешили куда-то по улице. Коляска, запряженная парой лошадей, проехала мимо и завернула за угол. Кейт еще ниже опустила голову и поспешила подняться по ступеням заднего крыльца.

Джеймс тихо выругался. Проклятье. Он не должен был терять бдительность. Должен был проследить, чтобы она набросила капюшон, когда выходила из кареты, но он был так увлечен ею, что забыл обо всем.

— Как вы думаете, меня никто не видел? — спросила она, как только они вошли в дом.

— Нет. — Джеймс покачал головой. — Не думаю, — продолжил он своим обычным убедительным тоном. — А если кто-то и видел, то уже поздно.

Глава 19

Удобно устроившись на своем любимом месте в библиотеке, Кейт писала памфлет. Фемида лежала у ее ног. Задумавшись, Кейт постучала по бумаге кончиком пера. Вспомнить все подробности происшедшего было не трудно, но это не то, о чем она хотела написать. Как описать те чувства, которые она испытала в то утро, когда увидела Джорджа, лежащего на полу? Как передать чувство ужаса и горечи? Как объяснить, почему она подошла к нему, приподняла его голову, старалась спасти? И почему не хотела и не могла убить его, несмотря на ту ссору, что произошла между ними. Потому что мысли об убийстве никогда не было в ее сердце.

Конечно, даже если ей удастся найти точные слова, чтобы описать свою непричастность к этому преступлению, это вовсе не означает, что ей кто-то поверит. Но она не искала понимания. Все, что она могла, это рассказать свою историю предельно честно, и надеяться, что, по крайней мере, и среди высшего общества найдутся люди, которые поверят ей.

Она думала о своей свекрови, вдовствующей герцогине Маркингем.

«Она тебе не подходит», — говорила она своему сыну, когда много лет назад он представил ей Кейт.

«Джорджа моментально покорило ваше красивое лицо», — бросила она Кейт, когда Джордж оставил их одних продолжить знакомство. «Но остается надеяться, что разум восторжествует и он придет в себя». — Кейт поморщилась при этом воспоминании. К сожалению для всех, ни один из них не пришел в себя, пока не состоялась свадьба. И свекровь продолжала ненавидеть Кейт с завидным постоянством.

Это обижало Кейт до глубины души. Но она была так наивна, что надеялась, любовь победит все. Она провела годы, для всеобщей пользы стараясь снискать расположение матери Джорджа. В конце концов, Кейт сдалась. Она годами не видела свою свекровь, хотя та жила всего в миле от Маркингем-Эбби в своем вдовьем доме. Кейт, наконец, поняла, что мать Джорджа была права. Союз между герцогом и «молочницей» (как герцогиня любила называть ее) был обречен. И сейчас она могла представить боль вдовствующей герцогини... и злость. Вдобавок к печальному известию о кончине любимого сына, она верила, что убийца — ненавистная ей невестка. Кейт никогда не осуждала свекровь за долгую ненависть и, разумеется, не могла осуждать и сейчас. Ее сердце переворачивалось в груди, когда она думала о той ужасной боли, которую должна испытывать мать Джорджа. Потерять ребенка противоестественно. А потерять сына так... о, это невозможно представить.

Кейт отложила перо и опустила голову на руку. Ее мысли вновь вернулись к Джорджу. Бедный Джордж. Он не заслужил такой смерти, пули в грудь. И он видел того, кто убил его. Кейт не сомневалась в этом. Он видел лицо убийцы, видел его холодные, пронзительные глаза.

Кейт сжала кулак, ногти впились в ладонь. О Господи, кто мог сделать это? Она помнила, как прошла в свою комнату, начала разбирать вещи. Она решила оставить Джорджа. Он мог отказать ей в разводе, но она не собиралась и дальше жить с ним под одной крышей.

Она решила, что лучше жить на улице, чем провести еще одну ночь в заточении в Маркингем-Эбби. Все ее замужество сплошной стыд. И она ни одного дня больше не проведет в этом доме. Потому что здесь ее жизнь превратилась в смерть. Смерть. От этого слова по позвоночнику пробежала холодная дрожь. Она вспомнила Джорджа, лежащего на ковре. Он был мертв, но и она тоже. Просто по-другому.

Кейт сокрушенно покачала головой. Кто мог желать смерти Джорджа? Кто мог убить его? Леди Беттина? Но в этом не было никакого смысла. Они были так увлечены друг другом. Леди Беттина демонстрировала их отношения перед Кейт в ее же собственном доме. Видимо, леди Беттина была влюблена в Джорджа. Но кто-то ведь сделал это! Кто?

Может быть, кто-то тайком проник в дом? Кузен Джорджа? Следующий претендент на титул герцога? Она встречала Оливера всего несколько раз, и он производил вполне приятное впечатление, но кто знает? Люди совершают убийства и по менее веским причинам, чем титул герцога.

Кто-то из слуг? Она представить не могла кто. Кроме камердинера, который большую часть времени проводил со своим хозяином в Лондоне, всех остальных слуг Кейт знала и могла поручиться за них. На самом деле, они — ее единственные друзья. И она не могла понять, зачем кому-то из них желать смерти Джорджа? Он их кормилец. Их работодатель. Она никогда не слышали ни от кого из них каких-либо жалоб на него.

Она провела рукой по лицу. Мистер Абернети заверил ее, что докопается до мельчайших подробностей. Ей оставалось только надеться, что он исполнит свое обещание.

Дверь библиотеки открылась, и Кейт вздрогнула от неожиданности. Вошла миссис Хартсмид своей быстрой, деловой походкой.

— О, ваша светлость, — проговорила она, заметив Кейт, — я не знала, что вы здесь. Простите меня. Я зайду в другой раз.

Фемида вертелась около экономки, которая обожала ее.

— Нет, миссис Хартсмид, прошу вас, останьтесь, — сказала Кейт, радуясь, что кто-то может отвлечь ее от грустных мыслей.

— Я просто хотела взять одну книгу, там есть разные советы, мне надо посмотреть, как удалить пятна с льняного полотна, — пояснила миссис Хартсмид, почесывая Фемиду за ухом.

Кейт кивнула.

Миссис Хартсмид подошла к книжным полкам у дальней стены, вытащила нужную книгу и остановилась у кушетки, где сидела Кейт.

— Я могу что-то сделать для вас, ваша светлость?

Фемида снова улеглась на ковер у ног Кейт.

— Нет, нет, ничего спасибо.

Улыбнувшись Кейт, экономка повернулась, собираясь уйти.

— Пожалуйста, я бы хотела... — сказала Кейт, останавливая ее.

— Да, ваша светлость? — Миссис Хартсмид остановилась и повернулась к Кейт.

— Вы бы... вы бы не могли... — Кейт медлила, подыскивая подходящие слова. — О, я была бы вам очень признательна... если бы вы присели и поговорили со мной немножко, миссис Хартсмид.

— Ваша светлость? — Блеклые выцветшие глаза экономки удивленно смотрели на герцогиню.

Кейт прикусила губу, герцогиня обращается с просьбой к вышколенной прислуге лорда Медфора, тем самым нарушая все правила этикета, или, может быть, нет?

— Просто... мне так одиноко, миссис Хартсмид. Моя экономка в Маркингем-Эбби иногда присаживалась, и мы разговаривали.

— Я понимаю, — с доброй улыбкой ответила миссис Хартсмид. — Но думаю... это не принято, чтобы...

— О, разумеется, — согласилась Кейт. — Я не буду настаивать, если вы не хотите.

Миссис Хартсмид заговорщицки улыбнулась и огляделась вокруг.

— Если так, то как я могу отказать вам?

— Вот и чудесно! — Кейт подвинулась, уступая место рядом с собой, и экономка после некоторого колебания присела, положив книгу на колени.

— О чем бы вы хотели поговорить со мной? — спросила она.

— Давайте подумаем... — протянула Кейт, похлопывая кончиком пальца по подбородку. — Вы давно служите у лорда Медфорда? — Она отодвинула перо и бумаги на дальний край стола и, подняв ногу, поджала ее под себя.

— С тех пор, как он был мальчиком, — отвечала миссис Хартсмид. — Я служила тогда горничной у его отца, старого виконта.

— Вы знали отца Джеймса? — Кейт удивленно заморгала.

— Да, в течение многих лет, — кивнула экономка.

— Какой он был, расскажите. — Кейт подвинулась ближе.

— О, нет. — Миссис Хартсмид энергично замотала головой. — Терпеть не могу сплетничать о его светлости. Нет. Нет. Нет.

Сделав невинные глаза, Кейт посмотрела на нее.

— Я не прошу вас сплетничать, просто опишите его.

— Что ж... высокий, темноволосый, похож на лорда Медфорда, но не такой красивый.

— Продолжайте... — кивнула Кейт — Какой он был?

Экономка снова нахмурилась. Она оглянулась через плечо.

— Терпеть не могу плохо отзываться о хозяевах, но теперешний виконт куда лучше, чем его отец.

— Правда? — Кейт придвинулась еще ближе, ее разбирало любопытство. Она хотела знать каждую деталь. Джеймс как-то обмолвился, что он и его отец не ладили. Но, может быть, было нечто большее. Какая-то тайна? Может быть, ему самому следовало написать памфлет?

Миссис Хартсмид кивнула.

— Да, старый виконт был очень суров с нашим лордом Медфордом, всегда требовал самых лучших оценок в школе, чтобы, не дай бог, не замарать хорошую репутацию. Не позволял ему участвовать ни в чем предосудительном, тем более скандальном... Скандал? Ни в коем случае. Он был просто одержим этой идеей. — Экономка прикусила язык.

— Так вот почему Джеймс такой... педантичный, — медленно проговорила Кейт, поглаживая подбородок.

— Да, — согласилась экономка. — Каждое утро старый виконт проверял уроки, которые приготовил сын. Если он видел кляксу или какую-то помарку, то заставляя его переписывать. И пока мальчик не сделает это, ему не разрешали завтракать.

— Похоже, старый виконт был настоящий монстр? — Кейт потянулась и почесала загривок Фемиды.

— Нельзя плохо говорить о мертвых, но что делать, такой это был человек, — вздохнула миссис Хартсмид. — А лорд Медфорд всегда так требователен к себе, даже больше, чем его отец. Если старый виконт был требовательный, то лорд Медфорд требователен вдвойне и, прежде всего, по отношению к себе.

— Я понимаю, — размышляла Кейт. Вот почему Джеймс так стремится достичь совершенства во всем. Его репутация как Лорда Совершенство, вполне заслуженна, но в нем есть и другая скрытая сторона. Внутри него зрел бунт, и именно это заставило его приобрести печатный станок и вызволить из тюрьмы потенциальную убийцу. — А его мать? — поинтересовалась Кейт.

— Это печальная история. — Миссис Хартсмид протяжно вздохнула. — Его светлость никогда не знал свою матушку. Она умерла в родах.

— Так вот почему у него нет ни братьев, ни сестер, — пробормотала Кейт.

— Именно поэтому, — кивнула экономка. — Я часто думаю, каким бы был лорд Медфорд, если бы виконтесса была жива. — Она вздохнула и сжала книгу, лежащую у нее на коленях. — Хотя не стоит так думать.

Кейт тоже задумалась, после долгой паузы она сказала:

— Я рада, что у него есть вы. — Она погладила миссис Хартсмид по руке.

Экономка улыбнулась, но внезапно выпрямилась, и книга упала на пол.

— О, только не говорите его светлости, что я рассказывала вам такие вещи. Он тотчас уволит меня.

Кейт, наклонившись, подняла книгу и отдала ее экономке.

— Значит, он все же строгий хозяин? — спросила она с улыбкой.

— Нет, нет. — Экономка, взяв книгу, положила ее на колени. — Вовсе нет. Он очень добр со всеми нами. Он требует хорошей работы, но всегда награждает за усердие и редко сердится. Он — необыкновенный хозяин, ваша светлость. Это правда.

— Но вы не хотели бы рассердить его?

— Никогда. Я очень уважаю его, ваша светлость.

— Не беспокойтесь, миссис Хартсмид, он никогда не узнает об этом разговоре.

Глава 20

Кейт проснулась от странного шума. Звон разбитого стекла, крики на улице... Ничего не понимая, она резко села в постели. Сердце билось так, словно хотело выпрыгнуть из груди. На губах застыл крик.

Дым.

Огонь.

Окно разбито, языки пламени лизали деревянные рамы. Теперь до нее дошло — кто-то пытается проникнуть в дом. На этот раз выдержка изменила ей, и она закричала.

Зажав рот рукой, Кейт в ужасе укусила ее. Отбросив простыни, вскочила с постели, от едкого дыма уже слезились глаза. Она подбежала к разбитому окну, кусок стекла врезался в ногу. Закусив до крови губу, она вытащила его. Что там за шум? Выглянув на улицу, Кейт увидела толпу людей, они что-то кричали, размахивали руками. Бросали что ни попадя в дом, пытаясь разбить остальные окна, и скандировали:

— Убийца! Убийца! Убийца!

Кейт, не помня себя от страха, зажала рот рукой, сдерживая крик. Они пришли за ней. Они убьют ее и разрушат дом Джеймса. О Господи! Зачем он привез ее сюда? Ей надо немедленно исчезнуть, бежать... Но сначала она должна убедиться, что Джеймс и слуги в безопасности. Она бросилась в коридор. Зацепившись за подол рубашки, споткнулась и растянулась на полу. Дым въелся в легкие, она закашлялась.

Дверь комнаты с резким стуком открылась. Кейт вскинула голову. Посреди комнаты, заполненной дымом, стоял Джеймс. Его лицо перекосилось от гнева. Он был похож на мстителя.

Почему он не отдаст ее в руки озверевшей толпы, в отчаянии подумала Кейт. Это единственный путь избавиться от нее, и от того разрушения, которое она внесла в его жизнь.

— Что это... кровь? — Он указал на ее ногу и кровь на подоле рубашки.

— Пустяки, я в порядке, — отмахнулась Кейт.

Он схватил с постели одеяло, набросил его на Кейт и помог ей подняться с пола. Как только она встала на ноги, Джеймс завернул ее в одеяло и силой потащил к выходу из комнаты.

— Я уже знаю, что слуги и Фемида в безопасности. Они у соседей. Пожарные кареты в пути. Как и охранники. Идемте со мной, — скомандовал он тоном, не терпящим возражений.

Кейт не оставалось ничего другого, как подчиниться. Глаза слезились от дыма. Она, ни говоря ни слова, вышла из комнаты следом за ним. Он вел ее, держа за руку. Они быстро спустились по боковой лестнице в холл и, минуя центральный вход, через боковую дверь вышли в маленький, обнесенный оградой двор. Лошадь Джеймса уже ждала их. Он помог Кейт взобраться в седло, и сам уселся сзади. Сердце сковал леденящий страх, но холодный ночной воздух был здесь ни при чем. Все, что она могла слышать, — вопли разъяренной толпы, краешком глаза Кейт видела всплески оранжевого пламени. Пожалуйста. Пожалуйста. Пусть это будет сон.

От фасада дома до них донесся резкий крик. Кейт повернулась и увидела небольшую группу людей, отколовшуюся от основной массы. Мужчины бежали вдоль ограды и что-то кричали, видимо, старались привлечь внимание остальных.

— Они уезжают! — орали они, но хаос стоял такой, что если их и расслышали, то далеко не все. Джеймс дернул поводья, направляя лошадь в противоположную сторону. Они выехали на улицу и промчались мимо кричащей толпы. Несколько человек побежали за ними, но вскоре отстали, а Кейт и Джеймс неслись галопом по окутанным предрассветным туманом улицам Лондона. Сделав два крутых поворота, они остановились перед красивым особняком. Джеймс быстро спешился и помог Кейт слезть с лошади. И, не мешкая, повел ее в дом.

Следующий час прошел как в тумане. Они прибыли в дом маркиза Колтона. Остановка была необходима, нужно было приготовить карету для дальнейшего путешествия в загородное поместье Джеймса.

Закутавшись в большое одеяло, Кейт свернулась клубочком в кресле. Лили осторожно осмотрела ее ногу и наложила повязку. Принесла Кейт туфли и чулки. Затем собрала им в дорогу большую сумку с теплой одеждой и едой. И в довершение всего принесла Кейт чашку горячего чая.

— Как они нашли вас? — спросил лорд Колтон у Джеймса.

Лицо Джеймса не выражало никаких эмоций, словно было высечено из камня.

— Я подозреваю, что кто-то увидел нас, когда мы вчера возвращались с фермы.

Колтон хмуро кивнул.

В глазах Лили блестели слезы.

— Я так рада, что и вы оба, и слуги, и Фемида смогли выбраться из этого ада. Но, Джеймс, твой прекрасный дом?

Джеймс не ответил. Кейт с трудом сдерживала готовые пролиться слезы. От обычно аккуратной прически Джеймса не осталось ничего, волосы были спутаны, лицо почернело от сажи, глаза красные, словно он не спал несколько ночей. Он никогда не выглядел хуже и вместе с тем никогда не был так красив. Кейт закусила губу, представляя, что происходит сейчас с его домом. О Господи, что она наделала? Ее присутствие в его доме поставило под угрозу его жизнь.

Проглотив слезы, Кейт закрыла глаза. Не стоит думать об этом сейчас. Она в безопасности, Джеймс тоже. Сейчас только это имеет значение.

Она допила чай, и Лили помогла ей надеть теплую одежду. Спустя несколько минут карета маркиза Колтона была готова. Джеймсу и Кейт предстояло отправиться в далекое путешествие в Хемфилл-парк.

Дверца кареты плавно закрылась, и лорд Колтон распорядился, чтобы кучер занял место на козлах. Карета тронулась, и Кейт, вздохнув, откинулась на бархатные подушки. Нет, это не сон. Она едет в загородный дом Джеймса. Подальше от города, подальше от разъяренной толпы.

В течение первого часа дороги они хранили молчание, оба были слишком потрясены случившимся, слишком устали, чтобы говорить. Кейт подложила под голову подушку, которую дала ей Лили, и попыталась вздремнуть. Но стоило ей закрыть глаза, как перед ее мысленным взором вставал прекрасный дом Джеймса.

Все, о чем она могла думать, это его уравновешенная, спокойная жизнь, и то, как она появилась и все разрушила. Толпа узнала, что она остановилась в его доме, и репутации Джеймса грозила опасность. Если они станут докапываться, то могут узнать и о печатном станке.

— Ваш дом... — охрипшим голосом пробормотала Кейт.

— Что? — переспросил Джеймс.

— Ваш прекрасный, совершенный дом разрушен. — Слезы душили ее, мешая говорить. — О, Джеймс, простите меня!

— Но это всего лишь дом, Кейт, — возразил он.

— Да, но вы любили его.

— Не беспокойтесь об этом. Вам лучше отдохнуть.

— Как я могу не беспокоиться? — Она подняла голову с подушки и встретила его взгляд. — Ваша жизнь превратилась в хаос, и все из-за меня...

— Кейт. — Джеймс остановил ее взглядом. — Мое решение привезти вас в свой дом — это мое решение. Я прекрасно осознавал и грозящую мне опасность и возможные последствия этого шага.

Кейт потерла глаза кулаками.

— Но вы не думали, что такое может случиться в действительности. Памфлет не стоит подобного риска.

— Позвольте мне решать это, — сказал он, отклоняя голову на спинку сиденья.

Она прижалась щекой к подушке и заставила себя закрыть глаза.

— Ничего не могу поделать с собой, не перестаю думать, что ваша жизнь была бы куда проще, если бы я никогда не вторгалась в нее.

— Проще? Я начинаю понимать, что простота не так уж привлекательна, как я думал раньше, — строго и холодно ответил он.

Глава 21

Загородное поместье Джеймса производило еще большее впечатление, чем его городской дом. Особняк, приютившийся в тихой долине Оксфордшира, окружали деревья, пруды и бесконечные мили плодородных земель. Само поместье насчитывало сотни акров и было поистине огромным, с красивыми садами, рощицами, озером и парком. Разумеется, все содержалось в идеальном порядке, как, впрочем, и городской дом. А может быть, и в еще большем порядке, если такое вообще возможно.

Внутреннее убранство дома поражало великолепием, включая бесценный антиквариат, роскошные ткани, толстые ковры и медную фурнитуру. Нижний холл украшали портреты предков Медфорда. Библиотека насчитывала огромное количество томов, касающихся совершенно разных областей, книги стояли за сверкающими стеклами на полках красного дерева. Стены гостиных были оклеены прелестными обоями в нежных палевых тонах, интерьер дополняли роскошные шторы и изысканная мебель. Коридоры были декорированы мрамором, а сам вестибюль поразил Кейт широкой, витой лестницей и великолепной люстрой.

Услужливая горничная провела Кейт в отведенные ей апартаменты, состоящие из нескольких комнат. Выдержанная в бледно-лиловых тонах спальня была бесподобна, на окнах — мягкие шторы, широкая кровать покрыта покрывалом, расшитым мелкими цветами. А вскоре Кейт пришлось убедиться, что каждое утро на ее прикроватном столике появлялась ваза с такими же маленькими цветами. Фиалки?

Но вскоре она обнаружила еще одну комнату, которая стала ее любимой. Музыкальный салон. Там Кейт, к своей радости, нашла пианино. И в таком большом доме она могла играть столько, сколько захочет, даже посреди ночи, не боясь, что кто-то услышит ее.

Сначала она просила, чтобы ей приносили еду в ее комнаты. Она боялась лишний раз встретиться с Джеймсом, понимая, что, скорей всего, ему неприятно видеть ее, и ей не стоило напоминать ему, что она сотворила с его домом.

Прошло два дня, а они так ни разу и не встретились. И, наконец, на третий день встреча состоялась. Джеймс вышел из-за угла как раз в тот момент, когда Кейт остановилась перед дверью библиотеки. Она едва не наскочила на него.

— О, простите меня, — поспешила извиниться Кейт и тут же густо покраснела, понимая, что чуть не сбила его с ног.

— Нет, это моя вина, — кланяясь, возразил Джеймс.

Кейт нервно потирала пальцы, наблюдая за ним. Почему они чувствуют себя так неловко?

Джеймс первый прервал молчание.

— Надеюсь, у вас... все хорошо? Как ваша нога, не болит?

— Прекрасно, — поспешила заверить его Кейт. — Благодарю вас. А как вы? — Гмм. Опять повисло неловкое молчание. Она незаметно ущипнула себя за руку.

— Дела, — коротко ответил он.

— Да? И какие же? — Это был еще один нелепый вопрос. Но Кейт уже чуть-чуть расслабилась.

— Занимаюсь приготовлениями к восстановлению дома.

Она готова была провалиться сквозь землю. Ну, конечно, а чем еще ему заниматься?

— Вы ничего не слышали... о том вреде, который... — Кейт нервно сжала руки.

— Я получил письмо от Лока. Очевидно, толпа разошлась вскоре после нашего отъезда. Ночной сторож вызвал охрану, пожар вскоре был потушен.

— Понятно, — глубоко вздохнув, произнесла она. — Что же... это хорошо. — Хорошо. Какое неподходящее слово.

— Кейт, я не хочу, чтобы вас это тревожило, — спокойно сказал он. — Я написал письмо своим друзьям в парламенте и другим...

Дыхание застряло в горле. Только одна причина могла заставить его сделать это.

— Я бы солгала, если бы сказала, что мне это безразлично. Я так боюсь, что лорд-канцлер станет настаивать на моем возвращении в Тауэр.

— Получено решение, позволяющее вам оставаться в моем поместье... под моей опекой. Именно поэтому я и искал вас, хотел сообщить эту новость.

Кейт прерывисто дышала, она с трудом сдерживала себя. И быстро закрыла глаза.

— О, это такое облегчение.

Желая подбодрить ее, Джеймс улыбнулся. Повернулся, чтобы уйти, но Кейт вдруг потянулась и ухватила его за рукав.

— Да? — Остановившись, Джеймс с любопытством посмотрел на нее.

— Я просто... — Она смутилась и отдернула руку. — Это просто потому... Джеймс... я... — С опущенными глазами и виноватым видом она хотела сказать что-то еще, но запнулась. Горло перехватило, и она не могла произнести ни слова.

— Что такое, Кейт?

— Вы хотите, чтобы я вернулась в Тауэр, да? Я так понимаю? — Она сама удивилась, как ей удалось справиться с нервами и задать вопрос, но она должна была сделать это.

— Вы ведь еще должны закончить памфлет? Не так ли? — улыбаясь спросил Джеймс.

Она резко кивнула, и он пошел дальше по коридору.

После того, как он ушел, Кейт уперлась рукой в стену. Это был не тот ответ, которого она ожидала... или который надеялась получить. Она действительно беспокоилась, что лорд-канцлер потребует ее возвращения в Тауэр, но еще больше боялась, что Джеймс захочет избавиться от нее. Деньги от памфлета не смогут покрыть расходы на восстановление дома. Да, он говорил ей, что это его собственный выбор, но разве это умаляло ее вину?

Если бы он хотел отослать ее назад в Тауэр, то так бы и сказал. Но, с другой стороны, он джентльмен, чтобы позволить себе такие слова. И поэтому он дал ей еще немного времени. «Вы ведь еще должны закончить памфлет», — сказал он.

О Господи! Нет сомнения, он хочет одного — чтобы она как можно скорее закончила писать памфлет и уехала.

Рука безвольно опустилась, Кейт расправила плечи. Она сделает это для него. Закончит свою работу. Она может поставить его жизнь под удар и разрушить его дом, но она не хочет длить цепь неприятностей. Нет, она закончит памфлет как можно скорее и избавит Джеймса от своего присутствия. Она и так обязана ему многим. Она не станет думать о том, как грустно, как тяжело будет вернуться в Тауэр, в одиночество, в неизвестность. Но она уже воспользовалась добротой Джеймса и не хочет делать это дальше. Она должна закончить памфлет, правдиво описав свою историю. Это все.

На четвертый день пребывания Кейт в поместье Джеймса она стояла перед дверью его кабинета. Ее ладони вспотели, сердце отчаянно билось. Дворецкий сообщил ей о приезде адвоката Абернети. И о том, что лорд Медфорд и мистер Абернети попросили ее присутствия. Она подняла руку, намериваясь постучать, но сжала пальцы в кулак и опустила ее. В сердце прокрался страх. Дворецкий, разумеется, не объяснил ей, что за новости привез адвокат. Кто знает, возможно, теперь он убедился, что именно она, а не кто-то другой, убила Джорджа. Может быть, адвокат уже поделился с Джеймсом своими соображениями? И Джеймс вызвал ее, чтобы сообщить свое решение. Он немедленно отправляет ее в Тауэр. Жизнь, сопровождаемая постоянным страхом, стала привычной для Кейт. Но каждый день приносил новые причины для беспокойства. Последние два дня ее мучили кошмары: огонь, крики толпы, сожжение на костре. Она просыпалась в холодном поту с бешено бьющимся сердцем, с именем Джеймса на губах. Джеймс спасет ее. А если нет? Если он уже сделал это в последний раз? Она зажмурила глаза и расправила плечи. Нет, она не будет думать об этом. Она должна выслушать адвоката, смело глядя ему в глаза. Кураж. Кураж. Кураж. Она так часто повторяла это слово в течение последних недель, что оно стало утрачивать свое значение. Проглотив комок в горле, она собралась с духом и постучала.

— Войдите, — послышался голос Джеймса.

Открыв дверь, Кейт сделала шаг и остановилась в дверях. Быстро окинула взглядом лица обоих джентльменов. Увы, выражения их лиц ничего не сказали ей. Джентльмены поднялись, приветствуя ее, а Абернети вежливо пододвинул ей стул. Кейт заняла место перед столом напротив Джеймса.

— Ваша светлость, — сказал адвокат, склонив голову.

— Мистер Абернети, — в свою очередь проговорила Кейт. Она старалась выговорить «рада вас видеть», но губы не слушались.

Она вновь подняла глаза на Джеймса. Нет, ничего примечательного, ничего, что бы могло подсказать ей тему предстоящего разговора. Как обычно, просто красивое лицо.

— Что ж, Абернети, — деловым тоном начал Джеймс, — теперь, когда Кейт здесь, расскажите нам, как продвигается расследование.

Абернети прокашлялся, прикрывая рот рукой, и поднялся со стула.

— Я бы сказал, прогрессирует, милорд.

Прогрессирует? Но это уклончивый ответ. Кейт старалась уравновесить дыхание.

— Вам удалось узнать что-то новое? — спросил Джеймс, потянувшись вперед.

Абернети вытащил из кармана небольшой листок бумаги.

— Сыщик собирал сведения на каждого, в том числе, и на леди Беттину, а также на дворецкого его светлости. Это его отчет. — Адвокат бросил листок на стол.

— Сыщик? — Кейт выпрямилась и посмотрела на Джеймса.

— Да, — подтвердил Абернети. — Мистер Хортон с Боу-стрит, сыщик, которого нанял лорд Медфорд.

Джеймс бросил на Абернети строгий взгляд.

Адвокат заговорил, четко произнося слова:

— Мистер Хортон неоднократно опрашивал слуг и дважды побывал в доме леди Беттины. Он обнаружил новые, весьма интересные факты, с которыми хочет ознакомить меня при встрече. Я назначил встречу на пятницу. В Лондоне.

Дыхание Кейт стало прерывистым. Сердце гулко стучало в груди. Интересные факты? Что это значит? О, до пятницы еще так далеко.

— А есть какая-то информация о жюри присяжных? — спросила она, поглаживая складки юбки.

Наклонив голову, Абернети посмотрел на нее поверх очков, сдвинутых к кончику носа.

— Оно будет созвано, ваша светлость, как раз по окончании новогодних праздников.

— Это означает, — подхватил Джеймс, — что у нас есть время только до этого момента, чтобы собрать остальные свидетельства и завершить расследование?

— Да, милорд, но мистер Хортон намерен работать день и ночь, учитывая ту сумму денег, которую вы дали ему...

Джеймс кашлянул, давая понять Абернети, что он затронул деликатную тему. Адвокат прикусил язык, затем прочистил горло.

— Да, все именно так, как вы говорите, милорд.

Кейт переводила тревожный взгляд с одного собеседника на другого. Джеймс потратил огромные деньги для ее защиты? О Господи. Эта мысль заставила ее радоваться и тревожиться одновременно. Она понятия не имела, что он нанял сыщика с Боу-стрит. И, по всей видимости, он не хотел, чтобы она знала. Он ни словом не обмолвился об этом. Так значит, он поверил в ее невиновность? Кейт прикусила нижнюю губу. Но что будет, если мистер Хортон ничего не найдет или после проведенного расследования придет к заключению, что она виновна? Она покачала головой.

— Я не понимаю, что именно рассчитывает найти мистер Хортон?

Абернети повернулся к ней. Сдвинув очки на переносицу, он произнес:

— Разумеется, убийцу вашего мужа, ваша светлость.

Глава 22

Фемиду забрали из дома соседей и в специально нанятой карете переправили из Лондона в загородное поместье лорда Медфорда. Сейчас она устроилась на ковре у ног Кейт, а сама Кейт сидела на своем излюбленном месте в библиотеке, погруженная в написание памфлета. Исписанные листки бумаги лежали повсюду: на коленях, на софе, на маленьком столике, стоявшем перед ней.

Она дала себе слово закончить памфлет как можно скорее. И сегодня могла гордиться собой, так как заметно продвинулась вперед. Решение было принято — она будет писать то, что подскажет ей ее сердце. Быть честной и писать правду. А правда заключалась в том, что, хотя она была обижена, предана, оскорблена, хотя она ссорилась со своим мужем и была несчастлива в браке, никогда, никогда даже в мыслях она представить не могла, что может убить его. Это была правда, и она намерена рассказать ее, а там будь что будет.

Послышался резкий стук в дверь, Кейт еще не успела ответить, как дверь распахнулась, и в комнату вошел Джеймс. Ее сердце растаяло. Боже, до чего же он хорош! Чисто выбрит, темные, как воронов крыло, волосы лежат волосок к волоску, и, как всегда, доброжелательное выражение лица. Поистине Лорд Совершенство.

— Я не помешал? — спросил он, и Кейт хотела лишь одного — отодвинуть в сторону бумаги и перо и закричать: — «Конечно нет!» — Я могу зайти попозже? — предложил Джеймс.

— Нет, нет, останьтесь! — Слова сорвались с ее губ с такой быстротой, что она тут же отругала себя. Вот дура! И больно ущипнула себя за руку.

Он прошел в комнату. Фемида подняла голову и приветствовала хозяина, виляя хвостом. Джеймс подозвал ее и потрепал за ухом.

— Вы работаете? — спросил он Кейт.

— Да... — Она замялась. — Джеймс, я...

— Ради Бога, Кейт, не надо... — Он поднял руку, останавливая ее.

— Нет, надо. — Она отодвинула перо и бумагу в сторону. — Пожалуйста, позвольте мне сказать то, что я должна сказать.

— Хорошо. — Он ногой подвинул стул и сел напротив нее.

Кейт собрала всю свою смелость, которой явно поубавилось после пожара.

— Простите, Джеймс. Простите меня за те неприятности, которые я причинила вам. Я перевернула всю вашу жизнь...

— Мы уже закончили с этим. Честное слово, Кейт, вам не за что извиняться.

— Нет, я должна, — продолжала она, разглядывая свои руки. — Это я настояла, чтобы вы забрали меня из тюрьмы. Я должна была оставаться там и писать свой памфлет, не подвергая опасности вас. Вы предложили мне деньги и возможность рассказать свою историю. Этого вполне достаточно.

— Кейт, я не могу осуждать вас за желание быть свободной.

— Мне не надо было придумывать эту поездку на ферму. Это было так глупо с моей стороны. Кто-то увидел нас, когда мы возвращались. Я слышала, как вы обсуждали это с лордом Колтоном. Я никогда не прощу себя за то, что я сделала, причинив вам столько вреда.

— Кейт, если кто-то и виноват, так это я. Мне нужно было быть более осмотрительным в тот день, когда мы возвращались с фермы. Это я виноват, что нас увидели. И потом, я согласился на ваши условия, сознавая опасность. Памфлет — это то, чего я хочу, то, о чем я просил вас. И вам совершенно не за что извиняться.

— Но, — вздохнула она, опуская голову, — но может ли памфлет принести столько денег, чтобы покрыть расходы на восстановление вашего городского дома?

— На этот счет позвольте беспокоиться мне. Я хочу одного — чтобы вы были в безопасности.

Его слова тронули ее. Джеймс доверяет ей, он верит ей. Он...

— Вы наняли сыщика, — мягко напомнила она.

— Да.

— Зачем?

Он поднялся, широко расставил ноги и заложил руки за спину.

— Потому что вам самой не справиться с этим. Вам даже не пришло в голову побеспокоиться об адвокате.

— Вы думаете, я невиновна?

— Я хочу получить ответ на все вопросы. — Джеймс четко выговаривал слова. Желваки на его скулах ходили ходуном. — Мистер Хортон подумает, как сделать так, чтобы правда восторжествовала.

Ее глаза наполнили слезы.

— Но вы не стали бы нанимать его, если бы не верили в мою невиновность?

— Да, Кейт, я не думаю, что вы совершили это преступление.

Она отвернулась, не зная, что сказать, и до боли прикусила губу, стараясь сдержать набежавшие слезы.

— Я почти закончила памфлет.

Он кивнул.

— Я не могу не думать... — Она замолчала, нервно сжимая пальцы.

— Не думать о чем?

— У вас такие возможности, Джеймс. Вы могли бы помогать людям.

— Что вы имеете в виду? — Он, прищурившись, внимательно посмотрел на нее.

— Ваш печатный станок, памфлеты.

— Не понимаю.

— Я в особом положении. Я известна, то есть печально известна. Весь Лондон хочет знать, что я могу сказать. Мне выпал шанс рассказать правду, поделиться своей историей. Но, боже мой, я не могу не думать о других!

— О других?

— Да, Джеймс, те заключенные, которые несправедливо осуждены. Поверьте, их десятки, сотни. Без сомнения, тюрьма Ньюгейт полна ими. Особенно жаль женщин, которые осуждены за то, чего они не делали. Но у них никогда не будет возможности рассказать правду.

— У них будет право выступить перед судом.

— Да, но они не могут позволить себе такие вещи, как нанять сыщика с Боу-стрит, и никто не узнает правду, если их приговорят к ужасной смерти. И никто не попросит их написать памфлет.

— К сожалению, судебная система далека от совершенства, — сказал он, беспомощно разводя руками.

— Я не могу перестать думать о несправедливо осужденных, у которых нет никого, кто бы мог помочь им защитить себя.

— Кейт, я понимаю вашу обеспокоенность, но сейчас меня волнуете только вы. Позвольте Абернети и Хортону закончить расследование, и тогда мы сможем подумать о других. — Он повернулся, готовый уйти.

— Джеймс?

— Да? — Он остановился и повернул к ней голову.

— Почему вы верите мне? Почему верите в мою невиновность, я имею в виду?

— Возможно, потому, что я знаю, как чувствует себя человек, невиновный в убийстве, за которое его осуждают.

Глава 23

В тот вечер Кейт в платье из светло-зеленого муслина, которое так шло к ее золотисто-рыжим волосам, вошла в столовую и заняла место за столом рядом с Джеймсом. Он ушел из библиотеки раньше нее, сразу после того, как произнес заинтриговавшую ее фразу. Что должен чувствовать человек, обвиняемый в убийстве, которого он не совершал? Он ушел так поспешно, что она не успела задать ему ни одного вопроса. Видимо, обвинение не было публичным. Она прочитала бы об этом в газетах. Скорей всего, это просто предположение или слухи. Будь иначе, леди Мэри наверняка упомянула бы об этом. И репутация лорда Медфорда не была бы столь безупречной. Нет, Джеймс не был замешан ни в одном скандале, даже намека на подобную возможность не существовало. Однако для Кейт стало ясно, что, видимо, в жизни Джеймса есть какая-то тайна, которую он тщательно скрывает. Но что это за тайна?

Поднеся к губам бокал вина, Кейт сделала маленький глоток. Подняв глаза, оглядела стол. Она сменила одиночество своей комнаты на компанию Джеймса за этим красиво сервированным столом. Их совместные трапезы стали самыми ожидаемыми часами дня. Она наслаждалась их общением и с нетерпением ожидала этого момента. Эта мысль тревожила Кейт больнее, чем она готова была признаться себе. Но она не хотела уходить отсюда, пока не узнает, какой смысл вкладывал Джеймс в свое заявление, сделанное в библиотеке часом раньше?

В камине потрескивали дрова, наполняя воздух приятным запахом горящего дерева, дыма, смолы, а тем временем холодный ветер свистел за окнами, и при каждом порыве вздрагивали ставни. Так уютно было в этот вечер сидеть в столовой. Кто знает, может быть, все это в последний раз?

Кейт глотала слюни, пока лакей сервировал ростбиф зеленым салатом. Еда, дело рук французского повара Джеймса, не шла ни в какое сравнение с тем, что подавали в доме ее мужа. Кейт взяла вилку и нож и с удовольствием приступила к трапезе.

— Как вам работалось сегодня? — поинтересовался Джеймс, отрываясь от ростбифа и поднимая на нее зеленые глаза.

Кейт прикусила губу, очевидно, они начнут с безобидной темы. Что ж, пусть так. Она готова сказать ему, что почти закончила памфлет. О, она не станет хитрить и увиливать, говоря, что сделано еще далеко не все, но она не может не заметить, что, несмотря на все ее клятвенные заверения закончить работу как можно скорее, она позволила себе вздремнуть, когда следовало писать. Опустив глаза, Кейт улыбнулась про себя. Она вздремнула, и ей приснился Джеймс. Нет, ему она об этом не скажет. Ее сердце сжималось от боли. Джеймс принадлежал к тому типу мужчин, в которого она могла бы влюбиться десять лет назад, если бы обстоятельства были иными. Но они не были иными. Однако это не испортило ее дневной сон, верно?

— Очень хорошо, — ответила она, не собираясь вдаваться в подробности. Подцепив кусочек сочной говядины, она отправила его в рот.

— Рад слышать это. — Джеймс улыбнулся. О Господи, если бы только он знал, о чем она думает. Кейт опустила глаза на тарелку и занялась салатом.

Спустя два часа, когда с обедом было покончено, Кейт встала, собираясь уйти к себе. Им удалось провести целый вечер вместе, но ей так и не хватило смелости спросить Джеймса о той злополучной фразе. А сейчас пришло время оставить его. Для нее это был всегда самый грустный момент вечера. Джеймс обычно отправлялся в свой кабинет, где его ждали книги или работа, а Кейт шла к себе и садилась за письменный стол, чтобы хоть как-то отвлечься от грустных мыслей. Чтобы забыть, как она одинока, и вернуться к реальности.

— Спасибо за еще один приятный вечер, — с робкой улыбкой проговорила она, направляясь к дверям.

— Кейт! — Тон его голоса остановил ее. В нем прозвучало что-то новое.

— Да? — Она повернулась.

— Не хотели бы вы пройти ко мне в кабинет и выпить со мною?

— Я... не хотела бы? О, конечно, почему бы и нет? — улыбаясь, воскликнула Кейт.

Он протянул ей руку, и она взяла ее, счастливая, что может освободиться от своих мыслей хотя бы на один вечер.

Они спустились в холл, обсуждая достоинства недавнего обеда и выясняя, какое блюдо понравилось им больше всего. Джеймс остановился перед дверью кабинета и толкнул ее. Дверь открылась, галантно поклонившись, он предложил Кейт войти.

— Миледи.

— Благодарю вас, милорд, — проговорила она, смеясь.

В комнате царил полумрак. Подсвечник со свечами стоял на дальнем конце письменного стола. Джеймс предложил Кейт устроиться на софе, а сам подошел к бару и наполнил два бокала мадерой. Вернувшись к софе, он сел рядом и протянул бокал Кейт.

— Спасибо, — улыбнулась она, беря бокал из его сильной теплой руки. — Даже не помню, когда я в последний раз пила мадеру.

— Я тоже, — подмигнул ей Джеймс.

Она сделал долгий глоток и, закрыв глаза, наслаждалась дивным вкусом. Мадера. Прекрасное португальское вино, столь популярное в период войны с Францией, когда прекратились поставки французских вин. Кейт смаковала тонкий вкус. Кто знает, очень может быть, что она пьет это вино в последний раз. Нет! Все внутри ее восстало при этой мысли. Нет! Жить. Жить. Жить. Слово рефреном звучало в ее голове. И вместе с тем навело на грустные мысли. Городской дом Джеймса мог преспокойно стоять, если бы не ее стремление жить, жить, жить.

Джеймс шумно выдохнул.

— Я не хочу, чтобы вы беспокоились... о вашем деле...

— Беспокоилась? — Ее ресницы вспорхнули вверх.

— Когда Абернети был здесь, я заметил, что вы расстроились. Поверьте, Хортон — лучший из всех, кого могли предложить на Боу-стрит. Он докопается до правды.

Она сделала очередной глоток.

— Я хотела бы, чтобы это успокоило вас.

— Я знаю, как это трудно, Кейт.

Их взгляды встретились.

— Даже если он найдет преступника, Абернети придется доказать его вину.

— Разумеется, он сделает это. — Для пущей убедительности Джеймс кивнул.

— Откуда такая уверенность?

— Я уверен, и все.

— Спасибо, Джеймс, что вы верите мне. — Она протянула руку и осторожно тронула его за рукав. — Вы не представляете, что это значит для меня.

— Не стоит.

И сейчас как раз подходящий момент, чтобы спросить Джеймса о его заявлении. Она встретила его взгляд. И открыла рот. Но волнение вновь подвело ее. Может быть, потому, что на самом деле она не хотела знать? Кейт задрожала и отвела глаза. Ее взгляд остановился на портрете, висевшем над камином. Она не хотела бы в этот вечер возвращаться к обсуждению своего дела. Кураж. Кураж. Кураж. Эти слова стали ее любимыми. Она повторяла их снова и снова, а теперь? Трусиха. Она так и не решилась задать вопрос и сменила тему.

— Кто этот человек на портрете? — спросила она.

— Мой отец.

Кейт внимательно рассматривала портрет, вспоминая слова миссис Хартсмид, которыми она описывала этого человека. Без сомнения, он был красив, но вместе с тем в нем присутствовало некое недовольство и холодность. Он был из того сорта людей, которые действительно могут подвергать наказанию маленького мальчика за кляксы в школьных тетрадях. Это чувствовалось во взгляде темных глаз и в хмуром выражении лица.

— Когда он... умер? — спросила она не очень уверенно.

— Десять лет назад, — бесстрастно ответил Джеймс.

— Как раз, когда я вышла замуж, — пробормотала Кейт, поднося бокал к губам.

— Видимо, так.

— Вы были очень молоды, когда унаследовали титул, — заметила она.

— Да.

— Вы очень переживали, когда умер отец? — Гмм. Она поморщилась. Зачем она задала этот вопрос? Кейт ущипнула себя за руку. Глупый вопрос. — Простите, Джеймс, — продолжала она. — Как могло быть иначе? Я просто думаю...

— Нет, — тихо отозвался он. — Странно, но я только что понял, что вы — единственный человек в мире, кому я могу признаться в этом.

— Что вы хотите сказать? — Ее рот удивленно приоткрылся.

— Вы знаете, что чувствует человек, когда обязан носить траур по кому-то, к кому не испытывает соответствующих чувств. А следовательно, и не ощущает такой потребности.

— Ваш отец плохо относился к вам? — спросила она, крутя в ладонях бокал с вином.

— Плохо? Я бы так не сказал. Скорее, он ненавидел меня. Всегда.

— Нет! — Кейт ахнула, прижав руку к горлу. — Нет! Вы не можете так думать.

— Боюсь, что могу. — Он хмуро усмехнулся. — Не волнуйтесь, у него была веская причина ненавидеть меня.

— Как вы можете так говорить? — Кейт сдвинула брови, вглядываясь в его лицо. — Он ведь ваш отец!

Отставив бокал с вином, Джеймс вытянул длинные ноги и откинулся на спинку софы.

— Жизнь научила меня, что эти две вещи не так уж редки.

— Но почему он ненавидел вас? — Слова сами соскользнули с ее языка.

Он помолчал, потом взял бокал и сделал большой глоток.

— Потому что я убил мать. — В его печальном голосе слышались нотки вины.

167

— Нет, Джеймс! — Кейт едва не выронила бокал. Так это правда? На это он намекал раньше? — Что вы имеете в виду?

— Обстоятельства моего появления на свет стали причиной смерти моей матери, — с горькой улыбкой ответил Джеймс. — Отец любил мою мать больше всего на свете. А я стал невольным виновником ее смерти.

Кейт поставила бокал. Она хотела обнять Джеймса, утешить его, но позволила себе лишь прикоснуться кончиком пальца к его руке.

— Но в этом нет вашей вины.

— Не стану спорить, — тяжело вздохнув, произнес он.

— Он был жесток с вами?

— Он требовал от меня совершенства во всем. И получил, что хотел. — Его голос затих. Джеймс сделал еще один глоток. — Лорд Совершенство.

— А вы хотели бы быть другим? — спросила она после некоторого колебания.

— Напротив, я всегда был счастлив, видя, что в моей жизни все на своих местах. Я был лучшим учеником в школе, лучшим студентом... — В его голосе не было иронии, скорее слышалась злость.

— Ваш отец одобрил бы вашу затею с печатным станком? — спросила она, внимательно глядя на него.

Джеймс приподнял брови.

— Леди Кейт, вы удивляете меня. Вы открыли мой секрет!

— Какой секрет? — нахмурившись, переспросила она. — Вы же сами сказали мне, что у вас есть печатный станок...

— Это не тот секрет. Во всяком случае, не единственный. — Он покачал головой.

— Тогда о каком секрете вы говорите? — допытывалась она.

Он пристально посмотрел на нее, пара свечей лишь едва освещали комнату.

— Настоящий секрет заключается в причине, побудившей меня приобрести этот печатный станок. Он выражает мой внутренний протест. И в ответ на ваш вопрос повторю, мой отец ненавидел во мне именно это. Протест, непокорность.

— Протест? Я не понимаю... Но ваш отец не мог видеть это.

— Это не имеет значения, — с усмешкой пояснил Джеймс. — Джентльмен должен жить на доходы от своих владений. Джентльмен не должен работать. Джентльмен во все времена выше обстоятельств и ни в коем случае не должен быть замешан ни в одном скандале.

— Ваш отец ненавидел скандалы?

— Именно. — Он поднял бокал с вином.

— И поэтому вы приобрели печатный станок?

— Не просто печатный станок. А весьма успешный станок. Весьма успешный из-за содержания тех памфлетов, которые я публикую. Очень, очень скандальные памфлеты.

Она поняла и улыбнулась.

— Когда я впервые увидела вас, я подумала, что вы делаете это из-за денег.

— Ха! Деньги? Деньги это неинтересно. У меня есть деньги.

— Теперь я понимаю это. — Она оглядела мебель, украшавшую кабинет, где они сидели.

— Я занимаюсь этим потому, что, знай об этом мой отец, он был бы вне себя. — Джеймс поднес бокал ко рту и осушил его. — Я даже не уверен, что хочу чего-то большего.

— То есть вы никогда не перечили своему отцу, пока он был жив? До того, как он умер, — осторожно пояснила Кейт.

Джеймс покачал головой.

— Я полагаю, мы пришли к пониманию. Но никогда не были близки. Он ни разу не сказал, что может гордиться мной.

— О, Джеймс, мне очень жаль.

— Не стоит, — ответил он. — Прошли годы, и я научился жить с этим.

Сердце подкатило к горлу, Кейт повернулась к нему.

— Вы сказали, что я — единственный человек, который способен понять вас? Потому что я знаю, как невозможно изображать скорбь, когда ты не чувствуешь ее?

— А разве нет? — спросил он не без сарказма в голосе.

— Это правда. — Она отвернулась, на глаза навернулись слезы. — Когда я думаю о Джордже, мне грустно. Он не заслужил такой смерти. Но мне грустно не из-за того, что я скучаю по нему. Мне грустно, потому что моя жизнь после свадьбы превратилась в ад. Ужасно признавать это... но если я и печалюсь, то... о себе.

— Кейт, — сказал он, поставив пустой бокал на стол и придвигаясь к ней ближе, — я восхищаюсь вашей прямотой.

— Не стоит. — Она резко покачала головой. — Никому не пожелала бы оказаться на моем месте. Я жалею себя, а не своего покойного мужа.

— Но вы не убивали его.

— Вы действительно верите в это, Джеймс? — Кейт всхлипнула, слезы текли по щекам, голос не слушался.

Джеймс шумно выдохнул.

— Кейт, если бы я не верил вам, я не стал бы нанимать сыщика.

Он достал из кармана носовой платок и протянул ей. Она взяла платок, всхлипнула и торопливо вытерла слезы.

— Скажите мне, Джеймс, чего вы хотите? Чего вы действительно хотите?

Он провел рукой по лицу.

— Кейт, я думаю, вы знаете это. Чего я хочу... чего я действительно хочу... это все исправить.

Глава 24

Кейт отвела взгляд от Джеймса. Уронив платок на колени, она машинально разглаживала складки юбки. После минутного молчания Кейт заговорила.

— Все исправить? Это то, чего вы хотите или что вынуждены делать?

— А разве есть разница? — Он не мог сдержать улыбку.

— Думаю, да, и большая.

— Можно задать вам вопрос, Кейт? — Он посмотрел на Кейт с высоты своего роста.

— Конечно. — Она повернулась к нему и кивнула.

— Почему у вас и Джорджа не было детей?

Быстро закрыв глаза, она едва заметно вздохнула.

— Мы старались... сначала... — Прерывистый вздох вновь сорвался с ее губ, и после секундной паузы она продолжила: — В течение первых нескольких недель после свадьбы. Это было так ужасно, но... я исполняла супружеские обязанности. Когда выяснилось, что с ребенком ничего не получается, я надоела Джорджу. Он сказал, что у него есть любовница, а я была нужна ему только для того, чтобы родить наследника.

Джеймс поморщился.

— И вскоре он уехал в Лондон, — продолжала Кейт — Мы постоянно ссорились, когда встречались, хотя он редко приезжал домой, а когда приезжал... то мы... никогда... Он больше не прикасался ко мне. — О Господи, должно быть ее лицо пылает.

— И поэтому вы хотели развестись? — осторожно поинтересовался Джеймс.

Ее ресницы дрогнули, на секунду прикрывая глаза.

— Я была так несчастлива. И понимала, какой это вызовет скандал, но искренне верила, что Джордж поймет меня. Честно говоря, он иначе не мог бы иметь наследника. Последнее время мы даже перестали притворяться, что спим вместе.

— И у вас не было любовника? — Пристальный взгляд Джеймса, казалось, проникал прямо в душу.

Она ахнула и замотала головой. Рука взлетела к горлу.

— Конечно нет! — вскричала она. — Я никогда бы не предала своего мужа.

— Простите за этот вопрос, — сказал он немного застенчиво. — В газетах писали, что вы требовали развода, потому что у вас был любовник.

Она беспомощно развела руками.

— Если бы это могло помочь разводу, я бы не стала возражать, — ответила она. — Я бы сделала все, чтобы дать ему основания развестись со мной. Я даже предлагала ему сослаться на адюльтер.

Джеймс вздохнул. Адюльтер. Одна из наиболее распространенных причин развода. Конечно, это подразумевает, что жену обвинят в адюльтере, никак не упоминая мужа. Не очень справедливый закон, не правда ли?

— Я должен заметить, что не был близко знаком с Джорджем. Мы иногда встречались в клубе, он редко посещал парламент, но производил впечатление до крайности самоуверенного человека.

— Да, он такой и был.

Джеймс потянулся к ней.

— Вы жалеете, что у вас нет детей?

Она шумно выдохнула, и ее взгляд устремился в никуда.

— В последние несколько недель я часто думала об этом. Должна признаться, впервые после свадьбы я рада, что не смогла родить. О, сначала я хотела детей и воспринимала как собственную ущербность неспособность произвести на свет наследника. Но сейчас, когда моя жизнь приняла такой поворот... и Джордж мертв... я рада, что не обрекла невинные жизни на страдание из-за того, что родителей постигла подобная участь.

— Кейт, — сказал он, прикасаясь к ее руке, — поверьте, я понимаю вас. Я понимаю.

Уголки ее губ приподнялись в благодарной улыбке.

— Хотя, кто знает, если бы я произвела на свет наследника, возможно, ничего подобного не случилось бы? Может быть, Джордж полюбил бы меня? И не искал встреч на стороне? — Кейт покачала головой. — О, я знаю, что это неправда. И я не смогла бы выдержать, если бы он снова прикасался ко мне. Это было так... ужасно.

— Мне очень жаль... Кейт, — попытался утешить он.

Их взгляды встретились, и у нее в груди остановилось дыхание. Его глаза, похожие на темные изумруды, с таким сочувствием смотрели на нее.

— Вы знаете, что так бывает не всегда? — спросил Джеймс, отставляя в сторону бокал.

— Как так? — переспросила она.

— Ужасно.

Она неуверенно покачала головой.

— Если бы вы были моей женой, вы никогда не назвали бы это обязанностью. — И в ту же секунду его горячее дыхание обожгло ее губы.

Кейт замерла. Его губы были так близко.

— Я верю... вам, — прошептала она.

И в следующую секунду оказалась в его руках.

Их губы встретились и слились в поцелуе. Словно два путника, истомившиеся от жажды, наконец, обрели то, что так долго искали. Кейт застонала. Он осыпал ненасытными поцелуями ее щеки, мочку уха, подбородок, шею и ложбинку в декольте.

Она не успела заметить, как его пальцы, ловкие и искусные, взялись за пуговицы на спине ее платья. И платье сползло до талии. Но нет, он не остановился на этом, и за платьем последовал корсет. По всей видимости, Джеймс имел богатый опыт в области раздевания женщин. Кейт задрожала.

— Позволь мне прикоснуться к тебе, Кейт, — шептали его губы, касаясь ее уха.

— Да, да... — выдохнула она.

Прохладный воздух коснулся ее обнаженной груди, и Кейт судорожно вздохнула. За исключением мужа, ни один мужчина не видел ее обнаженной. И как странно было заниматься этим в библиотеке, странно, но вместе с тем сладостно. И когда губы Джеймса захватили ее сосок, покусывая, лаская, дразня, Кейт вообще перестала думать о чем-либо. Жить. Жить. Жить. Эти слова звучали в ее голове на все лады. Кейт чувствовала, как всплески желания отзываются острыми конвульсиями между ног. Прижимая его темноволосую голову к своей груди, она ощущала такое острое желание, какого доселе не испытывала никогда. И, закрыв глаза, Кейт просто отдалась... на волю чувств.

А когда она открыла глаза, то увидела, что Джеймс навис над нею, еще секунда, и она уже лежала под ним. Его бедра ритмично двигались, и она послушно и нетерпеливо отвечала на его удары. Нет, она не сможет остановиться, даже если бы захотела. Она почувствовала, как он потянул ее юбки вверх и сильным движением руки приподнял ее ноги, и они послушно обняли его талию.

Ресницы дрогнули, глаза Кейт широко открылись. Она запрокинула голову, и из глубины ее рта вырвался стон. А когда его рот снова прильнул к ее груди, Кейт оставили все мысли. Его влажные горячие губы творили с ее грудью такое, что она извивалась под ним, сходя с ума от желания. Джордж никогда не делал ничего подобного. Он едва касался ее груди. Уверенные, сильные руки Джеймса потянули ее юбки вниз, и платье в считаные секунды лежало на полу. Ей следовало испытывать стыд, хотя бы неловкость, нет, она не чувствовала ни того, ни другого.

— Пожалуйста, и ты сними... с себя... все, — прошептала она срывающимся голосом и дотронулась до застежки его бриджей.

Джеймс вздрогнул и покачал головой. Его потемневшие от страсти глаза, казалось, смотрели прямо ей в душу.

— Я не могу.

— Почему? — прошептала она, когда его губы снова приблизились к ее рту.

— Если я это сделаю, то не смогу остановиться.

Она снова потянулась к его бриджам, но он отодвинулся. И Кейт прекратила протестовать, когда почувствовала, что он стягивает чулки с ее ног, за чулками последовали панталоны... О Господи, что он делает?

Она дрожала, дрожала от предвкушения. Все было ново, все было не испытано ею. Кто-то из слуг в любой момент мог войти в комнату, но Кейт даже в голову не пришло беспокоиться об этом, напротив, это лишь обостряло желание. Все, чего она хотела, это чувствовать руки и губы Джеймса на своем теле. Она жаждала его прикосновений, она никогда в жизни не ощущала такой острой взаимной страсти, которая была между ними. Если ей суждено умереть, неважно, через несколько дней или недель, она хочет сейчас, в эту секунду испытать еще больше. Больше. Больше. Больше.

А дальше? Дальше она ощутила его дыхание меж своих ног. И ахнула. Нет, она не выдержит этого! Но и не хочет, чтобы это кончалось. Что он собирается делать, о боже...

Нет.

Да.

И в следующую секунду она почувствовала, как кончик его языка прикасается к самому чувствительному месту между ее ногами. О, там было так влажно, так чувственно, так горячо... По телу пробежала дрожь, и Кейт обхватила руками его голову. Она не может позволить ему делать это! Это... неприлично... да? О Господи, да? Затем она решила, что нет, а если точнее, не стоит беспокоиться. И поняла, что больше всего на свете не хочет, чтобы он остановился. Его рот на мгновение оставил ее, и она застонала, почувствовав его пальцы. Джеймс раскрыл влажные складочки ее лона, и его язык вернулся, лаская, дразня, теребя чувственный лепесток, заставляя ее испытывать такие острые ощущения, о которых прежде она понятия не имела. Она судорожно вцепилась в его плечи.

— Да, Джеймс, пожалуйста, так, так... — молила она.

Джеймс снова и снова ласкал ее лепесток краткими, искусными прикосновениями. Его язык двигался вверх и вниз с такой точностью, с таким искусством... Она была убеждена, что не выдержит этой сладостной пытки и умрет от счастья, от переполнявших ее чувств. Но именно в тот момент, когда она была близка к тому, чтобы рассыпаться на тысячи сверкающих кусочков, он остановился.

— Нет! — закричала Кейт, и тогда... его палец заменил язык. Он двигался вдоль ее нежного, влажного лона, вверх — вниз, вверх — вниз и... ее бедра отвечали ему ненасытными движениями.

— Джеймс... я... я больше не могу... — Она запустила руку в его растрепавшиеся волосы, сходя с ума от вожделения.

— Ш-ш-ш... — прошептал он, обжигая горячим дыханием ее бедра. — Не бойся, милая. Я сделаю так, что тебе будет хорошо.

О Господи. Она хотела ощутить его внутри себя, хотела, чтобы он наполнил ее лоно, удовлетворил ее, двигаясь внутри. Чтобы он сделал ее своей. Никогда прежде она не испытывала подобного вожделения и не хотела, чтобы это закончилось.

— Джеймс, пожалуйста. — Она протянула руку и обхватила его бедра, чтобы подобраться к застежке бриджей. Он снова отодвинулся, но на этот раз ей удалось нащупать его мощный жезл через ткань бриджей. Она обхватила его ладонью и сжала. Глаза Джеймса затуманились, рот приоткрылся... Он шумно втянул воздух.

— Кейт, не надо!

— Это несправедливо, — горячо шептала она около его рта. — Я тоже хочу прикоснуться к тебе.

Он запрокинул голову назад и выглядел так, как будто был в крайней печали или экстазе, а может быть, и то и другое. И Кейт поглаживала его клинок, пока Джеймс не застонал.

— Позволь мне доставить тебе удовольствие, Кейт.

Она снова сжала его жезл, и Джеймс задрожал. Но она и не думала отпускать его, потому что не знала, что еще может сделать, если он не позволит ей снять с него бриджи.

Помоги ей бог, она хотела увидеть, что еще сделает Джеймс, чтобы доставить ей удовольствие.

Его дыхание замедлилось, а рука вновь вернулась в ее лоно. На этот раз его палец вошел в нее и двигался там осторожно и медленно, исследуя и даря удовольствие. Ее голова безвольно перекатывалась из стороны в сторону на подушках софы. Джеймс не спускал глаз с ее лица, его глаза потемнели.

Кейт вцепилась в его плечи.

— Джеймс, пожалуйста...

Он опустил голову ниже, и его язык лизнул ее лепесток, она закатила глаза. Она едва могла выдержать его ласки, ее веки прикрылись, изо рта слетали стоны... Она молила его, просила, заклинала, чувствовала, как его жесткая скула двигается по ее нежной влажности...

— Иди ко мне, Кейт, просто иди ко мне... сейчас... сейчас... — прерывисто шептал он, опаляя горячим дыханием ее бедра.

Его рука снова проникла в развилку ее бедер. Подушечка пальца коснулась тугого лепестка ее плоти, заставляя Кейт замереть.

— О Господи, Джеймс, — шептала она.

— Давай, Кейт, давай... — вторил он ей, подгоняя ее.

Кейт задрожала, прогнулась в спине, сжала бедра и... все ее тело рассыпалось на тысячи сверкающих частичек, взрываясь в экстазе полного завершения. Что бы ни делал Джеймс, где бы и как бы ни прикасался к ней, все было совершенно настолько, что ей оставалось только плакать от полноты ощущений. Она поднималась и опускалась, покачиваясь на волнах наслаждения, сжимая его плечи и шепча его имя.

Прошло несколько минут, прежде чем Кейт вернулась на землю. Джеймс заставил ее почувствовать нечто необыкновенное. Она кусала губы. Джеймс Банкрофт, кажется, был сведущ не только в том, что касалось печатного станка, он был совершенен во всем. Он только что доказал это.

Но по какой-то неизвестной причине слезы текли и текли из ее глаз, и она не могла унять их.

— Джеймс, — всхлипнула она, когда он помог ей одеться и привести себя в порядок.

— Да... Кейт?

— Это было... удивительно.

Он улыбнулся.

— Хотя мне почему-то грустно, — добавила она.

Он повернулся, чтобы взглянуть на нее, и увидел слезы, блестевшие в ее глазах.

— Кейт? Ты плачешь, я чем-то обидел тебя? — Его беспокойство было настолько искренним, что сердце у нее в груди перевернулось.

— Нет, нет... я никогда в жизни не испытывала ничего подобного, но я... — Она прикусила губу. О Господи, как сказать ему это?

— Что? Что, Кейт?

— Просто с Джорджем... я... я никогда не испытывала ничего подобного... и я...

Он кивнул и нежно сжал ее руку.

— Просто я подумала, что, видимо, у тебя было много женщин, иначе как бы ты научился всему этому... И это огорчило меня.

Его мягкий искрящийся смех заставил ее приоткрыть один глаз, чтобы взглянуть на него.

— Что смешного?

— Джентльмен никогда не рассказывает о таких вещах, Кейт. И я не собираюсь обсуждать с тобой подобные вопросы. Позволю лишь заметить, что я не распутник.

Она недоверчиво покачала головой, внимательно всматриваясь в его лицо.

— Нет?

— Нет.

— Но откуда ты знаешь, как... — О, достаточно. Кейт залилась краской.

Она уже надела платье, и он помог ей застегнуть пуговицы на спине. Она медленно расправляла юбки, когда он взглянул на нее.

— Разумеется, у меня есть кое-какой опыт, но, насколько я мог убедиться, качество всегда важнее, чем количество, — сказал он, пряча улыбку.

Она не могла не улыбнуться в ответ, услышав эти слова.

— Но твои близкие друзья лорд Колтон и лорд Эшборн и их репутация... — Она запнулась, сжимая руки. Нет, она не могла сказать больше.

Он приподнял бровь.

— Позволю себе заметить, что у нас много общих интересов, но распутство не входит в их число.

Кейт прикусила губу.

— Я знаю, что не имею права ревновать к другим женщинам, которых ты знал, но я ревную.

Джеймс привлек ее к себе, и Кейт склонила голову ему на плечо. Он перебирал ее волосы, гладил по голове.

— Кейт, верь мне, когда я говорю, что у тебя совершенно нет повода для ревности.

Она улыбнулась, уткнувшись ему в плечо. Это было лишено всякого смысла, но его слова сделали ее до смешного счастливой. И то, как он нежно обнимал ее, заставило почувствовать новый всплеск эмоций, который она вовсе не хотела анализировать сейчас.

О, она прекрасно отдавала себе отчет в том, что ей не следовало делать с ним такие скандальные вещи в библиотеке или где-то еще, но она наслаждалась и обожала каждую секунду того, что они делали. И хотела бы сделать опять. Но разве она могла сказать ему это? Да, она хотела, чтобы он занимался с ней любовью. Чтобы он был ее любовником. Она может признаться в этом себе. И она скажет это Джеймсу, когда придет время. Но сегодня он едва позволил прикоснуться к нему, и она сомневалась, что он нарушит свои устои и пойдет дальше. Сейчас, по крайней мере. Но она намерена сделать это так, чтобы он не мог отказаться.

Определенно, Джеймс знаток в подобных вещах, он прекрасно знает, что делать с телом женщины. Господи, что он заставил ее почувствовать! Просто думая об этом, она готова была расплакаться. О, как бы она хотела провести с ним в постели целый день. Кейт улыбнулась этой мысли. Она слышала рассказы о женщинах, которые наслаждались супружеской близостью. Но для нее они больше напоминали персонажей каких-то вымышленных историй. Лжецы рассказывали доверчивым невестам, что может сделать их брачную ночь менее ужасной, или истории, выдуманные матерями в попытке удержать дочерей от беспокойства. Но сейчас, сейчас Кейт задумалась. Может быть, опытный жених способен сделать первую брачную ночь лучше, чем в сказке? А в ее случае ей не нужен был жених. Она прикрыла рот рукой, скрывая улыбку. Она как-то спросила Лили, был ли ее памфлет правдой? «Тайны брачной ночи» повествовали о том, какой ужасной может быть первая брачная ночь. Это напугало многих девушек. Когда Кейт напрямую спросила об этом, Лили ответила ей улыбкой, как всегда, подмигнула и сказала: «Я написала это до того, как провела ночь с Девоном». В тот момент Кейт смутилась, но сейчас поняла, что имела в виду Лили.

Тело Кейт до сих пор звенело от испытанных эмоций. Когда Джеймс помог ей одеться и проводил в ее комнаты, ей вдруг захотелось пригласить его в свою спальню, но она не решилась. На сегодня достаточно. Да. Вместо этого Кейт вздохнула и проскользнула в дверь, мурлыча под нос мелодию, которую последний раз напевала, когда ей было восемнадцать.

— Спокойной ночи, — пробормотала она, повернувшись через плечо. Довольно официально, но Джеймс — само совершенство, что еще можно ему пожелать?

После того, как Джеймс проводил Кейт в ее спальню, он вернулся к себе, мысленно кляня себя на пяти разных языках. Его клинок в бриджах готов был взорваться. Проклятье! Он не чувствовал ничего подобного с тех пор, как был... юношей. Зачем он делает это? Прекрасно! Очевидно, что он не мог не сделать. Мог. Нет. «Держи свои руки подальше от Кейт», — говорил он себе. Нет, он даже не попытался! Он хотел ее, это было чистое безумие, и он не представлял, как с этим справиться. Сейчас каждая его мысль была сосредоточена на ней, он прикасался к ней так интимно, пробовал ее вкус, наблюдал, как менялось ее красивое лицо, когда она... О Господи! Он бессилен что-либо сделать с собой. Он дал ей кров и злоупотребил ее доверием! И понимал, что не в состоянии остановиться. Особенно, если она будет провоцировать, прикасаясь к нему. Джеймсу пришлось приложить столько усилий, чтобы не дать ей расстегнуть бриджи и взять в ладонь его обнаженную плоть. И, о Господи, в то же время он страстно хотел этого. Действительно хотел ее. И ощущал боль, когда просто думал об этом. Ему нужна хорошая холодная ванна. И тренировка до пота с рапирой в руке. Нет, на самом деле ему нужно другое — утонуть меж ее прекрасных нежных ног.

К черту! Все, что ему нужно, получить от нее готовый памфлет и держать дистанцию. Какое-то безумие только что заставило его признаться ей, что руководило им. Он хотел все исправить. Исправить все плохое.

Но есть одна вещь, которую он исправить не в силах. Чувствуя предательское пощипывание в глазах, Джеймс крепко зажмурился. Проклятье, он не силах исправить это. Даже если Кейт не совершала убийство, Абернети придется доказать ее невиновность. А свидетельства, выдвинутые против нее, были обескураживающие. Она может умереть через несколько дней, и что же он за ублюдок, если позволил себе такие вольности с женщиной, которая стоит на пороге смерти? Он никогда не простит себе этого.

Он вошел в свою спальню. Дверь за его спиной резко хлопнула. На его зычный зов явился слуга. Он так спешил, что, войдя в спальню хозяина, никак не мог отдышаться.

— Приготовь мне ванну, — громовым голосом произнес Джеймс. — Холодную! Быстро!

Глава 25

Войдя в холл, Лили столкнулась с Джеймсом. Энни стучала каблучками рядом. Придирчиво оглядывая Джеймса, она тут же загудела как заботливая пчелка.

Увидев гостей, Кейт замерла на лестнице. Несмотря на все увещевания совести, она не могла отказать себе в желании подслушать разговор. После того, что произошло ночью, она чувствовала, что Джеймс стал ей ближе. Грань, разделявшая их, стерлась. Но сейчас она была противна сама себе из-за того, что подслушивала. Нет, ей следовало спуститься в холл и поздороваться с Лили и Энни, но, как ни уговаривала себя, не могла сдвинуться с места. Вместо этого Кейт спряталась за выступом стены.

И первое, что она услышала, был смех Джеймса.

— Я? О, прекрасно, как видите.

Кейт осторожно выглянула из своего укрытия, чтобы увидеть его.

Энни крепко сжимала руку Джеймса.

— Я так испугалась, Медфорд, когда до нас дошли слухи о пожаре. Слава Богу, никто не пострадал.

— Всех ваших слуг устроили, — добавила Лили. — Половина — у нас, а другие — у Энни. Они побудут у нас, пока не отремонтируют дом.

Джеймс покачал головой.

— Прежде всего, вам не стоило тащиться в такую даль, чтобы сообщить мне это. И потом, не было необходимости забирать слуг, у меня есть и другие дома в Лондоне, где можно было бы разместить их. Но, так или иначе, я ценю вашу заботу и...

Не дослушав его, Лили покачала головой.

— Мне было так жаль их, что я сама хотела о них позаботиться. Бедняги! Кроме того, миссис Хартсмид была очень рада, что может присматривать за домом, хотя сказала, что очень скучает по Фемиде. Бандит и Лео пытаются возместить ее отсутствие и изо всех сил стараются порадовать бедную женщину.

Джеймс снова рассмеялся.

— Не сомневаюсь, и спасибо за миссис Хартсмид.

— Не за что, милорд, — ответила Лили.

— И все же скажите мне, что на самом деле привело вас сюда? — настаивал Джеймс. — Насколько я вас знаю, это не просто так?

— Ах, Джеймс, просто мы хотели убедиться, что у вас все в порядке. — Энни с невинным видом пожала плечами.

— Не только, еще и предупредить вас, — добавила Лили.

Кейт затаила дыхание. Предупредить его? О чем?

184

— Предупредить? — Джеймс удивленно заморгал. — А что случилось?

— Все довольно сложно, — уклончиво ответила Лили. — Я бы сказала даже... плохо.

— Я понимаю, но «предупредить» звучит очень зловеще.

— Так оно и есть, — кивнула Лили.

— Мы видели ваш городской дом, — поддержала сестру Энни. — Вернее то, что от него осталось.

— Ужасная картина?

— Да, — вздохнула Лили. — Иначе не скажешь.

— Но тем не менее надо сказать, что он разрушен не до конца. Пожарные успели остановить огонь, прежде чем он охватил весь дом. Конечно, разрушения налицо, но нельзя сказать, что дом не подлежит восстановлению, — добавила Энни.

Джеймс шумно выдохнул.

— Надеюсь.

— Джеймс, — добавила Лили, поглаживая его руку. — Вы пугаете нас. Я беспокоюсь о вас, и Девон тоже.

Брови Джеймса вопросительно приподнялись.

— Я уверен, Колтон всегда отыщет причину, чтобы беспокоиться обо мне, — сказал он с сарказмом в голосе.

— Сейчас не до шуток, Джеймс. Он действительно беспокоится, — подтвердила Энни. — И Джордан тоже, он сам сказал.

Лили взяла Джеймса под руку, и они втроем направились в гостиную. Кейт вжалась в стену, чтобы они, не дай бог, не увидели ее.

Голос Лили долетел из коридора.

— На этот раз ваше вечное стремление к справедливости, желание всегда все улаживать привело к большим неприятностям.

Кейт застыла, прижав руку к груди.

— Что я пытаюсь уладить?

— Разумеется, это касается дела Кейт. — Лили заговорила тише. — Я думаю, мы все уверены в ее невиновности, но, Джеймс, вы не сможете спасти ее. Вы должны смириться и уповать на волю правосудия.

Джеймс едва сдерживал раздражение.

— У меня складывается впечатление, что вы принимаете меня за адвоката, но, увы, это не так...

— Мы понимаем вас, Медфорд, — перебила его Энни. — И знаем, как вы добры. Да, все началось с памфлета, но потом... потом вы погрузились в эту историю. Джордан сказал, вы наняли сыщика?

Джеймс вздохнул.

— Не забудьте напомнить мне поблагодарить Эшборна при нашей следующей встрече. Я весьма признателен ему, что он рассказал вам об этом.

— Джеймс, мы серьезно, — заметила Лили.

Они подошли к двери гостиной. Кейт высунула голову из-за выступа стены, чтобы лучше слышать. Что уж теперь говорить, она нарушила все каноны поведения, так что могла дослушать до конца.

— Вам грозят настоящие неприятности, Джеймс. Ваш дом превратился в руины, и ваша репутация под угрозой. Вы бы слышали, что говорят о вас в городе! Вы видели газеты?

Джеймс медленно кивнул.

— Поверьте, я знаю, что обо мне говорят.

— Вы всегда гордились своей репутацией, — продолжала Энни. — Вы действительно считаете, что эта история стоит того?

Джеймс поправил узел галстука.

— Я верю, что дом будет восстановлен.

Рука Лили описала неопределенный жест в воздухе.

— Прекрасно. Но как насчет вашей репутации?

— Если вас беспокоит моя репутация, — улыбаясь, отвечал он, — я готов отказаться от печатного станка.

— Прекратите шутить, Медфорд! — возмутилась Лили.

— Но это не только дом и ваша репутация, Джеймс, — поддержала сестру Энни. — Это куда больше. Вы подвергаете себя реальной опасности. Господи, с вами может случиться все, что угодно, вплоть до того, что кто-то попытается убить вас! Возможно, тот самый человек, который убил герцога.

Джеймс открыл дверь гостиной, и они вошли. Он позвал дворецкого и распорядился о чае. Кейт опять спряталась за выступ стены, когда дворецкий прошел мимо на кухню.

Когда за ними захлопнулась дверь гостиной, Кейт беспомощно выдохнула и прислонилась к стене. Она ощущала боль. Физическую боль. Лили и Энни только что описали все те страхи, которые Кейт испытывала с тех пор, как они приехали в поместье Джеймса. Она разрушила его жизнь. Она виновата в том, что ему грозит опасность. Да, он хотел, чтобы она написала памфлет, но не думал, что все приобретет такой поворот. Он не мог не знать, насколько реальна опасность, которая угрожает ему и его собственности.

Кейт тоже была эгоистична. Так долго писала памфлет, вместо того чтобы закончить его как можно быстрее. Если бы она уехала до поездки на ферму, ни его дом, ни репутация не подверглись бы разрушению. Нет. Она не имеет права оставаться здесь. Ни минуты! Ни деньги, ни памфлет, ничто не имеет значения. Пришло время, уехать. Ради Джеймса!

Кейт потерла виски кончиками пальцев. Больше она не проведет с ним ни одной ночи. Она знает это. Это всего лишь глупая мечта. Мечта, которая рождала радость в ее сердце, но тем не менее глупая. Этого никогда не будет. Она должна подняться к себе, сложить те немногие вещи, что у нее есть, и уехать. Она всегда будет благодарить Джеймса за то, что он подарил ей эти несколько дней свободы, но она не может, не хочет больше подвергать его жизнь опасности.

Глава 26

Джеймс стоял на пепелище, с болью в сердце глядя на то, что осталось от его дома. Он поднял воротник и плотнее запахнул пальто. Запах сгоревшего дерева и дыма, казалось, навечно пропитал воздух. Джеймс постарался успокоиться. Да, говорил он себе, эта груда обгоревшего дерева и камней когда-то была его домом. Да, все основательно разрушено. Лили права, первый этаж еще подлежит восстановлению, но верхние этажи сгорели дотла. Окна разбиты и испачканы сажей и грязью, обгоревшие остатки стен, обугленные перекрытия... Что и говорить, зрелище неприглядное. Качая головой, он продолжал созерцать грустную картину.

Его городской дом. Его убежище. Место, где каждая пылинка что-то значила. Он криво усмехнулся. Но разве сейчас это имеет значение? Стиснув зубы, он не смог сдержать стон злости. Если бы пару недель назад кто-то сказал ему, что он будет стоять здесь и смотреть на остатки своего дома, Джеймс поднял бы его на смех. Но сейчас его охватило странное спокойствие. Это просто дом. Кейт смотрит в лицо смерти, ужасной смерти. Джеймс даже представить не мог, насколько это страшно. По сравнению с этим восстановление дома было едва ли больше, чем неудобство. Что значит дом по сравнению с человеческой жизнью?

Кейт уверена, что это она виновата в том, что случилось. Но на самом деле виноват он. Если бы он был осмотрительнее в тот день, когда они возвращались с фермы, никто не смог бы увидеть их. Он потерял бдительность, поэтому вся вина лежит на нем.

Джеймс поддел носком сапога камешек, и тот приземлился на груду сгоревшего дерева. Джеймс повернулся и направился к поджидавшей его карете.

— Контора Абернети, — сказал он кучеру.

Двадцать минут спустя Джеймс уже сидел в кресле перед письменным столом адвоката.

— Абернети, хоть вы можете порадовать меня? Есть хорошие новости? — с надеждой спросил Джеймс. — Я совершенно без сил. Ехал всю ночь, чтобы успеть на эту встречу.

— Вы уже были там? — не отвечая на вопрос, поинтересовался Абернети с напряженным выражением лица. — Видели...

— Мой городской дом? Да. — Джеймс кивнул. — Но не волнуйтесь, управляющий уже все осмотрел. Скоро начнутся восстановительные работы.

— Рад слышать. — Абернети положил на стол толстую пачку бумаг и водрузил на нос очки. — Как чувствует себя ее светлость?

— Соответственно обстоятельствам, — уклончиво ответил Джеймс. — Есть новости от Хортона?

— К сожалению, пока нет. — Абернети нахмурился. — Он отменил нашу встречу, намеченную на пятницу, сославшись на то, что ему необходимо еще раз съездить в Маркингем-Эбби для более тщательного опроса свидетелей. Я надеюсь, к нашей следующей встрече он приготовит нечто существенное.

Откинувшись на спинку кресла, Джеймс закинул ногу на ногу.

— А как обстоят дела с судом?

— Лорд-канцлер назначил первое слушание сразу по окончании новогодних каникул. То есть после Двенадцатой ночи[1].

Джеймс кивнул.

— А что говорят в свете?

— Полагаю, вы читали газеты? — глядя на Джеймса поверх очков, спросил Абернети. — Ничего хорошего, хотя у вас есть несколько доброжелателей, и они упорно защищают вас.

— Собственно, я ожидал... — Джеймс пожал плечами.

— Есть кое-что еще. — Абернети кашлянул, скрывая неловкость.

— Что? — Джеймс нетерпеливо потянулся к нему.

— Мне рассказали о статье, которая будет в сегодняшнем «Таймсе». Газетчики добрались до вас. Они узнали, что вы владеете печатным станком. Кое-кто говорит, что вы очерняете статус пэра.

Джеймс уронил голову и шумно выдохнул. Его репутация, которую он выстраивал всю жизнь, рухнула в мгновение ока.

— Понятно, — спокойно проговорил он. — Но вы сказали, что у меня есть доброжелатели? Это вселяет надежду.

— Именно так, и лорд-канцлер — один из них.

Джеймс вскинул голову. Его глаза вспыхнули надеждой.

— Лорд-канцлер? Правда?

— Да. Он определенно на вашей стороне.

— Это обнадеживает. А кто еще?

— Если верить слухам, то в вашу защиту выступил принц-регент. Он говорит, что хотел бы услышать де-

---

[1] Двенадцатая ночь после Рождества – канун Крещения.

тали непосредственно от вас, и отказывается обсуждать этот вопрос до встречи с вами.

На этот раз Джеймс тихо присвистнул.

— Это высокая честь. Обычно его королевское высочество не гнушается доброй порции сплетен.

— Согласен. — Абернети усмехнулся. — Это очень хороший знак.

— А что говорят о Кейт? Все по-прежнему верят, что она виновна?

— Милорд, — начал Абернети, проигнорировав вопрос Джеймса, — есть еще кое-что, что я хотел бы обсудить с вами. В газетах мусолят многие подробности происшедшего. Интересно, кто снабжает их этой информацией? У меня есть подозрение, что это леди Беттина, так это или иначе, но подобные упоминания наносят много вреда.

— То есть вы хотите сказать, что надежды нет? Да, Абернети? — Скулы Джеймса ходили ходуном.

— Я говорю, что пришло время изменить тактику. И мы должны воспользоваться правом альтернативной защиты.

— Альтернативой защиты? — пристально посмотрев на адвоката, переспросил Джеймс.

— Да. Я говорил об этом с ее светлостью, когда мы впервые встретились. Не только самозащита, но и нападение. Провокация.

Джеймс провел по лицу рукой.

— Но Кейт возражает, она никого не обвиняет. Ни леди Беттину, ни камердинера герцога, ни кого-то из слуг...

— Да, но она не знает законы так, как я. Учитывая то, как развивается следствие, я твердо верю, что преступно не воспользоваться этим для ее оправдания. Это может спасти ее жизнь.

— Я понимаю.

Лицо Абернети выражало решительное недовольство. Он взялся за лацканы своего сюртука.

— Милорд, я думаю, вам пора поговорить с ее светлостью. Объяснить, что в ее положении необходимо использовать обе возможности защиты. Вы должны убедить ее.

— Я уверен, она прекрасно понимает, насколько все плохо.

— Но я не думаю, что она понимает, насколько малы ее шансы на благополучный исход, если пренебречь альтернативной защитой.

Джеймс поднялся, давая понять, что разговор окончен.

— Я поговорю с ней, — процедил он сквозь стиснутые зубы.

Идя к двери, он на ходу надевал пальто.

— Спасибо за все, что вы делаете, Абернети.

Адвокат ответил серьезным и жестким взглядом.

— Скажите мне, милорд, это стоит того?

Джеймс приподнял бровь.

— Вы о чем?

— Памфлет стоит потери городского дома?

Джеймс надел шляпу и надвинул ее на лоб.

— Я верю, что она не виновна. Теперь остается лишь одно — ваш сыщик должен доказать это.

Глава 27

Джеймс вернулся в Хемфилл-парк на следующий день и чувствовал себя совершенно разбитым. Работы по восстановлению дома уже начались, он дал соответствующие указания. И даже решил внести некоторые изменения в соответствии с духом времени, например, распорядился установить туалеты во всех спальнях на верхних этажах дома. Он также убедился в том, что все слуги пристроены и размещены в других лондонских домах, принадлежащих ему. Около сгоревшего дома была поставлена охрана, которая не смыкала глаз ни днем ни ночью. По большей части все, что касается дома, можно поправить, но Кейт? Если ее осудят...

К черту толпу, ее ограниченность и притворство. Как эти люди могут осуждать ее до приговора суда? Он криво усмехнулся своим мыслям. Можно подумать, что это новость. В Лондоне испокон веков так все и происходит. Вас обвинили до того, как была доказана ваша вина? И суд общества зачастую бывает более жестоким и беспощадным, чем неутешительный приговор суда. Учитывая то, что общественное мнение уже осудило Кейт, даже если случится чудо и ее оправдает палата лордов, предстоит чудовищная борьба за восстановление ее доброго имени в сердцах и умах жителей Лондона. И ее памфлет мог бы способствовать этому, хотя не стоит исключать тот факт, что он скорее удовлетворит любопытство читающих, чем изменит их мнение о герцогине. Но, по крайней мере, это даст Кейт хоть какой-то шанс.

Кейт.

Джеймс покачал головой. Он не может не думать о ней. Особенно о том, что произошло между ними той ночью в библиотеке. Он сотни раз называл себя идиотом, проклинал себя и клялся, что это больше никогда не повторится. Но, в конце концов, это было единственное, о чем он мог думать, снова и снова восстанавливая в своем сознании детали. Он не мог не думать о ее бархатистой коже, ее женском запахе, сводящем его с ума, о ее прелестной груди. Каждая грудь была как раз по размеру его ладони. Он представлял ее рыжие волосы, золотистым каскадом спадающие на плечи, ее полные влекущие губы. Все это снова и снова возникало перед его мысленным взором. И когда возникало, он тут же видел Кейт в своей постели.

Проклятье! Его тело незамедлительно реагировало на его мысли. И этому мучению, казалось, не было конца. Он не мог делать ничего другого, только истязать себя. Нет сомнения, если ее оправдают, а это очень большое «если», ей не будет места среди аристократов, она не сможет найти себе подходящую партию для замужества, а высшее общество закроет перед ней все двери. Но что может сделать он? Он не мог предложить ей ничего другого, кроме как стать автором скандального памфлета. Конечно, полагал он, лучше прославиться как автор памфлета, чем как убийца собственного мужа. Но разве можно думать о развитии их отношений, когда они встретились при таких обстоятельствах? Джеймс нанял ее, преследуя собственные цели, а она использовала его, чтобы выйти из тюрьмы. Далеко не тот вид ухаживания, о котором можно было бы мечтать.

И о чем он думает, называя это ухаживанием? Он не ухаживает за Кейт, нет. Он позволил себе эти вольности, потому что, несмотря на все увещевания держать руки подальше от нее, не смог следовать им. Он снова и снова мучил себя обвинениями в собственный адрес и понимал, что будет мучить и дальше, но сейчас единственное, чего он хотел, это снова быть рядом с ней.

Помня настоятельное требование Абернети, он поговорит с ней о ее защите. Возможно, нападение и есть лучший вид защиты? Может быть, парламент с большим сочувствием отнесется к Кейт, если она расскажет, каким чудовищным было отношение к ней ее мужа? Да, он поговорит с ней об этом. Позже. А прямо сейчас все, о чем он мог думать, это поскорее увидеть ее лицо.

Джеймс ускорил шаги. Гравий приятно шуршал под ногами, пока Джеймс шел к парадным дверям дома. О Господи, он страстно желал увидеть ее. Он почти бежал. Потянул медную ручку двери и, войдя, поспешно начал снимать пальто и шляпу. Бросив их дворецкому, устремился в библиотеку, где, скорей всего, сидела Кейт и писала памфлет. Дворецкий проводил его взглядом полным недоумения. Едва сдерживая улыбку, Джеймс вошел в библиотеку. Быстрым взглядом окинул комнату. Пусто.

Его улыбка растаяла. Оставив дверь открытой, он резко повернулся и, выйдя в коридор, быстрым шагом направился в золотую гостиную.

Возможно, Кейт пьет чай?

Дверь была открыта, и он вошел... пусто.

В сердце шевельнулось какое-то неприятное предчувствие. Джеймс нахмурился. Может быть, она у себя? Отдыхает? Мимо быстро прошмыгнула горничная.

— Вы видели ее светлость?

— Нет, милорд. — Горничная подняла на него глаза. — Сегодня не видела.

Морщина на переносице стала глубже. Кейт не выходила из комнаты весь день? Это не похоже на нее. Возможно, ей нездоровится? Он хотел подняться наверх и увидеть ее, но после некоторого замешательства остановил себя. Он не должен потворствовать своим желаниям. Нет. Он покачал головой. Позже он пошлет ей записку и попросит о встрече, чтобы обсудить с ней способы защиты. И потом будет сидеть напротив нее за столом, когда они начнут обсуждать этот вопрос.

Надеясь отвлечь себя от мыслей о Кейт, Джеймс снова спустился в холл и направился в свой кабинет.

Фемида поднялась и подбежала, чтобы приветствовать хозяина.

— Рад видеть тебя, девочка, — сказал он, трепля собаку по голове.

Фемида следовала за ним, когда он подошел к столу и, выдвинув стул, сел. Джеймс провел рукой по лицу и тяжело вздохнул. Толстая стопка бумаг посреди стола невольно привлекла его внимание. Джеймс сдвинул брови и наклонил голову, чтобы рассмотреть, что это. На верхнем листе он увидел свое имя.

Почерк Кейт.

Джеймс схватил письмо, взломал восковую печать и развернул письмо. И быстро просмотрел написанное.

«Дорогой Джеймс!

Когда Вы будете читать это письмо, я уже буду далеко. Я больше не могу подвергать Вас опасности. И прошу прощения за те неприятности, которые доставила Вам. Прилагаю памфлет. Надеюсь, Вы получите то, чего ждете. Я наняла карету и возвращаюсь назад, в Тауэр. Там мое место. Я думаю, мы оба понимаем, что никогда больше не увидим друг друга. Я готова принять свою судьбу, какой бы она ни была. Спасибо за все. Вы всегда были так добры ко мне.

Кейт».

Джеймс прочитал раз, потом другой, словно слова могли измениться, если он прочтет их снова. Сапфировое ожерелье и серьги, что он подарил ей в ночь импровизированного бала, лежали на столе. Джеймс сжал ожерелье в кулаке.

— Нет, Кейт, — прошептал он, роняя письмо на стол. Взяв в руки памфлет, пролистал его. Да, это ее история. То, что Кейт хотела рассказать о себе, о том, что с ней случилось. Но Джеймсу не нужно читать памфлет. Он и так все знает. За эти несколько дней он не раз слушал ее рассказы. Она невиновна. Она невиновна и прелестна, и может умереть из-за бессердечного упрямства ее мужа и нежелании какого-то жалкого труса признаться в совершенном убийстве. Это несправедливо. Это несправедливо.

Джеймс смял листы и бросил их на пол. Господи, да он найдет другого сыщика, дюжину сыщиков! Он не остановится, пока они не узнают каждую подробность того, что случилось в ту ночь, пока не докажут непричастность Кейт к этому преступлению.

Он спасет ее. Он должен сделать это.

Глава 28

Вернувшись в Лондон, Джеймс первым делом отправился в клуб. Он хотел лишь одного. Выпить два... или лучше три стаканчика бренди и забыть обо всем. Нет, он никогда не был любителем алкоголя, но подобное развлечение, казалось, всегда помогало Колтону и Эшборну, когда у них случались неприятности, и они чувствовали себя неважно... И Бог ему судья, если сейчас не наступила его очередь!

Джеймс сидел в клубе в полном одиночестве. Очевидно, все другие члены клуба читали в газетах о его скандальной истории. И хотя вход в клуб пока не был закрыт для Джеймса, обычная группа знакомых не спешила приветствовать его. Как только он вошел, комната неожиданно опустела. Он сидел за столом, подперев голову рукой. Мнение света? Сейчас оно ему было абсолютно безразлично. Все, о чем он мог думать, это Кейт. Как она? Вернулась в свою камеру в Тауэре? Ей холодно? Грустно? Одиноко? Проклятье! Видимо, так и есть. И он даже не может навестить ее. Это было бы слишком рискованно. И для нее, и для него, и еще из-за тысячи разных причин.

Он еще не прикончил первую порцию бренди, когда появились Колтон и Эшборн и уселись за его стол.

— Я предупреждаю вас обоих, — пророкотал Джеймс. — Сегодня мне не до ваших шуток.

— Шуток? — Эшборн улыбнулся и толкнул Колтона локтем в бок. — Как тебе это нравится? Шутки? И это после того, как ты предложил ему остановиться в своем доме и тысячи раз выразил свое сочувствие? А, Колтон?

— Спасибо, но у меня своих домов предостаточно, — буркнул Джеймс, осушив стакан и наливая снова.

Вытянув ноги, Колтон небрежно скрестил их.

— Да, но я все-таки хотел бы узнать, какие именно шутки ты нам приписываешь? Мы просто заглянули сюда, чтобы пропустить стаканчик-другой... И вовсе не ожидали встретить тебя.

Джеймс, прищурившись, внимательно посмотрел на своих приятелей.

— Почему-то верится с трудом. Кроме того, лучше бы вы оставались дома, там, где ваши милые жены.

— Что с тобой, старина? — фыркнул Эшборн. — Только не говори мне, что ты не догадался, что именно они и послали нас сюда.

— Угу, — кивнул Колтон. — Они не особенно любят клуб, иначе тоже были бы здесь.

Эшборн оглядел комнату.

— Хотя, если честно, я не удивился бы, если бы Энни залезла через окно.

— Где этот проклятый слуга? — едва сдерживаясь, прорычал Джеймс. — Почему не несет бренди?

— Так, так, так, — проговорил Колтон, постукивая пальцами по столу и глядя на Джеймса во все глаза. — Похоже, это серьезно. Пара стаканов за вечер для Лорда Совершенство это немало. Так, так, так...

— Лорд Совершенство, — пробормотал Джеймс, скрипнув зубами. — Это проклятое прозвище. Что и говорить, именно таким я всегда и был. Лучший студент, совершенный в своих деяниях пэр, прекрасный друг и совершенный издатель. — Его голос затих. Но были две роли, где он провалился, увы, так и не достигнув совершенства. И это не давало ему покоя.

— О чем ты, Медфорд? — спросил Эшборн, приложив ладонь к уху.

— Покончим с этим, а? — Джеймс махнул рукой, не желая углубляться в этот вопрос. — Что, собственно, вы хотите узнать?

— Что хотим узнать? А ты не думаешь, что должен объяснить нам кое-что? — Эшборн потянулся к слуге за стаканом бренди, когда тот вернулся с тремя стаканами.

Джеймс наблюдал за ними затуманенными глазами. Казалось, Эшборн и Колтон в вопросах выпивки действовали по установившемуся порядку. Неудивительно.

— Ничего интересного, — буркнул Джеймс, заменяя пустой стакан на полный.

— То есть тебе нечего рассказать нам? — Колтон отхлебнул бренди.

— О чем? — Джеймс сделал вид, будто бы не понимает.

Кивком головы Колтон указал на стакан Джеймса.

— Например, почему ты решил сегодня напиться?

Джеймс отрицательно покачал головой.

— Да, Медфорд, должен признаться, что никогда не ожидал от тебя ничего подобного.

Джеймс снова прорычал что-то, прежде чем сделать очередной глоток.

— Уж точно не потому, что я кого-то пристрелил. — Он покосился на Эшборна. Прошлой весной тот убил человека, который выстрелил первым и едва не прикончил его.

Колтон оглянулся, чтобы удостовериться, что никто не подслушивает их. И понизил голос до шепота.

— Ты — нет, но Кейт, возможно....

— Нет! — вскричал Джеймс и с такой силой стукнул кулаком по столу, что задребезжали стаканы.

Брови Колтона поползли вверх.

— Похоже, ты уверен в этом?

— Да, — буркнул Джеймс, опуская голову.

— Значит, Хортон нашел доказательства? — предположил Эшборн.

— Пока нет. — Джеймс покачал головой.

— А что с памфлетом? — поинтересовался Колтон. — Ты успеешь напечатать его до начала работы парламента?

Джеймс достал из кармана сюртука пачку помятых листов и бросил ее на стол. Колтон начал просматривать, Эшборн привстал, заглянул ему через плечо и тоже стал читать. Несколько минут оба молчали, а Джеймс тем временем продолжал потягивать бренди.

Оторвавшись от бумаг, Эшборн присвистнул.

— Похоже, Кейт жила в аду, когда была замужем за Маркингемом. Бедняжка! Уверен, этот памфлет вызовет немало удивления.

— Согласен. — Колтон бросил смятые страницы на стол.

— А я не дам и ломаного гроша за этот памфлет, — прорычал Джеймс, опрокидывая новую порцию бренди.

Эшборн снова присвистнул.

— Но он принесет тебе ощутимый доход. Разве нет?

— Говорю вам, я не дам и ломаного гроша за этот памфлет. — В голосе Джеймса слышалась горечь.

— Дружище, — начал Колтон, с удивлением глядя на друга, — ты планируешь восстановить дом, поправить ее и свою репутацию и дальше жить так, как будто ничего не случилось?

— Нет, сначала я должен сделать так, чтобы с Кейт были все обвинения сняты. А уж потом подумаю о своей жизни. — Джеймс подал знак слуге, прося принести еще бренди.

— Ради всего святого, ты же не собираешься связать свою жизнь с герцогиней? — вскричал Эшборн. — Дом восстановить можно, но с ее репутацией дело обстоит куда хуже. Она, как говорится, не подлежит восстановлению. Тебе придется оставить Лондон, парламент, дело, то есть кардинально изменить свою жизнь.

Джеймс ничего не ответил, только исподлобья взглянул на Эшборна. И затем произнес, с трудом выговаривая слова:

— Вы видели га... га... газеты? Моя реп... репутация уже окончательно разрушена. А Кейт? Она вернулась в Тауэр. Я взял у нее все, что она могла мне дать. И не стану винить ее, если она воз... воз...ненавидит меня.

— Но ты не готов смириться с этим, — вздыхая, произнес Колтон. — И хочешь все исправить. Так похоже на нашего Лорда Совершенство.

Джеймс попытался встать, опираясь о стол.

— Я п... п... предупреждаю тебя, Колтон, скажешь еще слово, и я...

Колтон поднял руки, сдаваясь.

— Господи, боже мой, Медфорд. Я не стану драться с тобой сейчас, когда ты явно не в кондиции. Я ценю свою жизнь, да и моя жена тоже.

Тяжело опустившись на стул, Джеймс взъерошил волосы. И снова выпил.

Эшборн присвистнул уже в третий раз.

— Так, так, так. Пьем? Не думаем о делах? Мусолим волосы? Черт побери, Медфорд, посмотри на себя. На кого ты похож? На дерьмо. И только не говори мне, что ты не влюбился по уши!

Глава 29

— Милорд! Милорд! — Абернети с пронзительным криком ворвался в кабинет Джеймса, в котором тот временно расположился, пока восстанавливали пострадавший во время пожара дом. Лок даже не успел объявить о приходе адвоката. Абернети запыхался, лицо его покраснело, видимо, он без остановки бежал через весь дом.

Джеймс бросил перо и выпрямился.

— Что случилось?

— Я только что от Хортона, — сообщил Абернети, с трудом переводя дыхание.

— И?

Адвокат сделал паузу, пытаясь отдышаться. Достал из кармана платок и промокнул лоб.

— Камердинер герцога Маркингема признался в убийстве после того, как один из слуг дал на него показания.

Глаза Джеймса расширились. Он провел рукой по лицу и встал.

— Абернети, — четко проговорил он, — повторите еще раз то, что вы сказали.

— Один из слуг в Маркингем-Эбби заявил, что камердинер рассказал ему о содеянном преступлении. То есть признался, что это он убил герцога.

Джеймс шумно выдохнул. Нет. Этого не может быть! Он уперся обеими руками в стол и пристально посмотрел Абернети в глаза.

— Почему он сделал это только сейчас?

— Возможно, его, в конце концов, замучила совесть, милорд. Я точно не знаю, но был срочно вызван мировой судья, и камердинер повторил свои слова при нем. И сегодня же утром он предстанет перед лордом-канцлером.

— Это значит, что Кейт будет... — Джеймс взглянул в лицо Абернети, со страхом ожидая ответа.

— О да, милорд. — Адвокат кивнул. — Ее освободят в считанные часы.

Джеймс закрыл глаза и тут же снова открыл их.

— Еще предстоит провести большую работу, милорд, чтобы окончательно закрыть это дело, но обвинение уже снято, и ее светлость будет свободна. Ей вернут титул. Не сомневаюсь, они решат этот вопрос без промедления.

— Спасибо, Абернети. — Джеймс тяжело опустился на стул. — Большое спасибо.

— Да, я хотел немедленно сообщить вам, милорд. — Абернети повернулся, направляясь к дверям.

— Абернети, почему он убил герцога Маркингема?

Адвокат покачал головой.

— Так случилось, что именно в то утро герцог сообщил камердинеру, что он уволен, а на его место Маркингем собирался взять другого человека.

— Но почему? — Джеймс, нахмурившись, поднял брови.

— Камердинера невзлюбила леди Беттина. У нее был на уме кто-то из числа ее прислуги, кто хотел занять это место.

— Не знаю, — недоумевал Джеймс. — Едва ли это достаточная причина, чтобы убить человека.

— Согласен, милорд. — Абернети кивнул. — Как я понял, этот камердинер работал у Маркингема много лет, а до этого еще служил у его отца. Разумеется, он был потрясен.

— И поэтому решил убить герцога?

— Бывают странные совпадения, милорд. Именно в то утро герцог попросил камердинера посмотреть, хорошо ли почищен его пистолет. И пистолет был в руках камердинера, когда начался их неприятный разговор. Выходит, камердинер просто не сдержался. Эмоции захлестнули, и он выстрелил. — Абернети покачал головой. — Печальное совпадение.

Джеймс задумался, покусывая губу.

— И камердинер спокойно позволил осудить герцогиню? Не возражал, что ее обвинили в этом преступлении?

Абернети развел руками.

— Обвинение в убийстве зачастую делает человека трусом. Очевидно, он надеялся, что подозрение падет на леди Беттину. А когда этого не случилось, был так напуган, что побоялся возразить. Продолжительные допросы мистера Хортона сделали свое дело. Камердинер занервничал, две ночи пил до потери сознания, не выдержал и рассказал обо всем своему приятелю, который тоже служит в поместье. А тот, не теряя времени, доложил обо всем мировому судье.

— Невероятно! Просто невероятно! — говорил Джеймс, качая головой.

— И еще маленькая деталь, — добавил Абернети, берясь за ручку двери. — Очевидно, он застрелил герцога в гардеробной, толстые деревянные стены заглушили звук выстрела. Перетащив его в спальню, он вытер следы крови.

— Это объясняет, почему никто не слышал звука выстрела, — добавил Джеймс.

Абернети кивнул.

— Это счастливый день для герцогини, милорд. Мне не терпится увидеть ее и сообщить новость.

— Вне всякого сомнения, поспешите Абернети, — сказал Джеймс и поклонился.

После ухода адвоката, Джеймс опустился на стул и заложил руки за голову. Фемида подошла к нему, ожидая, что хозяин приласкает ее.

— Ну вот, девочка, это случилось, — пробормотал он, поглаживая собаку по голове. — Она свободна.

Фемида лизнула его руку и, выражая согласие, гавкнула.

Вздохнув, Джеймс потер переносицу кончиком пальца. Невероятное облегчение волной омыло его тело. Последние дни проходили в постоянном страхе, надежда боролась с отчаянием. И сейчас, когда он услышал счастливую новость, он едва мог поверить в это. Он хотел бы видеть красивое лицо Кейт в тот момент, когда ей сообщат, что она свободна.

Джеймс повернулся на стуле. С того момента, как этот дуралей Эшборн спросил его, не влюбился ли он, Джеймс только об этом и думал. Любовь? Нет, любовь не для него, она для людей менее прагматичных, менее сдержанных. Он не мог бы полюбить Кейт? Не мог? Неужели?

О, при чем тут это? Даже если бы он до безумия любил ее, она все равно не захочет иметь с ним ничего общего. Она вернулась в этот проклятый Тауэр, предпочтя тюрьму его обществу и его дому. И Джеймс не винил ее. Он вторгся в ее жизнь в самый тяжелый период. Воспользовался ее историей и обстоятельствами. Не оставив ей выбора, он практически заставил ее написать памфлет. И после этого он думает, что Кейт снова захочет видеть его?

И даже если бы она захотела этого, какое объяснение он представит, чтобы объяснить, что этот визит обязателен? Он должен ей деньги, но может передать их через слугу. Нет никаких причин к тому, чтобы она захотела снова видеть его. Разве не это сказала она в своем письме? «Мы оба понимаем, что никогда больше не увидим друг друга». Нет. Он не станет искать встречи с Кейт. Даже если это сведет его с ума. Даже если это убьет его.

Или и то и другое.

Когда мистер Абернети вышел из камеры, у Кейт подкосились ноги, и она без сил упала на холодный каменный пол. Ее тело сотрясала дрожь. Она спасена. Она будет жить. Кейт свернулась клубочком, слезы хлынули из глаз и текли по щекам. Она ни минуты не позволяла себе надеяться на подобный исход. Ни минуты. Но сейчас все страхи и все эмоции вылились наружу. Вытащив платок из рукава платья, она горько зарыдала. Слезы облегчения и счастья сотрясали ее тело. Она спасена. Спасена. И в этом слове заключалась справедливость. Спасибо, Господи. Но разве это был Бог? Ей нужно благодарить за свое спасение Джеймса. Все было против нее. Она не смела надеяться. Но Джеймс! Джеймс надеялся, несмотря на все обвинения, выдвинутые против нее. Он нанял Абернети и мистера Хортона. Джеймс спас ее.

Заставив себя подняться, она села на край узкой кровати, служившей ей ложем, и подтянула колени к груди, обняв их руками. Вытерла глаза. Высморкала нос. И дышала. Просто дышала.

Что означало все это на самом деле? Она по-прежнему изгой. И этот скандал будет преследовать ее всю жизнь. Она уедет из Лондона и никогда не вернется. Уголки ее губ приподнялись в робкой улыбке. Но она жива. И будет жить дальше. И оправдана. Она получила шанс начать все сначала. И не повторять прошлые ошибки. Несмотря на слезы, которые продолжали литься из ее глаз, Кейт широко улыбнулась. Разве это так трудно? Не повторять ошибок? Не повторять ошибок, значит, держаться подальше от высшего общества. Не выходить замуж, особенно за пэра. И особенно за того, кто не будет ее любить. Джеймс, подумала она, и его образ тотчас возник перед ее мысленным взором. Джеймс.

Разве это так трудно?

Глава 30

— Значит, камердинер признался? Но как это случилось? — качая головой, спросила Лили. Поднеся к губам бокал, она сделала маленький глоток.

В тот вечер Джеймс присутствовал на обеде в городском доме Эшборнов, Лили, Энни, Эшборн и Колтон — все сидели за столом и наперебой задавали ему вопросы. В первую очередь их интересовали Кейт и ее дело. Джеймс сидел, уставясь взглядом в стену, размазывая еду по тарелке и проклиная про себя всю эту компанию.

— Выходит, так, — уклончиво ответил Джеймс.

— И Кейт уже сегодня выпустят из тюрьмы? — поинтересовалась Энни. Ей не терпелось узнать подробности.

— Да, — кивнул Джеймс.

— Я так рада за нее, — вздохнула Лили. — Мы все рады. Я всегда знала, что она невиновна. Но куда она пойдет? У нее нет семьи, а мать герцога вряд ли захочет видеть ее после всего того, что случилось, и потом сама Кейт сойдет с ума, живя в доме свекрови.

Джеймс поморщился. У него были те же самые мысли. Действительно, куда ей идти? Он послал в Тауэр слугу с деньгами, которые был должен ей за памфлет. Джеймс не мог представить, что она окажется на улице без гроша в кармане. По крайней мере, имея деньги, она сможет остановиться в отеле. Но деньги вернулись назад с приложенной к ним запиской, написанной рукой Кейт.

«Мне не нужны деньги». И это все. Ни слова больше. Это окончательно разрешило все сомнения, которые еще теплились в его душе. Кейт ненавидит его до такой степени, что отказывается от денег, подумал он. Проклятье! Он разрушил все собственными руками.

— Я понятия не имею, что она собирается делать, — буркнул Джеймс. — Мне не удалось поговорить с ней.

— Но, Медфорд, вы же собираетесь встретиться с ней? — допытывалась Энни.

— Нет. — Не поторопился ли он с ответом? Не слишком ли быстро? Резко? Он постарался успокоиться и сделал новую попытку. — Я хотел сказать, что для встречи просто нет причины. Но, разумеется, я желаю ей всего хорошего.

— Нет, я категорически отказываюсь верить в это, — возмутилась Лили. — Подумать только, Кейт пришлось провести несколько ужасных недель в Тауэре, а виноват оказался камердинер? Что ж, он смелый человек, раз признался.

— Согласен, — кивнул Джеймс. — Кейт обязана ему своей жизнью.

— Она обязана своей жизнью вам, Медфорд, — возразила Энни. — Это вы наняли сыщика, который вынудил этого человека признаться. Без вас Кейт никогда не имела бы такой защиты и не добилась бы столь тщательного расследования.

— Она ничем не обязана мне, — взорвался Джеймс. Он взглянул на других участников обеда, все были сосредоточены на еде, а возможно, делали вид. Даже Эшборн избегал его взгляда. И, слава богу, больше не заводил разговор о любви, иначе Джеймс, невзирая на все правила приличия, перепрыгнул бы через стол и поколотил бы его.

Джеймсу не оставалось ничего другого, как тоже вернуться к еде. Он подцепил вилкой кусочек трески и поднес ко рту. Откусывал. Жевал. Глотал. Но не ощущал никакого вкуса. Так, что-то безвкусное, похожее на опилки.

Минуту спустя Джеймс поднялся.

— Извините меня, Энни. Но мне кажется, без моего участия вы куда лучше проведете этот вечер.

— Глупости, Медфорд, — воскликнула Энни, кладя вилку и удерживая его за руку. — Но я понимаю, почему вам лучше уйти. На вас слишком многое свалилось в последнее время. И стоит передохнуть.

— Что ж, всего хорошего, Медфорд, — улыбнулась через стол Лили.

— Мы увидимся через несколько дней, верно? У Колтонов на Рождество? И, уж конечно, встретимся на маскараде у Кэтрин Эверсли на Новый год?

— Да, да, конечно. — Джеймс постарался изобразить улыбку. Это все, на что он был способен сейчас. Необходимо обрести хоть какое-то душевное равновесие. Рождественские праздники, бал-маскарад... События, которые приходят и уходят каждый год. И этот год ничем не отличается от других. Да, все будет так же, как всегда.

Он встал, бросив салфетку на стул, раскланялся и покинул столовую.

Все правильно. Он просто должен сделать вид, что все нормально.

Как только за Джеймсом захлопнулась дверь, Лили положила руки на стол и, наклонившись вперед, зашептала:

— Бедняга! Но, если честно, я рада, что он ушел. Потому что мне надо поговорить с вами.

Девон, Энни и Джордан внимательно смотрели на нее.

— Лили, что случилось? — забеспокоился ее муж.

— Ничего, — невинно отозвалась Лили, хлопая длинными ресницами.

— Но даже я не верю в это, — со смехом заметила Энни.

— Так же, как и я, — поддержал жену Джордан.

Лили подмигнула сестре и мужу.

— Просто я... хочу пригласить Кейт на Рождество в Колтон-Хаус.

Джордан тихонько свистнул.

— А ты уверена, что это хорошая идея?

Лили вздернула подбородок.

— Думаю, бедняжке некуда больше пойти. Вход в высшее общество ей закрыт, а семьи у нее нет. Она свободна, но у нее никого нет! Мы не можем оставить ее одну на Рождество.

— Я — за! И аплодирую этой идее. — Девон поднял бокал.

— Ты — за? — переспросила Лили.

— Да, ты права. Кейт некуда больше пойти. Но я думаю, тебе надо предварительно переговорить с Джеймсом.

— Ни в коем случае, — замахала руками Лили. — Я думаю, будет лучше для них обоих, если они ничего не будут знать заранее.

— Я не могу не согласиться с Лили, — поддержала сестру Энни, беря еще один кусочек сливового торта. — Они оба могут отклонить приглашение, если узнают, что будет другой.

— Но все же не следует ли считаться с их выбором? — обратился к жене Джордан.

— Конечно, нужно, но... — согласилась Энни, кивая в подтверждение своих слов. — Но, учитывая уникальность ситуации... — Она снова повернулась к сестре. — Лили, а ты уверена, что Кейт придет?

— Я надеюсь. — Лили пожала плечами. — Не вижу причины, которая бы могла помешать ей. Куда еще ей идти?

Девон скрестил руки на груди и посмотрел на жену с высоты своего роста.

— Но откуда ты знаешь, что Медфорд не хочет видеть Кейт?

— О, я уверена на все сто, — отозвалась Лили, робко улыбаясь мужу, — что Медфорд хочет видеть ее. И думаю, что и Кейт хотела бы встретиться с ним. Просто Медфорд ужасно упрямый и не желает признаться в этом. Вы же слышали, что он говорил сегодня?

— То есть ты намерена обмануть Кейт? — допытывался Девон. — И потом, откуда ты знаешь, что она хочет видеть его?

Лили подхватила ложечкой вишенку, украшавшую кусок торта на тарелке, и отправила ее в рот.

— Вы слышали, что говорил Джеймс? Ничего не сказав ему, она покинула его дом и вернулась в Тауэр. Представляете, она даже отказалась от денег, которые он послал ей! Между ними определенно что-то происходит.

— И вы обе собираетесь докопаться до истины, да? — Улыбнувшись Лили, Джордан приподнял бровь. Он переводил взгляд с жены на ее сестру и обратно.

— Точно, — кивнула Лили и рассмеялась.

— Я думаю, это прекрасная идея, — поддержала сестру Энни. — Учитывая деликатность ситуации, что может быть лучше, чем празднование Рождества в уютном семейном кругу?

— Помни, дорогая, — Джордан подмигнул ей, — порой домашние вечеринки способны принести людям большие неприятности. Наша, например, закончилась свадьбой.

— Именно поэтому, мой милый, мы и затеяли это, — ответила Энни, награждая мужа лукавым взглядом.

— Стоит ли спорить с двумя самыми известными свахами в стране? — спросил Девон, удобно расположившись в кресле. — Но я должен предупредить вас обеих.

Будьте осторожны, миледи. Медфорду сейчас точно не до шуток.

— А кто шутит? — Лили с невинным видом скрестила на груди руки. — Мы пытаемся помочь ему.

— Помочь? — Девон приподнял бровь.

— Конечно. А именно — свести его и Кейт в одном доме. Для всех ясно, что они питают друг к другу определенные чувства.

— Будь осторожна, любовь моя. — Девон скептически улыбнулся. — Этих двоих, определенно, разделяет нечто большее, чем обвинение в убийстве.

Глава 31

Накануне Рождества в ясное солнечное утро Кейт прибыла в Колтон-Хаус. После выхода из тюрьмы она провела два дня в одном из лондонских отелей. Это стало возможно после распоряжения лорда-канцлера, позволявшего Кейт вступить в права наследства, которое полагалось ей как вдове герцога.

К счастью, когда она вышла из Тауэра, никакая разгневанная толпа не поджидала ее, только мистер Абернети и карета, готовая отвезти Кейт, куда она пожелает. Город смирился с фактом ее освобождения, но вернуться в дом мужа она все-таки не могла по многим причинам. Даже при том, что с нее были сняты все обвинения, мать ее мужа не выказывала особого желания видеть Кейт. И тем более принять ее в своем доме. Как и Оливер, кузен Джорджа, видимо, уже вступивший в права наследства или готовившийся сделать это. Да Кейт сама не хотела жить со свекровью, не питавшей к ней иных чувств, кроме ненависти. Но самое важное, что она была свободна! Свободна не только от тюрьмы, но и от своей прежней жизни. Зачем ей снова возвращаться в Маркингем-Эбби и оказаться пусть не в Тауэре, но опять-таки в другой тюрьме? Нет, отныне она намерена начать новую жизнь.

Она с радостью приняла приглашение Лили провести Рождество в их доме. Ей нужно больше времени. Больше времени, чтобы решить, как жить дальше. Лили была так добра, что прислала карету лорда Колтона, и лошади уже везли Кейт в загородное поместье, когда начал падать легкий снежок.

— Счастливого Рождества, Кейт! О, мы так счастливы, что вы приехали, — щебетала Лили, обнимая Кейт, когда та вошла в дом.

Кейт сняла капор и позволила дворецкому взять ее плащ, прежде чем приветствовать хозяйку широкой улыбкой.

— Счастливого Рождества, Лили, и спасибо за приглашение.

— Пойдемте со мной, дорогая, — сказала Лили, беря Кейт за руку и увлекая за собой. — Энни, сынишка Девона Джастин и я пели в гостиной рождественские гимны. А наши джентльмены чем-то заняты, их пока нет дома. Я подозреваю, что это связано с подарками.

Кейт с улыбкой слушала щебетанье Лили, пока они шли через вестибюль. Мимо пронеслись фокстерьер и забавный зверек с хвостом в серо-белую полосу.

Кейт остановилась и потерла глаза.

— Ах, это? — Рука Лили описала неопределенный жест в воздухе. — Это как раз и есть Дэш и Бандит, впрочем, не обращайте внимания.

Кейт не могла сдержать смех.

— Джеймс говорил, что вы пренебрегаете... условностями... Но до этого момента я думала, он шутит.

— Боюсь, что нет, — ответила Лили и прыснула.

Кейт тоже рассмеялась.

— А я-то думала, что герцогиня с поросенком будет выглядеть в ваших глазах по меньшей мере странно.

— Глупости! — сквозь смех воскликнула Лили. — Я думаю, герцогиня с поросенком... это звучит грандиозно. — И она снова залилась смехом.

Взяв Кейт за руку, она повела ее по длинному коридору.

— Вдобавок к фокстерьеру и псу, похожему на енота, у нас еще есть маленький мальчик и несколько других собак. Вы скоро сможете познакомиться с ними.

— Лили, — сказала Кейт, сжав ее руку и останавливая, — еще раз спасибо за приглашение. Я просто не знаю, что бы делала, не будь вас. Вы и Энни — мои единственные друзья.

— Уверяю вас, это временно, — с подбадривающей улыбкой сказала Лили. — Я надеюсь, вы получите удовольствие, проведя Рождество в нашей компании.

Кейт кивнула.

— Знаете, у меня почти не было сомнений, что это мое последнее Рождество, а оказалось, нет. Конечно, я буду наслаждаться, — ответила она с трепетом.

Одна из дверей открылась, и на пороге появилась Энни.

— Джастин уже сообщил мне, что вы приехали. Он видел вас с лестницы.

Кейт подняла голову и увидела красивого мальчика лет пяти-шести, с копной черных кудрей и такими же темными глазами, который смотрел на них, стоя на лестничной площадке.

— Так это и есть Джастин? Он вылитый отец.

— Действительно. — Лили жестом поманила мальчика. Джастин спустился по лестнице и поклонился Кейт. Сердце Кейт растаяло. О, как бы она хотела иметь сына!

Эта мысль отозвалась в ее сердце болью, и на какое-то мгновение стало трудно дышать.

— Джастин, пожелай ее светлости, герцогине Кейт, счастливого Рождества, — шепнула мальчику Лили.

— Нет, нет, нет! — Кейт резко покачала головой. — Не герцогиня, просто Кейт, — и улыбнулась Джастину.

— Счастливого Рождества, леди Кейт, — сказал Джастин и снова поклонился.

— Приятно познакомиться, Джастин, — улыбаясь, ответила Кейт и присела в глубоком реверансе.

Мальчик тут уже страшно покраснел, прежде чем повернуться к мачехе.

— Лили, можно мне сладкое?

— А ты хорошо себя вел? — Она скрестила руки на груди и строго посмотрела на мальчика, но улыбка, которая притаилась в уголках губ, говорила о несерьезности ее слов.

— Очень, очень хорошо, — честно признался Джастин.

На этот раз Лили кивнула.

— Скажи на кухне, что я разрешила.

Мальчик тут же повернулся и вприпрыжку бросился на кухню, а Лили проводила его светлым обожающим взглядом.

— Ах, он такой хороший, — сказала она. — И боюсь, слишком умный для своих лет. Учитель сказал Девону, что он — маленький гений.

— Не говоря о том, что он прекрасно воспитан, — с улыбкой заметила Кейт, и снова больно кольнуло сердце. Ребенок, которого ей не суждено иметь. Лили взяла Кейт за одну руку, Энни — за другую, и они повели гостью в гостиную. Когда они вошли, Лили предложила Кейт расположиться на софе.

— Сейчас принесут чай, — пообещала хозяйка.

Она подождала, пока Кейт заняла место на софе и добавила:

— Знаете, Кейт, я чуть не подавилась тортом, когда Медфорд сообщил нам, что герцога убил слуга.

Энни свернулась клубочком на другом конце софы и выразительно кивнула Кейт.

— Если нельзя доверять своему камердинеру, то кому вообще можно доверять?

— Я не очень хорошо знала этого человека, — со вздохом начала Кейт, — он все время жил с Джорджем в Лондоне. С трудом верится, что Джордж собирался уволить его. Много, очень много лет этот Такер был рядом с герцогом. Очевидно, они и прежде ссорились. Я слышала, как другие слуги шептались между собой, будто бы у Такера ужасный характер, но я сама ничего подобного не замечала.

— Между нами, — после минутной паузы продолжила Лили, — я всегда думала, что это сделала леди Беттина.

Энни прикусила губу.

— Интересно, не подстрекала ли она слугу?

— Я тоже думала об этом, но так и не нашла в этом никакого смысла, — призналась Кейт. — Я рада, что свободна, хотя до сих пор не могу поверить в это. И пожалуйста, не думайте обо мне плохо из-за того, что я не ношу траур. Я боюсь, это было бы неискренне с моей стороны, и к тому же моя репутация уже погублена. Так что не вижу в этом никакого смысла.

— О, напротив, мы вовсе так не думаем, — сказала Лили и похлопала Кейт по руке.

— Совершенно не думаем, — добавила Энни. — Вы должны забыть прошлое и начать новую жизнь.

— Да, но пока я не знаю как. — Покачав головой, Кейт вздохнула и опустила глаза. — У меня ничего нет. Ничего, кроме жизни. Хотя поверьте мне, я страшно благодарна за это.

— Кейт, позвольте нам помочь вам, — предложила Лили.

— Нет. — Кейт подняла глаза. — Вы обе и так сделали для меня очень много. Не знаю, чем смогу отплатить вам за вашу доброту. Пройдет время, и я решу, как мне быть.

— Вы можете оставаться у нас столько, сколько захотите, — заверила ее Лили. — Я думаю, что вы и сами знаете это. В Колтон-Хаусе или в нашем лондонском доме.

Взяв с софы бледно-голубую подушку с ручной вышивкой, Кейт прижала ее к груди.

— Я не могу злоупотреблять вашим гостеприимством, Лили. Я благодарна за приглашение провести с вами Рождество, но после Нового года я хотела бы отправиться в Европу. Не думаю, что Лондон будет скучать по мне.

— Что бы вы ни решили, — сжимая ее руку, сказала Лили, — можете рассчитывать на нашу помощь. И потом, совсем не обязательно решать все это сегодня.

Кейт не могла не улыбнуться ее словам. Положив подушку на колени, она пожала руки сестер.

— Вы обе так добры ко мне. — Закусив губу, Кейт еле сдерживала слезы. Затем решительно тряхнула головой. — А теперь скажите мне, как виконт Медфорд? Я пыталась навести справки, но... он еще не опубликовал мой памфлет?

— Нет... еще нет, — отвечала Лили, обменявшись с сестрой взглядами. — Но мы должны рассказать вам кое-что.

Улыбка моментально исчезла с лица Кейт.

— Что? С ним все в порядке? — Она прижала руку к груди.

— О, да, все хорошо, — поспешила заверить Лили. — Дело в том, что... лорд Медфорд тоже будет у нас... на Рождество.

Сердце Кейт готово было выпрыгнуть из груди. Ничего удивительного, что друзья Джеймса пригласили его. Это она здесь чужая. А он свой человек в этом доме.

— Мне следовало догадаться.

— Но вы не возражаете, правда? — тихо поинтересовалась Лили. — Пожалуйста, успокойте нас, скажите, что вы не расстроились.

Кейт попыталась улыбнуться.

— До какой степени неблагодарности я должна была бы дойти, если бы указывала, кого вам следует приглашать на вашу собственную вечеринку? — Она проглотила комок в горле. — Но я должна предупредить вас, вполне возможно, что лорду Медфорду будет неприятно видеть меня, и я не хотела бы испортить ему праздник.

— Нет. Нет. — Энни похлопала Кейт по руке. — Лорд Медфорд беспокоится о том же самом. Он думает, что это вы не хотите видеть его.

— Я? Но почему? — Кейт нахмурилась.

— Потому что вы сбежали из его дома, не сказав ему ни слова, и вернулись в Тауэр и... Он говорит, что вы возвратили деньги, которые он послал вам.

Кейт смотрела на свои руки, лежащие на коленях.

— Я не могла взять его деньги. Из-за меня пострадал его дом.

— Не беспокойтесь. Вы поговорите и, думаю, во всем разберетесь. — Вставая, Лили хлопнула в ладоши. — А мы тем временем будем просто наслаждаться праздником.

— Это прекрасно, мои милые друзья, — вздохнула Кейт. — Я не испорчу вам праздник, устраивая сцены. Вы пригласили своего друга Медфорда провести вместе с вами эти прекрасные дни, и я не собираюсь омрачать их. Я обещаю, что никогда не поставлю вас перед выбором: я или...

Сестры переглянулись.

— Спасибо вам, дорогая, за понимание.

Кейт встала и быстрым движением поправила юбки.

— Вы не возражаете, если я прилягу? Я только сейчас поняла, что совершенно без сил.

— Можете не объяснять, — заверила ее Лили, звоня в колокольчик. — Я попрошу горничную, чтобы она показала вам вашу комнату.

Когда Кейт ушла, Энни повернулась к Лили. Та сидела, сложив руки на груди, а на ее лице играла лукавая улыбка.

— Начало положено. По крайней мере, мы получили гарантию, что она не сбежит, когда в комнату войдет Медфорд.

Глава 32

Всю дорогу, пока Джеймс ехал в Колтон-Хаус, не переставая, валил снег. Солнце постепенно садилось за горизонт, и небо становилось все темнее и темнее. Все кругом заволокло белой пеленой, крупные снежные хлопья медленно опускались на землю, словно маленькие белые облачка.

Сопровождаемый порывом холодного ветра, Джеймс вошел в парадные двери особняка. Прежде чем поздороваться с хозяйкой, держа в руках рождественский подарок, он потопал ногами и стряхнул снег с пальто и шляпы. Фемида, которую он взял с собой, забавно трясла всем телом, стряхивая снег. И как только неизвестно откуда появились Бандит и Лео, видимо, почуяв приход гостей, она тут же присоединилась к ним, и вся троица убежала с радостным лаем.

— Кажется, они в прекрасном настроении? — сказал Джеймс, провожая собак улыбкой.

— Очевидно, тоже чувствуют приближение праздника, — ответила Лили, обнимая друга. — Счастливого Рождества, Джеймс.

— Счастливого Рождества, Лили. — Он постарался как можно радостнее улыбнуться, что далось ему не без труда. Из головы не шло, что это, пожалуй, самое грустное Рождество в его жизни. Всю дорогу в Колтон-Хаус он уговаривал себя, что его подавленное настроение никак не связано с Кейт. Две недели назад он ее даже не знал, а еще через две забудет. Но забудет ли? О черт, даже когда он думал так, он знал, что это неправда.

Где сейчас Кейт? Кого она поздравляет с Рождеством? Конечно, мистер Абернети проследил, чтобы ей было куда поехать. Проклятье! Это Джеймс должен был убедиться, что она не одинока, но она совершенно ясно дала ему понять, что их отношения закончены.

— Пойдемте в библиотеку, Медфорд, — услышал он голос Лили, который нарушил ход его мыслей. — Девон и Джордан там и, кажется, уже начали отмечать Рождество.

— Ничего удивительного, у них это в порядке вещей.

— Не будьте столь строги, — одернула Джеймса Лили, глядя на него с лукавой улыбкой. — Девон рассказал мне, что не так давно застал вас в клубе за тем же занятием.

Продолжая следовать за Лили и все еще держа подарок в руках, Медфорд удивленно приподнял брови.

— Гмм... Сейчас, когда вы упомянули об этом, это ласкает слух.

Лили вела его по отделанному мрамором коридору в библиотеку. Высокие двери красного дерева были открыты, и Джеймс увидел Колтона и Эшборна, которые, расположившись в глубоких креслах, потягивали бренди.

На софе напротив них удобно устроилась Энни с книжкой в руках. В камине потрескивали дрова, а ветка омелы над дверью напоминала о приближении Рождества.

Джеймс покачал головой.

— Ты такой забавный, когда выпиваешь, Колтон. — И добавил: — Всем счастливого Рождества!

Эшборн поднял стакан.

— А, Медфорд, наконец-то!

— Лучше поздно, чем никогда, — бросил в ответ Джеймс.

— Согласен, — кивая, ответил Эшборн.

Колтон подошел к Джеймсу, и они обменялись рукопожатием.

— С Рождеством, Медфорд! Рад видеть тебя, старина.

— Боюсь, как бы мое присутствие не нарушило ваше веселье. Твоя жена сказала мне, что ты сообщил ей о моих секретах?

— Если ты собираешься и дальше напиваться в публичном месте, то... — Колтон пожал плечами.

— Можно подумать, что пропустить стаканчик-другой бренди в клубе это скандал? — усмехнувшись, спросил Джеймс.

— Для меня — нет. — Колтон хитро улыбнулся. — Но для тебя... это новость для первых страниц газет.

Джеймс проигнорировал его слова.

— Где Джастин? — спросил он.

— У себя, видимо, готовится к получению подарков.

— Ах, прекрасно. Это всегда приятно. — Джеймс передал Колтону подарок, который все еще держал в руках, затем повернулся к Энни. — Что вы читаете, графиня? Опять Ханну Мор[1]?

---

[1]   Ханна Мор (1745—1833) — английская писательница и драматург. Автор сочинений на религиозные и морально-этические темы.

Энни соскользнула с софы и подошла обнять Джеймса.

— О Господи. Конечно же, нет. Не Ханну Мор. Я читала эту чушь только до замужества, а сейчас предпочитаю более серьезные любовные истории. Мне нравится «Эмма». И я все время думаю, что за дама написала этот роман? Лили, признайся, может быть, это ты?

— Ну уж нет, — фыркнула в ответ Лили. — Я оставила это занятие после «Тайн брачной ночи».

Расцеловав Джеймса в обе щеки, Энни вновь уселась на софе и вернулась к своему занятию.

Джеймс устроился в большом кресле рядом с джентльменами.

— Бренди, Медфорд? — предложил Эшборн.

— Нет, благодарю. — Джеймс натянуто улыбнулся.

— Ты уверен, что больше не хочешь blue ruin? — усмехнулся Эшборн.

Джеймс сунул руки в карманы.

— Ах, Эшборн, ты никогда не упустишь случая припомнить наше соревнование.

Эшборн подмигнул жене, которой, не отрываясь от книги, удалось послать мужу укоризненный взгляд.

— Почему я должен упускать такую возможность? — пожал плечами Эшборн. — Победа за мной!

— Ладно, я пошутил, побеждай себе на здоровье, — махнул рукой Джеймс.

Энни все же пришлось оторваться от книги.

— Не заставляйте меня останавливать и вас, Медфорд. Мы договорились больше не упоминать об этом происшествии. — И она улыбнулась.

Джеймс тоже ответил ей улыбкой.

— Пожалуйста, хватит об этом, — вмешалась Лили. — Я так и не узнала детали, но, честно говоря, и не хочу их знать.

— Позвольте мне сменить тему? — сказал Джеймс, повернувшись к Лили. — Эшборн, признавайся, где твои братья? И почему ты в этот вечер не с ними?

— Стараешься поскорее избавиться от меня? Ты ведь только что приехал. — Эшборн криво улыбнулся.

Энни строго взглянула на мужа.

— Правда, Медфорд, все братья Джордана приедут к нам утром. Мы проведем здесь ночь, а после завтрака вернемся в Эшборн-Хаус.

Джеймс кивнул.

— Что ж, во всяком случае, поздравьте их от меня.

— Ты так говоришь, как будто у Джордана, по меньшей мере, полдюжины братьев, а их всего трое.

Медфорд кивнул. Его всегда поражал тот факт, что у Эшборна такая большая семья. Почему три младших брата графа до сих пор не женаты? Двое помолвлены, и надо сказать, все трое были очень близки с Эшборном. До недавнего времени граф оставался холостяком, что позволяло его братьям носить фамильное имя. Пока не появилась Энни и не свела Эшборна с ума.

— Я рада, что вы приехали до обеда, Джеймс, — осторожно начала Лили, придвигая свой стул поближе к нему. — Я должна вам кое-что сказать.

Джеймс удивленно посмотрел на нее.

— Нет, нет, ничего страшного... Дело в том, что... — Она запнулась и, словно ища поддержки, переводила взгляд то на Девона, то на Энни.

— Договаривай, — бросил Девон. А Энни кивнула сестре.

— Да, — сказал Джеймс. — Договаривайте. — Он скрестил руки на груди и смотрел на нее сверху вниз.

— Дело в том, что... — Лили закусила губу. — Кейт здесь.

Глава 33

Джеймс с такой силой хлопнул ладонью по столу, что стол закачался. Энни испуганно заморгала.

На лице Джеймса застыла непроницаемая маска.

— Где она? — ровным голосом спросил он.

Лили спокойно положила руки на колени и посмотрела на него.

— Я хотела сказать вам, но сначала нам надо было...

— Где она? — На этот раз его голос прозвучал подобно грому.

Колтон, выпрямившись, озабоченно поднял голову.

— Медфорд! — В его тоне слышалось предупреждение.

— Я просто хочу поговорить с ней, — пояснил Джеймс, чеканя слова.

Энни закрыла книгу и сползла с софы.

— Она прилегла пару часов назад, но, думаю, сейчас она в музыкальном салоне.

Лили бросила на сестру осуждающий взгляд.

С благодарностью кивнув Энни, Джеймс встал и вышел из библиотеки.

Музыкальный салон располагался на первом этаже, в самом конце длинного коридора. Направляясь прямо туда, Джеймс с каждым шагом все больше понимал, он не знает, что скажет Кейт, когда увидит ее. Но Кейт была здесь. Кейт. Конечно, он придумает что-то правильное, когда окажется с нею с глазу на глаз.

Он остановился, не дойдя до двери нескольких шагов. Из комнаты доносились звуки «Лунной сонаты». Бетховен. Кейт снова играет. Она говорила, что это ее любимая вещь.

Сделав решительный вздох, Джеймс без стука отворил дверь. И вошел. В комнате царил полумрак, лишь пара свечей догорала в канделябре на крышке пианино, едва освещая комнату.

Кейт подняла голову, и ее прекрасные небесно-голубые глаза расширились и застыли, глядя на него.

— Джеймс.

Он шумно выдохнул. До сих пор он не верил, думал, что ее присутствие здесь обманчивый сон. Или какая-то злая шутка Лили, которую она решила сыграть с ним. Но нет, Кейт была здесь. Она сидела за пианино, напротив французских дверей, выходивших в сад, одетая в темно-красное шелковое платье. Увидев ее в этом платье, Джеймс сглотнул слюну. Да, невероятно! Словно сама мечта шагнула в жизнь. Он прищурился. Блики свечей играли на ее золотисто-рыжих волосах. О боже, как ему хотелось прикоснуться к ним.

— Кейт, — выдохнул он.

Она чуть-чуть качнула головой, и рыжий локон выбился из-за уха и упал ей на щеку.

— Лили и Энни сказали, что я здесь?

— Да. — Джеймс убрал руки в карманы и подошел к пианино. Кейт встала, отодвинула ногой стул. И шагнула к нему, медленно, очень медленно. Теперь их разделял один шаг, не больше. Он чувствовал запах ее духов. Аромат клубники. Его рот увлажнился.

— Джеймс... вы... ты сердишься?

Он сдвинул брови.

— Я? Сержусь? Но почему я должен сердиться?

— Потому что я здесь. Здесь твои друзья. А я не принадлежу к их числу. — Она отвела глаза. — Я чужая.

Он боролся с собой, стараясь удержать руки в карманах. Но, боже праведный, как он хотел сделать этот единственный шаг и заключить ее в свои объятья!

— Нет, Кейт. Ты ошибаешься, я не сержусь. Напротив, я рад, что ты здесь.

Ее ресницы вспорхнули, и она подняла на него глаза. За окном было совсем темно, свечи едва освещали двери, выходившие в сад. Крупные хлопья снега плавно опускались на землю.

— Ты рад?

— Я хотел навестить тебя, Кейт. Я хотел сказать тебе, что безмерно рад твоему освобождению.

— Прошу прощения, что вернула деньги, — опуская глаза, прошептала она. — Но я не могла их взять. После того... как твой дом был...

— Эти деньги принадлежат тебе.

— Мне не нужны деньги. — Закрыв глаза, она замотала головой. — Джсймс, можно мне задать тебе один вопрос?

— Зачем спрашивать, ты же знаешь, что можно.

— Почему ты до сих пор не опубликовал памфлет?

Он покачал головой.

— Давай не будем сейчас говорить о памфлете, Кейт, не до него сейчас.

Ее брови сошлись на переносице, Кейт вытянула руку, словно молила о чем-то.

— Но... почему? Я ждала, что сейчас, когда позорное клеймо с моего имени снято, памфлет будет пользоваться особой популярностью и прекрасно продаваться. И ты смог бы пустить эти деньги на ремонт дома, на оплату услуг Абернети и Хортона, и...

— Проклятье! Кейт, я делал это не из-за... Я никогда не думал о деньгах, — пророкотал Джеймс.

Кейт беспомощно вздохнула и уронила руку.

— Не понимаю, — прошептала она.

— Издательство для меня прежде всего кураж, — пояснил он, отойдя к дверям. — Необходимость. Мой отец всегда страшно опасался даже малейшего намека на скандал. Но сейчас... я больше не думаю об этом. Ты была права. Я должен использовать свой печатный станок для лучших целей. Рассказать настоящую правду о том, что происходит, рассказать о несправедливо осужденных, о бедных...

— Джеймс, — Кейт подняла руку, пытаясь остановить его, — только не надо делать это из-за меня.

Он открыл рот, чтобы ответить, но она жестом остановила его.

— Подожди, сначала я должна поблагодарить тебя. Если бы не ты, я никогда не имела бы такой защиты. Не смогла бы нанять Абернети. Не смогла бы иметь такого сыщика, как Хортон, который вел расследование с поразительной тщательностью. И не была бы сейчас свободна. Это все ты, Джеймс. — Кейт молчала, разглядывая свои туфли. — Я обязана тебе жизнью.

— Ты ничем мне не обязана, — решительно произнес он.

Она прошла мимо него, он потянулся, и его пальцы легко коснулись ее щеки.

— Ты не дал мне договорить. Я обязана тебе жизнью и не хочу, чтобы ты думал, что я неблагодарная... но я уезжаю. Я уезжаю на континент. Разгневанная толпа больше не будет преследовать меня, но моя репутация вконец испорчена. Общество меня никогда не примет. И мне с этим надо смириться. Я должна уехать, но всегда буду благодарна тебе. — Она развернулась к нему лицом и подняла подбородок.

Пальцы Джеймса проникли в ее волосы. С губ слетело едва слышное проклятье.

— Я все исправлю, Кейт. Я смогу восстановить твою репутацию.

Она резко повернулась к нему, локоны волной упали на одно плечо.

— Ты не сможешь, Джеймс. И знаешь это. Даже ты не сможешь это исправить.

Он стиснул зубы и заглянул ей в глаза.

— Что ты собираешься делать на континенте?

— У меня есть деньги. Мое наследство. Я могу начать новую жизнь.

— Деньги за памфлет тоже принадлежат тебе, Кейт. Ты должна взять их.

Она прикусила губу, и в ее глазах вспыхнул гнев обиды. О нет, она ждала от него совсем других слов. Не в силах справиться с собой, она толкнула французские двери и выбежала в сад. В темную, морозную, снежную ночь... Джеймс устремился за ней.

— Кейт, что ты делаешь?

Она резко повернулась к нему, ее огромные глаза горели голубым огнем. Крупные снежные хлопья парили в воздухе и опускались на ее алебастровые щеки. Раскинув руки в стороны, закинув голову, она вдруг закружилась, ее кроваво-красные юбки взметнулись вверх, облегая бедра. Она кружилась, жадно вдыхая холодный воздух. Дыхание вырывалась из ее груди короткими вздохами. Затем она сделала два глубоких вздоха, выдохнула и остановилась.

— Я чувствую, Джеймс. Чувствую этот воздух. Чувствую этот снег. Я уже не верила, что смогу почувствовать все это снова.

— Что ты думаешь делать на континенте?

Она замерла и долго смотрела на него.

— Мне не нужны твои деньги, Джеймс. Я не хочу и никогда не хотела их.

Джеймс удержался от того, чтобы приблизиться к ней. Вместо этого он сжал кулаки.

— Тогда скажи, чего ты хочешь, Кейт? Скажи хоть слово. У меня есть влиятельные друзья. У меня есть деньги. Мы заставим этот проклятый высший свет принять тебя.

Подойдя ближе, она указала пальцем ему в грудь. И он медленно отступил, зашагал назад, утопая по щиколотку в снегу, чувствуя, как холодная влага проникает сквозь брюки.

— Ты всегда стремишься все исправить, — сказала Кейт. — Чтобы все было правильно. Вот почему ты нанял для меня сыщика, вот почему ты делаешь это сейчас... Но моя репутация — это совсем другое. Даже при том, что с меня сняты обвинения, я замешана в грандиозном скандале, и мне от него никогда не отмыться. Даже если бы Джордж не был убит, всем известно, что я добивалась развода. Развод? О, боже, какой скандал! Ничего нельзя изменить. Господи, Джеймс, разве ты до сих пор не понял, что далеко не все можно исправить?

Джеймс закрыл глаза. Он ощущал собственную беспомощность. Беспомощность. Единственное, что он хотел исправить больше всего, это, стоя под снегом, глядя на ее красивое лицо, не знать, что он провалился. Безнадежно и бесповоротно провалился.

— Я могу исправить это, — процедил он сквозь стиснутые зубы. — Я опубликую все, что ты захочешь, использую печатный станок, чтобы спасти твою репутацию. Ты — герцогиня...

Она резко повернулась к нему, красное платье облепило лодыжки, вздымая снежные хлопья. Снежинки висели на ее неимоверно длинных ресницах, сверкая, подобно бриллиантам, в отсветах света, лившегося из окон дома.

— Нет! — вскричала она. — Ты до сих пор не понял? Я не хочу быть герцогиней!

Ногти Джеймса больно впились в ладони.

— Тогда скажи, чего ты хочешь, Кейт? Скажи мне. Я сделаю все. Клянусь тебе.

Она качала головой.

— Нет. Нет.

Он сделал всего два шага и обнял ее за плечи. Они стояли так близко, что он чувствовал ее теплое дыхание на своей шее.

— Скажи мне, — требовал он.

Ее била дрожь. Кейт подняла голову. Их взгляды встретились.

— Я хочу провести с тобой ночь.

Глава 34

Джеймс притянул ее к себе и грубо сжал в объятьях. Его рот жадно приник к ее холодным губам, и Кейт едва не задохнулась. Он отклонил ее голову, поддерживая своими теплыми, сильными ладонями, исследовал ее влажный рот жарким и жадным языком.

И Кейт отвечала со всей полнотой страсти и желания, которое ощущала к Джеймсу. Но вдруг, словно вспомнив что-то, оттолкнула его.

— Джеймс, я...

— Ш-ш-ш, — прошептал он около ее губ. — Позволь мне насладиться тобой. — Его губы касались ее скулы. Ее холодного виска. Он целовал ее лоб. А затем снова вернулся к ее губам, и Кейт забыла обо всем. О холоде, о снеге, о том, что их ждут в доме... она таяла, как таяли снежинке на ее щеке.

— Почему ты... не сказала мне... это раньше? — спросил он, на секунду оторвавшись от ее губ. Его пальцы перебирали ее волосы, а губы вновь завладели ее ртом, не позволяя ей уйти.

— Я не могла подвергать тебя опасности, — срывающимся голосом проговорила Кейт.

Он уперся лбом в ее лоб и обнял ее.

— Меня никогда не волновала опасность, если я и беспокоился, то только за тебя.

Она судорожно вобрала воздух.

— Это неправда, Джеймс. Не может быть правдой.

Джеймс снова поцеловал ее, и на этот раз она обняла его широкие плечи.

— Правда заключается в том, что сначала, когда я забрал тебя из Тауэра, я думал только о памфлете, но потом... Кейт, все, о чем я мог думать, это ты. Я знал, что ты не убивала Джорджа. Я знал это.

— Ты всегда верил мне?

— Нет, не всегда. Но когда я узнал тебя ближе... тебя настоящую... Я понял, что ты не могла это сделать.

И он снова приник к ее губам. Запрокинув голову, она приняла его поцелуй. Наслаждалась теплом его губ, его запахом, неповторимым ощущением его близости. Последняя перед освобождением неделя в Тауэре была особенно тяжелой. Лежа без сна на холодном матрасе, Кейт думала, увидит ли она Джеймса еще когда-нибудь? И вот теперь он здесь, рядом, целует ее. И она с еще большей страстью отвечала на его поцелуй.

— Я скучал по тебе, Кейт.

Она проглотила ком, вставший в горле. В глазах закипали слезы. Она едва сдерживалась, чтобы не разрыдаться. Она тоже скучала по Джеймсу, но, к сожалению, это не меняло тот факт, что она всегда была обузой для него. Или будет? Они не могут вернуться туда, откуда уехали, и жить в Мейфэре вместе. Даже если бы они поженились, то не смогли бы жить нормальной жизнью. Свет никогда не смирится с этим. И не примет их союз. И что будет, когда Джеймс опубликует памфлет? Это изменит ситуацию в лучшую или в худшую сторону? О, разве дело в этом? Само представление об их совместном будущем было нелепым, независимо от того, как сильно она мечтает об этом. Если она любит Джеймса, то не станет рисковать, вновь подвергая испытаниям его репутацию, она и так преуспела в этом.

— Джеймс, — произнесла Кейт, на секунду отрываясь от него, — мы... мы не можем.

Но он ответил ей страстным поцелуем.

— Что не можем, Кейт?

Она не могла подобрать нужные слова. Его рот нашел ее ухо, покусывал мочку, шею. Его губы спустились ниже к декольте, и он зарылся лицом в ложбинке ее груди.

— Кейт, ты такая сладкая. Такая сладкая, — шептал он, задыхаясь. Его большой палец нащупал через ткань платья холодный сосок, и ее сознание заволокло легкой дымкой. Властным движением ноги он заставил ее раздвинуть ноги и прижался к развилке ее бедер. Кейт сходила с ума от желания. О Господи, зачем она выбежала в сад? Почему не осталась в комнате, если бы они сидели на софе, то уже сейчас занялись бы любовью. Именно об этом Кейт мечтала долгие дни и ночи.

— Джеймс. — Его имя слетело с ее губ. — Не здесь.

— Подожди, позволь мне подольше целовать тебя. — Молил Джеймс, привлекая ее ближе и обнимая за талию. Он цловал ее, как в первый раз. Он целовал ее, как в последний раз. И Кейт не знала, что больше соответствует правде. Она запустила руки в его волосы. Удерживая его голову, наклоняя ее к себе и позволяя крохотным снежинкам вмешиваться в их поцелуй. Кейт слизывала снежинки с его бровей и дрожала, когда его язык сплетался с ее. Его нога по-прежнему была в развилке ее бедер. И она как настоящая шлюха, изнемогая от желания, ритмично двигала бедрами, прижимаясь к Джеймсу и наслаждаясь теми ощущениями, которые дарила эта близость.

— Кейт, — прошептал он, — я хочу тебя.

— Да, да, да, — ответила Кейт. — Я тоже хочу тебя.

Звук женского голоса заставил их вздрогнуть и разомкнуть объятья. Медленно открыв глаза, Кейт вернулась к действительности. И взглянула на освещенные окна дома. Джеймс тоже повернулся, с досады кусая губы.

Лили стояла в дверях и делала вид, что вышла поправить коврик на пороге.

— Я пришла сказать, что обед готов, — заявила Лили громко, но почему-то извиняющимся тоном. — Мы ждем вас... в гостиной через несколько минут.

Она повернулась и исчезла так быстро, что лишь звук каблучков напоминал о ее недавнем присутствии.

Джеймс взял Кейт за руку и повел в музыкальный салон. И осторожно притворил дверь, когда они вошли.

Стряхнув с себя снег, Кейт повернулась к нему.

— О боже, что обо мне подумает Лили? — Она сокрушенно покачала головой.

— Она не станет осуждать тебя, поверь мне... — сказал Джеймс, беря с софы плед и укутывая ее плечи. Усадив Кейт на софу, он опустился перед ней на колени, снял с нее туфли и чулки. Кейт почувствовала, что ее бьет дрожь, нет не от холода... А затем, взяв ее руки в свои теплые большие ладони, Джеймс стал тереть их и дышать на них, чтобы они согрелись.

— Ты должна подняться к себе и надеть другие туфли.

Кейт послушно кивнула.

Она приняла его заботу с милой улыбкой, надеясь, что они не закончат на этом.

— Откуда ты знаешь, — начала она, потирая ладони и дыша на них, — что Лили не осудит меня?

Джеймс хитро улыбнулся.

— У них с Колтоном было еще не то, уверяю тебя.

Глаза Кейт расширились.

Джеймс нежно обнял ее за плечи.

— Послушай меня, Кейт, мы должны поговорить. После обеда.

— Тогда приходи в мою комнату? — вырвалось у нее. И сердце ее бешено заколотилось. Если он придет, то тогда... О, она даже не смеет думать об этом. Это будет так прекрасно и... это будет новый скандал. Но если они будут осторожны, никто ничего не узнает, верно?

Сняв плед с ее плеч, Джеймс бросил его на софу. Он встал и протянул ей руку.

— Да, Кейт, я приду к тебе ночью.

Глава 35

Где-то после полуночи Кейт услышала легкий стук в дверь. Сердце подкатило к горлу. Рождественский обед в кругу ее новых друзей прошел замечательно, хотя она старалась не встречаться глазами с Лили, предоставив это Джеймсу. Все были в отличном настроении, много смеялись, шутили и чудесно провели время. Но Кейт не могла думать ни о чем другом, кроме предстоящей ночи и встрече с Джеймсом. Несмотря на то, что еда была превосходная, Кейт едва прикоснулась к ней. Обед насчитывал семь блюд: мясо, утка, заливное, выпечка, пудинги и всевозможные десерты. А также соусы и гарниры. Поистине королевская еда для гурманов и хорошей компании. Но когда Кейт ловила на себе взгляд Джеймса, все ее нутро дрожало и кусок не лез в горло. Пришлось извиниться перед хозяйкой за отсутствие аппетита, за то, что она не отдает должного блюдам, которые ей подносили постоянно.

Если Лили и думала о странном отсутствии аппетита у Кейт, то вида не подала. После того как она стала невольным свидетелем страстной сцены между Кейт и Джеймсом, Кейт поняла бы Лили, если бы та закрыла перед ней двери своего дома. Очевидно, Лили не была поражена тем, что увидела. Но Кейт не оставляла мысль, что подумала бы о ней маркиза, если бы знала о том, что должно произойти сегодня ночью? Кейт закусила губу. Не оскорбит ли это чувства ее новой подруги?

Что ж... Недели назад Кейт решила, что хочет жить, а то, что случится сегодня ночью, и называется жизнью. Хотя, вполне возможно, Джеймс просто хочет поговорить с ней? И он не станет целовать и обнимать ее и прикасаться так, как это было в заснеженном саду... но она отчаянно хотела обратного. Конечно, она понимала, что у них нет общего будущего. Это поставило бы Джеймса в слишком трудное положение. Ну и пусть! Одна-единственная ночь с ним, и это будет волшебно, и она будет вспоминать об этом долгие одинокие ночи на континенте.

Стук повторился снова, и, пройдя через комнату, Кейт на секунду задержалась перед зеркалом. Легкий пеньюар так сильно просвечивал, что скорее подчеркивал, чем прикрывал ее. Она обнаружила это только сейчас, бросив взгляд в зеркало. И улыбнулась про себя. Вынув одну за другой все шпильки, Кейт распустила волосы и тряхнула головой. Золотая волна, упав на плечи, стекла вниз, на спину, подобно сверкающему пламени. Джеймсу понравится. Ему очень понравится. Кейт поспешила к двери и, глубоко вздохнув, открыла ее с улыбкой на устах.

Джеймс стоял, опираясь плечом о стену. Он был без галстука, но все еще в черном вечернем костюме. Строгий черный сюртук, белоснежная рубашка, брюки из тончайшего сукна. Одна рука убрана в карман, а темные волосы, как всегда, уложены волосок к волоску.

Шире открыв дверь, она отошла в сторону.

— Входи, Джеймс.

Расправив плечи, он прошел мимо нее в комнату.

Обернувшись, остановил на ней взгляд и только сейчас заметил, как она одета.

— Кейт.

Она закрыла за ним дверь. Кейт уже спланировала все, что будет делать дальше. И медленно пошла к постели. Присев на край, подняла на него глаза.

— Кейт? — Он сглотнул слюну.

— Да, — кивнула Кейт, глядя на него сквозь завесу ресниц.

— Кейт, что ты... делаешь?

— Мне кажется, ты хотел поговорить, Джеймс?

Он подошел к ней и, протянув руку, осторожно прикоснулся к ее щеке. Наклонив голову, Кейт закрыла глаза и потерлась щекой о его ладонь.

— Да... я хотел, — в некотором замешательстве проговорил он, — но ты хочешь разговаривать... здесь? — Он указал на постель.

— А почему нет? — с невинным видом спросила Кейт. Она была так беззащитна. Так беззащитна. И предлагала себя ему. Джеймсу стоило только протянуть руку и... взять ее.

Его глаза потемнели. Он наклонился и коснулся губами ее рта.

— Ты уверена?

— Да, — повторила Кейт.

И тогда Джеймс поцеловал ее. Приник губами к ее губам, так сладко, так нежно. И Кейт понимала в этот момент, что он дает ей это мгновение, чтобы она могла отказаться и сказать «нет». Но если она не сделает этого, если она ответит на его поцелуй со всей полнотой страсти, которую ощущала к нему, то тогда они не остановятся, и случится то, что должно случиться. А дальше? Дальше, возможно, ничего подобного не будет. Но Кейт была готова смириться с этим.

Она уже приняла решение. Встав на колени, она потянулась к Джеймсу и обняла его за шею. Ее губы скользнули к его уху.

— Я должна сказать тебе кое-что.

— Что? — проговорил он сквозь стиснутые зубы.

Она могла бы сказать, что он боролся с собой, решив не прикасаться к ней, пока они не обсудят то, что может произойти между ними этой ночью.

— Нет, кажется, я не способна разговаривать.

И тогда он накрыл своим ртом ее губы. Его чувственные губы сложились в улыбку.

— И я тоже.

Он уперся руками в ее бедра и начал медленно склонять ее на постель, ниже, ниже, пока Кейт не легла на спину. Опираясь на локти, он навис над ней и, опустив голову, поцеловал ее в губы. Оторвавшись от губ, он долго смотрел на нее, не прикасаясь. Его взгляд прошелся по ее телу от кончиков пальцев до макушки.

— Кейт, ты похожа на... мечту, — прошептал Джеймс.

Обняв его за шею, она постаралась притянуть его к себе, но он не позволил. Тогда она удивленно подняла брови.

— Не спеши, — сказал он и улыбнулся такой обворожительной улыбкой, что Кейт пробила дрожь.

— Гмм... — промурлыкала Кейт. — Джеймс?

— Да? — И он снова поцеловал ее. Их языки переплелись, дыхание смешалось.

— На этот раз ты позволишь мне раздеть тебя? — спросила она и почувствовала, что он дрожит.

— Да, дорогая, — проговорил он чужим, хриплым голосом.

— О, хорошо. — Она улыбнулась, касаясь его щеки.

Джеймс быстро отстранился от нее, присел на край кровати и снял ботинки. Затем лег на спину рядом с ней и закинул руки за голову.

— Я в твоих руках, Кейт.

— Прекрасно, — с довольной улыбкой отвечала она.

Приподнявшись на постели, Кейт села, разведя колени в стороны, так, что его бедра оказались между ее ног. И внимательно следила за выражением его лица. Его глаза потемнели и расширились. Он явно старался не выдавать своего волнения. Она видела это. Возбуждение и страх отозвались дрожью во всем ее теле. Они действительно намерены сделать это, они оба. Она так долго ждала, так мечтала об этом моменте. Она не станет торопиться. Она должна запомнить это навсегда.

Кейт потянулась и пробежала кончиками пальцев по его мускулистой груди. Его рубашка была расстегнута у ворота, приоткрывая темные волосы на груди. Веки Джеймса опустились, и он вздохнул, она запустила руку в вырез его рубашки и провела ею от шеи до талии. Его мускулы напряглись под ее рукой, и единственное, чего она хотела, сорвать эту ненавистную рубашку и швырнуть ее на пол.

— Джеймс?

— Да, дорогая? — Его голос был хриплый и напряженный.

— Что ты чувствуешь, когда я... прикасаюсь к тебе?

— Это похоже... — Джеймс закрыл глаза. — На пытку.

Кейт вытащила рубашку из бриджей, и Джеймс приподнялся, помогая ей. Стянул рубашку через голову, Кейт взяла ее и бросила на пол. Затем вернулась на свое место, наслаждаясь видом его обнаженной груди. Это был торс атлета, подтянутый и мускулистый. Кейт вспомнила, когда они ездили на ферму, лорд Колтон и лорд Эшборн упоминали, что любят бокс, но Джеймс не сказал ни слова о своем любимом виде спорта.

— Как тебе удается поддерживать такую блестящую форму? — спросила она после некоторого колебания. — Бокс?

— Нет. Я предпочитаю фехтование и верховую езду. Ежедневно занимаюсь в клубе и езжу верхом в парке.

Она прикусила губу.

— Не представляла, что ты... — Кейт коснулась шести рельефных кубиков на его животе, — так отлично сложен.

— Если тебе нравится, можешь смотреть, сколько хочешь и... где хочешь. — Он закрыл глаза, его губы сложились в довольную улыбку.

Кейт тихонько засмеялась. О, именно это она и намерена сделать. Странно, но она никогда не видела своего бывшего мужа полностью обнаженным. Нет, разумеется, это было в постели, но она никогда... не смотрела. Она всегда была так напугана и робка, и все происходило очень быстро. Никаких ласк и прелюдий. На этот раз с Джеймсом она намерена увидеть все и, возможно, узнать что-то новое, чего еще не знала.

В камине потрескивали дрова, отблески пламени играли на бархатистой коже Джеймса. Кейт обняла его сильные плечи и глубоко вздохнула. Темная дорожка волос на груди спускалась ниже и исчезала под поясом брюк. И Кейт до безумия хотелось увидеть, что же там... дальше? Закрыв глаза, она вдыхала дурманящий мужской запах. Джеймс. Он был великолепен, красив, само совершенство, словно его голова, его торс, весь он высечен из камня. Возможно, Джеймс не был таким прописным красавцем, как лорд Эшборн или лорд Колтон, но, бесспорно, обладал мужественной красотой, был скромен, искренен, надежен, и оставалось только удивляться, почему дамы останавливали свой взгляд на каком-то другом джентльмене, когда рядом был он? Но в непонимании других леди крылась ее победа. И Кейт намеривалась воспользоваться этим преимуществом... в полной мере.

Пройдясь пальцами по его животу, она добралась до застежки бриджей. Джеймс зажмурился и застонал.

— Полегче, дорогая, — шепнул он не без юмора в голосе.

— О, я собираюсь отплатить тебе за те мучения, которым ты подверг меня в прошлый раз, когда мы были одни.

Его рот приоткрылся, открывая белоснежные зубы, Джеймс закусил нижнюю губу, и Кейт омыл поток вожделения, увлажняя пространство между ногами. О боже, она хотела сорвать с Джеймса эти проклятые бриджи, уложить его на себя и умолять взять ее. Вместо этого она положила руку на его плоский живот и позволила своим пальцам медленно спуститься ниже.

Джеймс задрожал. Ее пальцы ловко справились с застежкой, вскоре все пуговицы были расстегнуты. Через ткань брюк Кейт чувствовала его большой, твердый жезл, жаждущий и готовый войти в нее. Она пробежала по всей его длине кончиками пальцев. Неудивительно. Джеймс и в этом превосходил Джорджа. Честно говоря, она никогда не прикасалась там к бывшему мужу, но размер Джеймса ставил ее бывшего мужа в невыгодное положение. Это она поняла сразу.

Ее ладонь двигалась вверх и вниз, вверх и вниз... и из уст Джеймса вылетали короткие низкие стоны. Когда все пуговицы были расстегнуты, Кейт запустила руку в его брюки и, наконец, смогла взять его мощный жезл в ладонь.

— Кейт, Кейт... — Стоны Джеймса стали громче.

Кейт сжала его. Она ласкала его. А затем наклонилась и медленно, о, как медленно... поцеловала его. Там. Он задрожал. Его бедра инстинктивно дернулись вверх.

— Проклятье, Кейт, — стонал он. Его пальцы запутались в ее длинных волосах. Они поменялись местами. Теперь она оказалась под ним, он приподнял бедра, и она окончательно справилась с его бриджами. Они тоже полетели на пол. – Кейт... – шептал Джеймс, – я хочу видеть тебя, чувствовать тебя.

– Да, – это все, что она сказала в ответ.

Сняв с нее пеньюар, Джеймс скатал его в бесформенный воздушный шар и одной рукой отбросил на пол. Склонившись над ней, он смотрел на нереально красивое тело Кейт. Она словно сошла с картины какого-то великого мастера. Алебастровая, без единого изъяна кожа, полные груди с нежными розовыми сосками, удивительно тонкая талия и округлые бедра. А волосы? А глаза? Не женщина, а богиня!

– Ты само совершенство, Кейт! Я схожу с ума от твоей красоты.

Она улыбнулась и встретилась с ним глазами.

– Я собиралась сказать тебе то же самое.

Его рука чуть-чуть дрожала. Аккуратный треугольник светло-рыжих волос в развилке ее бедер сводил его с ума. Прежде чем поцеловать Кейт там, Джеймс наклонился и вдохнул ее женский запах.

Кейт ахнула. Ее бедра задрожали под ним, и она послушно развела ноги, приглашая его.

– Джеймс, я хочу тебя, – выдохнула она.

– Я тоже, моя богиня. Я тоже хочу тебя, – прошептал Джеймс, прежде чем обнять ее и поцеловать в губы. Затем он коснулся губами ее груди. Ласкал то одну, то другую грудь языком. Вобрав один сосок в рот, посасывал его, лизал языком, покусывал зубами, лаская сосок другой груди пальцами, сжимая его, потягивая... И Кейт извивалась под ним, прижимая к своей груди его темноволосую голову.

Затем рука Джеймса двинулась ниже. Поглаживая живот, он скользнул к развилке ее бедер, и его пальцы проникли в святая святых. Кейт задрожала. О, этого было достаточно. Она была мокрая и готовая принять его. Его палец, один палец проник внутрь нее и начал ритмично двигаться. Вперед и назад, вперед и назад... Кейт стонала, ее голова беспомощно металась по подушке из стороны в сторону. Один палец продолжал свое движение внутри ее лона, а другой лег на твердый лепесток между складочками плоти и начал ласкать его неторопливыми круговыми движениями. Ухватив Джеймса за руку, Кейт, задыхаясь, умоляла его не останавливаться.

— Еще, еще... — шептали ее пересохшие губы.

И только доведя ее до завершения, он убрал руку.

— Нет, — тихо запротестовала Кейт. Он улыбнулся, касаясь влажными губами ее шеи.

— Так лучше, доверься мне, — заверил он, целуя ее шею.

Она готова была разрыдаться, но послушно кивнула.

— Я верю. Но и я хочу, сделать это... тебе.

Он открыл рот, чтобы ответить. Но в этот момент она сменила позу и, оказавшись над ним, стала спускаться все ниже, и ниже, и ниже... Ее красивый розовый рот был так близко от его твердого пульсирующего жезла, что Джеймс на миг перестал дышать. Время остановилось. Высунув розовый язык, она лизнула кончик, и Джеймс застонал и закатил глаза.

— О, Кейт! Господи...

— Ш-ш-ш, — прошептала она, подвергая его той же пытке, которую испытала сама. — Доверься мне.

Из глубин его горла вырвался глухой стон, но Джеймс позволил Кейт делать все, что она захочет. Ее руки крепко держали его бедра, а ее влажный горячий рот вобрал в себя его жезл.

— О Господи!

Ее губы дрогнули в улыбке, прежде чем продолжить начатое в таком сумасшедшем ритме, что у него было одно желание — освободиться. О, она была так хороша в этом. Слишком хороша. Делала это слишком умело и слишком быстро. И это таило определенную опасность. Он мог не сдержаться и излить свое семя в этот розовый рот. О Господи, так и будет, если он позволит ей продолжить в том же духе.

Нет, он должен контролировать ситуацию. И ему необходимо сделать это немедленно. Иначе... Он не может ждать ни секунды, он должен взять ее.

Джеймс подтянул ее вверх. Страстно целуя влажный рот, перевернул ее на спину и лег сверху. И, разведя коленом ее ноги, устроился между ними.

— Кейт, — сказал он, касаясь лбом ее лба так, чтобы она смотрела ему в глаза. — Повтори еще раз, что ты хочешь меня.

— О, Джеймс. Я страшно хочу тебя. Я хочу тебя. Я хочу тебя. Я хочу те....

Он вошел в нее, такой горячий, такой сильный, такой твердый. Кейт не договорила, ее слова превратились в продолжительный стон. И затем он начал двигаться внутри ее. Владея ею. Наполняя ее. Присваивая. Осыпая легкими поцелуями лицо, шею, шепча ей на ухо слова страсти и желания. И делая ее своей одним-единственным способом.

Кейт никогда не испытывала подобного блаженства. Ощущая Джеймса внутри себя, чувствуя, как он наполняет ее, целует, как его горячая грудь трется о ее нежные груди... О, это эротическое трение лишь разжигало желание. Кейт не могла и не хотела остановить его. Но и этого ему было мало, продолжая двигаться внутри нее, стремясь доставить ей еще большее наслаждение, он позволил своей руке проникнуть в ее лоно, нашел чувствительный лепесток между ее ногами и ласкал его снова и снова безумными, нескончаемыми движениями. Джеймс не останавливался. Кейт издавала какие-то бессвязные звуки, ее голова беспокойно металась по подушке, она просила, умоляла, заклинала его не останавливаться...

— Не бойся, я не думаю останавливаться, Кейт, — шептал он. — Иди ко мне, милая.

Его палец двигался вверх и вниз вдоль ее влажной расщелины, ее бедра подчинялись его ритму. Их окутала чувственность. Ощущая приближение экстаза, Кейт прогнулась в спине, сжала бедра и... конвульсии сотрясали ее тело, весь мир рассыпался на тысячи сверкающих кусочков, и она закричала, вцепившись руками в его сильные плечи.

— О Господи, Кейт, — пробормотал он, прежде чем снова войти в нее и ударить... Снова. Снова. Снова, дабы освободить себя, излив в нее всю свою страсть.

Кейт медленно приходила в себя, освобождаясь от эйфории, которая затуманила мозг. Избавив Кейт от тяжести своего тела, Джеймс сел, пробегая пальцами по ее голове, целуя ее нос, и заправляя выбившиеся прядки за ухо.

— Ты красивая, — шептал он.

— Ты тоже, — отвечала она.

Он поднял брови.

— Что? — спросил он.

— Ты не веришь мне?

— С трудом.

Она натянула одеяло и искоса посмотрела на него.

— Ты знаешь, о чем я подумала, когда впервые увидела тебя?

Простыня закрывала его до талии, он смотрел на Кейт с улыбкой удивления на лице.

— В Тауэре?

Кейт кивнула, и один рыжий локон упал ей на щеку, делая ее совершенно неотразимой.

— Да.

— О чем? — спросил Джеймс уже не из простого любопытства.

— Я подумала, что ты самый красивый мужчина, которого мне когда-либо доводилось встречать.

— Глупости, Кейт, тебя просто привлекало мое тщеславие, — усмехнулся он.

Она приподнялась, опираясь на локоть, и посмотрела на него.

— Нет, Джеймс, я серьезно. Ты не представляешь, какой виноватой я себя чувствовала. Я понимала, что подобные мысли совершенно абсурдны, когда ты сидишь в тюрьме за убийство, и когда твой муж только-только отправился в мир иной, но ничего не могла с собой поделать. — Она закусила губу.

Джеймс погладил ее щеку тыльной стороной ладони.

— Если ты испытывала чувство вины, то я чувствовал себя так, как будто меня поразил удар молнии за непристойные мысли, которые возникали в моей голове по поводу тебя.

Ее глаза стали огромными как две голубые луны, и Кейт рассмеялась.

— Джеймс, так тебя поразила молния?

— О, да. Именно так, я был сражен.

Она, шутя, ударила его по щеке.

— У тебя были греховные мысли по поводу меня даже тогда, когда ты не был уверен в моей невиновности?

Он пожал плечами.

— Я тоже ничего не мог поделать с собой. Кроме того, я уже тогда сомневался в том, что ты могла совершить это преступление.

— И привез меня в свой дом?

— Я привез тебя, потому что чувствовал ответственность. Я хотел обеспечить твою безопасность. И поклялся, что не прикоснусь к тебе.

— Правда? Ты клялся?

— Каждый божий день.

— И не смог? — Кейт тихонько рассмеялась, качая головой. — Не прикасаться ко мне?

Он смутился.

— Виноват, как видишь.

— Все хорошо, Джеймс. Я тоже не могла не прикасаться к тебе.

— Я старался. — Он потянулся и намотал на палец ее локон.

— Я не могла.

Джеймс обнял ее и легко поцеловал в губы. Прошло несколько минут, прежде чем он оторвался от нее.

— Сейчас, — начал он, постучав кончиком пальца по ее носу, — когда мы сотворили нечто скандальное, нам надо поговорить, миледи. — Кейт свернулась у него под боком, положив голову ему на плечо и обнимая его одной рукой за талию.

— Ох, Джеймс, не сейчас. Мы можем поговорить завтра? Сейчас я так хочу уснуть в твоих объятьях.

Он обнял ее крепче.

— С Рождеством, Кейт! — прошептал он, уткнувшись в ее душистые локоны.

— С Рождеством, Джеймс!

Кейт хихикнула.

— Что смешного?

— Ты знаешь, о каком рождественском подарке я мечтаю? — спросила она с загадочной улыбкой.

— О каком?

— Сделать это еще разок.

— Что ж, миледи, это несложно устроить.

Когда Кейт проснулась, в комнате было еще темно. Шторы были задвинуты, значит, горничная еще не заходила. Слава богу. Кейт присела на постели, опершись спиной о подушки, и посмотрела на Джеймса. Ровные брови, гладкий лоб, прямая линия носа, скульптурные очертания губ. Ничего не скажешь, очень красивый мужчина. Красивый и благородный и, наверное, будет хорошим мужем. Он был совершенен во всем, так почему нет? Но что Кейт нравилось сейчас больше всего, так это его волосы. Никогда прежде она не видела, чтобы они были так растрепаны. Его прическа всегда была безупречна — волосок к волоску, а сейчас... очевидно, даже Джеймс не может быть совершенен каждую минуту, с улыбкой подумала она про себя и тут же мысленно возразила. В эту ночь он опроверг это суждение. Это было именно так. Он был совершенен каждую минуту. Разве можно забыть то, что он делал с ней? Нет, она не скоро забудет это, а вернее, не забудет никогда. Она задрожала при одном воспоминании. Возможно, что-то было непристойно. Возможно, что-то недопустимо. Но все вместе не подчинялось никаким ограничениям и было... незабываемо. Она тихонько хихикнула про себя. Боже милостивый! Когда она в последний раз хихикала?

О, Джеймс пробудил в ней бурю эмоций. Она вглядывалась в его красивое лицо. И один из них... Она тихо вздохнула. Да, она любит его. О Господи, она любит его. И поэтому не может позволить, чтобы его жизнь была погублена.

Джеймс потянулся во сне и приоткрыл один глаз.

— Доброе утро! — улыбнулся он. И бабочки у нее в животе проснулись.

— Доброе утро.

Джеймс сел, обнял ее и приник к губам долгим поцелуем. И Кейт снова возбудилась от одного прикосновения. Джеймс осыпал поцелуями ее шею, ухо, плечи, а затем прошептал:

— Мы поженимся, как только я получу необходимые документы.

Сердце Кейт остановилось. Она приподнялась, опираясь на локоть и прикрывая простыней обнаженную грудь.

— Что?

— Сначала мне необходимо уладить кое-какие формальности, но это не займет много времени, один-два дня, не больше. Завтра же, как рассветет, еду в Лондон.

— Нет.

Джеймс повернулся. Нахмурился.

— Нет? — не понял он. — Почему? Потому что тебе все еще положено быть в трауре?

— В трауре? — Кейт покачала головой. — Нет. Я уже дала причину для одного скандала, может ли меня испугать другой? Мы не можем пожениться, Джеймс.

На этот раз он сел. Выражение его лица не сулило ничего хорошего.

— Постой, постой, мы провели ночь вместе, я полагаю, это означает...

— Я тоже хочу этого, Джеймс. Правда, очень хочу. Но что люди хотят и что получают — это две большие разницы. Разве ты не знаешь?

Схватив Кейт за плечи, он заставил ее открыть глаза и посмотреть на него.

— Кейт, так не должно быть.

Отодвинувшись от него, она завернулась в простыню и села на край кровати, спустив босые ноги.

— Джеймс, я изгой. Общество, то общество, к которому принадлежишь ты, никогда не примет меня. Я не могу быть твоей женой. Ты должен понять это.

— Общество? — Он фыркнул. — Мне наплевать на весь этот высокомерный сброд. Мы поженимся, как только я оформлю необходимые документы.

Кейт не ответила. Она наклонила голову, и волосы упали, закрывая ее лицо. И хорошо, Кейт не хотела, чтобы он видел ее боль. О, боже милостивый, она отчаянно хотела поверить ему! И, несмотря на все запреты и доводы, в ее голове зрела мечта. И радовала. Придавала силы. Но может ли это быть в реальности? Может ли она быть с ним? Могут ли они открыто любить друг друга?

Глава 36

В ранний утренний час, когда весь дом мирно спал, Джеймс осторожно приоткрыл дверь в коридор и вышел из комнаты. После его ухода Кейт лежала в постели, закрыв глаза и вспоминая те невероятно сладостные вещи, которые он творил с ее телом ночью. И даже позволила себе чуть-чуть... помечтать.

Мечты, которые посещали ее, пока она сидела в Тауэре, отличались от того, о чем она мечтала сейчас. Она и Джеймс поженились. Она и Джеймс теперь живут вместе. Она и Джеймс... у них есть дети. Она втянула воздух. Она даже не могла представить такого счастья. Не смела мечтать об этом. Последнее, что она сказала ему, было обещание подумать и дать ответ сегодня же, только попозже. Она понимала, Джеймс думает, что победил. Он думает, что их женитьба — естественное решение. О, как было бы чудесно, если бы и она была в этом столь же уверена. Джеймс может сколько угодно говорить, что его не волнует ее испорченная репутация, не волнует и то, что общество не примет их, но думает ли он так на самом деле?

Он может думать так сейчас, когда их отношения полны новизны и счастья. Но Кейт уже видела, как быстро чувства претерпевают изменения. Она и Джордж были тоже счастливы поначалу... во всяком случае, ей так казалось. А потом в один прекрасный день все изменилось. Нет, она не вынесет, если подобное случится с ней и Джеймсом. Женитьба и так непростое дело, даже без огромных проблем на старте. Они могут не выдержать того давления, которое, безусловно, будет оказано на них из-за ее испорченной репутации. Джеймс, точно так же, как и Джордж, станет тяготиться ею. Просто по другой причине.

Осторожный стук в дверь прервал ход ее мыслей. Кейт заморгала и, быстро подвинувшись к краю постели, села. Джеймс? Опять? Она до подбородка натянула покрывало.

— Войдите!

Дверь со скрипом приоткрылась, и показалась темноволосая голова Лили.

— Доброе утро, Кейт, — просияла Лили. — Можно войти?

— Конечно, — приветливо отозвалась Кейт. И прикусила губу. Интересно, что бы подумала Лили, если бы знала о ее ночных проделках? Она не могла даже представить это. Кейт отвела глаза, чувствуя, как жар заливает щеки.

— Счастливого Рождества! — сказала Лили, усаживаясь на край кровати.

Кейт не могла не улыбнуться в ответ. Когда в последний раз она была так счастлива в рождественское утро?

— Счастливого Рождества, Лили! И еще раз спасибо за то, что пригласили меня.

— Надеюсь, я не разбудила вас? Я просто хотела зайти, проверить, как вы, дорогая? Джентльмены решили покататься на лошадях и уехали на все утро. И взяли с собой Джастина. А мы с Энни собираемся завтракать и хотели бы, чтобы вы составили нам компанию.

Кейт кивнула и потянулась.

— Конечно, я с удовольствием.

— Отлично. — Лили встала и подошла к окну. — О боже, сколько снега! Он шел всю ночь.

Кейт повернулась к окну, но, разумеется, не могла удостовериться в правильности слов Лили.

— Правда?

— Да, настоящее Рождество.

Кейт снова потянулась и зевнула. Да, настоящее Рождество, всем сердцем согласилась она.

— Я буду готова через несколько минут.

— Я пришлю горничную, — кивнула Лили, — помочь вам одеться.

Она направилась к двери и открыла ее, но вдруг передумала и повернулась.

— Кейт, я еще раз хочу сказать, что бы вы ни решили предпринять после рождественских праздников, Девон и я готовы поддержать вас во всем. Вы можете остаться здесь или поехать в Лондон, все, что хотите.

— Спасибо, Лили, — отозвалась Кейт. — Вы очень добры. Пока я не приняла окончательного решения. Но я благодарна вам за ваше дружеское участие.

— Медфорд тоже готов помочь вам, вы знаете?

Кейт опустила глаза на свои руки. Задумавшись, провела пальцем по узору на покрывале.

— Да. Я знаю.

Притворив дверь, Лили быстро вернулась к кровати и снова присела на край.

— Вам следует хорошо подумать, прежде чем дать Джеймсу шанс. Он такой щедрый и благородный. И я думаю, готов позаботиться о вас.

— Да, это так. А все, что я сделала, — она сокрушенно вздохнула, — разрушила его репутацию. Никогда не прощу себе этого. Не перестаю думать, что для него будет лучше, если я уеду на континент.

— Разрушили репутацию? — Лили задумчиво вытянула губы и покачала головой. — Нет. Возможно, чуть-чуть подпортили. Но не беспокойтесь об этом. Джеймс сам в состоянии позаботиться о себе. Он может быть неотразимым, когда нужно. Ни на минуту не сомневаюсь, что еще до начала весны он вернется в самые избранные круги общества. — Лили сделала паузу, потом продолжила: — Не думаю, что Джеймс хочет, чтобы вы уехали на континент.

— Вы говорили с ним? — Кейт вскинула голову. — Сегодня?

— Нет. — Лили отрицательно покачала головой.

Кейт облегченно выдохнула. В какой-то момент она подумала, что Джеймс рассказал Лили о том, что сделал ей предложение, хотя, скорей всего, упомянул об этом не впрямую.

— Мне будет больно наблюдать, что станется с Джеймсом, репутацию которого я разрушила собственными руками.

— Репутация, безусловно, важна для него, — заметила Лили. — Но это не самое главное.

Кейт сдвинула брови.

— А что самое главное?

— Я говорила вам раньше, что Джеймса одолевает постоянное стремление все исправить. — Быстро сжав ее руку, Лили встала и направилась к двери. Пожав плечами, беспомощно развела руки. — Из-за этого он даже когда-то пытался жениться на мне. Бедняга! Подумать только, мы могли бы сделать друг друга несчастными на всю жизнь. Но он такой. Он знал, что мне больше некуда идти, поэтому сделал предложение.

Кейт замерла. Ее бросало то в жар, то в холод. Она с такой силой вцепилась в покрывало, что побелели костяшки пальцев.

— Джеймс... делал вам предложение?

— Да. — Уголки алых губ Лили приподнялись в улыбке. — Несколько месяцев назад, и сделал это только из чувства долга. Долг. Он такой преданный друг.

Все нутро Кейт завязалось в тугой узел. Долг. Конечно. Как она могла забыть об этом? Джеймс сам забылся этой ночью и занимался с ней любовью, но потом... потом он сделал предложение из чувства долга. Не из-за любви. Любовь тут ни при чем. Как же Кейт могла забыть, ведь Джеймс ни разу не произнес этого слова! Нет. Он просто хотел все исправить. Как обычно.

Она прижала руку к животу, чувствуя, что ее вот-вот вырвет. Лили, не подозревая об этом, только что спасла ее от повторения роковой ошибки, то есть от нового замужества. Кейт когда-то сказала себе, что замужество не имеет ничего общего с мечтой. И сейчас еще раз убедилась в этом. Какая чудовищная ложь могла бы получиться!

Кейт глубоко и продолжительно вздохнула. Она должна уехать. Все решилось само собой. Она должна уехать и немедленно.

— Лили, — позвала она, когда та была уже у двери.

— Да? — Лили повернулась.

— Я думаю, что приняла решение.

Глава 37

Джеймс ворвался в маленькую гостиную, где сидели за чаем Лили и Девон. Энни и Джордан уже покинули Колтон-Хаус, уехав на встречу с братьями Эшборна.

Джастин, устроившись на полу в углу комнаты, разбирался с подарками, которые получил в это рождественское утро. Все три собаки спокойно следили за происходящим в комнате.

— Где она? — Джон бросил на стол записку Кейт, которую она оставила ему, она писала, что не может принять его предложение и собирается как можно скорее покинуть Англию и уехать на континент.

Лили вздрогнула от неожиданности и уронила на блюдце кусочек бисквита, который только что поднесла к губам. И обменялась взглядами с мужем.

— Кто? — спросил Девон, отрывая взгляд от чашки.

— Кейт. Она уехала сегодня утром.

— Уехала? — Брови Девона поползли вверх, и он бросил на жену подозрительный взгляд.

Джеймс, скрипнув зубами, угрожающе сжал кулаки.

— Проклятье, Колтон. Я разнесу этот дом, если вы не скажете мне, где она.

Колтон спокойно поставил чашку на стол и положил руки на колени. Сдвинув брови, он взглянул на Джеймса.

— Прежде всего, не забывай, что здесь ребенок. — Он кивнул на Джастина, мальчик повернулся и с любопытством наблюдал за взрослыми. Его темные глаза стали такими же большими, как у собак. — И второе, Медфорд, я не знаю, где она. И не хочу, чтобы ты повышал голос на мою жену, которая, скорей всего, знает и может ответить на твой вопрос.

Лили сосредоточенно разглаживала ладонью невидимую складочку на юбке.

— Да, Джеймс, я знаю, но сказать не могу. И Энни тоже, — проговорила она с выражением нежелания на лице и ноткой вины в голосе. — Так что, прошу прощения, Медфорд.

— Ну вот, ты получил ответ. — Колтон развел руками. — Кейт просила не выдавать ее секрет, а Лили и Энни уважают ее просьбу.

Джеймс рванулся к Колтону, Лили вскочила и прижала руку к груди. Джеймс побледнел, стиснул зубы и отступил.

Все трое смотрели друг на друга. Джеймс тяжело дышал, глядя на Колтона, его глаза метали громы и молнии. Джастин поднял темные бровки и, опустив голову, сосредоточился на игрушках.

Джеймс резко отвернулся от Колтона, пригладил волосы рукой и одернул сюртук.

— Прекрасно, — прошипел Джеймс. — Я сам найду ее. — Круто развернувшись, он быстрым шагом вышел из комнаты.

Лили и Девон смотрели ему вслед, качая головами.

— Бедняга Медфорд, — вздохнула Лили.

— Что за дьявол вселился в этого парня? — удивился Колтон.

— Поверить не могу, что это наш Джеймс, — согласилась Лили.

Колтон сокрушенно покачал головой.

— Это невероятно, но я готов поспорить, что лорд Медфорд влюбился.

Джеймсу отчаянно не везло. Он обошел все отели Лондона и окрестностей, подкупая каждого владельца, дабы получить необходимую информацию, но, увы... Кейт точно канула в воду. Даже в том случае, если она уже покинула Лондон и отправилась на юг страны, Джеймс не собирался прекращать поиски. Более того, нанял мистера Хортона, чтобы тот выследил ее.

Не изменяя своей привычке, каждое утро он вставал в 7.30, и Лок приносил ему свежий номер «Таймс».

Джеймс брал газету вместе с другой корреспонденцией, чашкой черного кофе и кипой деловых бумаг. Где-то между яичницей и тостом он осторожно разворачивал первую страницу и небрежно пробегал глазами заголовки.

После обязательного чтения деловых новостей, Джеймс переходил к светской хронике. Взгляд остановился на интересующей его новости. Казалось, весь город только и занят тем, что жаждет получить ответ на тот же вопрос, что и он. Куда пропала недавно освободившаяся из тюрьмы вдовствующая герцогиня Маркингем? И, кажется, ни у кого, включая и Джеймса, не было никаких предположений на этот счет. Проклятье! Неужели ей удалось так быстро отправиться на континент? И ускользнуть из города с такой скоростью, что ее никто не видел? Это казалось невероятным, но день проходил за днем, и постепенно такое предположение начинало казаться все более и более возможным.

Джеймс еще не успел просмотреть все интересующие его статьи, когда Лок вернулся в гостиную и деликатно кашлянул, привлекая внимание хозяина.

— Леди Эверсли пожаловала с визитом, милорд.

— Леди Кэтрин? — Джеймс вскинул голову. — С визитом? В такое время?

Лок тактично отвел глаза.

— Она пояснила, что у нее срочное дело, милорд.

— Хорошо. Пригласите ее.

Не прошло и пары минут, как леди Эверсли, шурша шелковыми юбками, легкой походкой прошествовала мимо Лока и вошла в гостиную. Шелковое платье серебристо-голубого цвета подчеркивало каждый изгиб ее идеальной фигуры. Светлые волосы были убраны в пучок на затылке. Леди Кэтрин, несомненно, была красива и знала это. Ни друзья, ни приятели — ее и Джеймса связывало что-то вроде симпатии и взаимного доверия. И ко всему прочему, она была замужем.

— Как мило, что вы согласились принять меня, Медфорд, — проворковала она, наклонив голову с достоинством королевы. — А то я могла бы оказаться в неловком положении.

Лок бросил на нее неодобрительный взгляд, прежде чем поклониться хозяину и покинуть комнату.

Встав из-за стола, Джеймс поднял с колен салфетку и, бросив ее на стол, протянул руку Кэтрин.

— Леди Кэтрин, чем я обязан удовольствию видеть вас? — спросил он, склоняясь к ее руке.

Кэтрин потянулась вперед, ее тонкие светлые брови изогнулись. Когда Кэтрин входила в комнату, у Джеймса всегда было чувство, что он присутствует при выходе царственной особы. Тем не менее она больше походила на Марию-Антуанетту, чем на королеву Каролину. Кэтрин всегда была чем-то взволнована.

Джеймс жестом указал на стул розового дерева, предлагая Кэтрин сесть.

— Присядьте, миледи. Я могу предложить вам позавтракать? — Не дожидаясь ответа, он кивнул лакею. Но Кэтрин, подняв руку с ухоженными длинными ногтями, нетерпеливо замахала ею, останавливая его.

— Нет, нет, благодарю, никакой еды. Я предпочла бы чашку чая.

Еще один знак лакею, и перед Кэтрин стояла чашка душистого чая. Грациозно присев на стул рядом с Джеймсом, леди Эверсли наклонилась к нему. Она всегда знала, как подать себя лучшим образом и не пренебрегала этим знанием даже в столь ранний час.

— Вы удивили меня, миледи. Я думал, вы не встаете раньше полудня?

Кэтрин улыбнулась своей неотразимой женственной улыбкой, продолжая размешивать чай маленькой серебряной ложечкой.

— Ай-ай-ай, дорогой друг, вы так официальны с утра. Не помню, чтобы вы обращались ко мне, используя титул. И действительно, я никогда не встаю до полудня, если нет особой необходимости.

Джеймс потягивал кофе, поглядывая на гостью поверх чашки.

— Что-то подсказывает мне, что вы пришли не для того, чтобы обсуждать подобные мелочи. Так скажите же мне, что привело вас сюда? Что заставило вас покинуть постель в столь ранний час?

Леди Кэтрин изящным движением подняла чашку и поднесла ее к губам. Сделав маленький глоток, с легким позвякиванием поставила чашку на блюдце. И кивнула на газету, лежавшую у него на коленях.

— Видели последние новости? — небрежно спросила она.

Он приподнял бровь.

— Какие?

— О, Джеймс, не играйте со мной в кошки-мышки. Я же вижу, газета открыта на пятой странице.

Джеймс быстро перевел взгляд на газету. Действительно, пятая страница. Он бросил ее на стол.

— Я знаю, что вы интересуетесь местопребыванием герцогини Маркингем, — продолжала леди Кэтрин.

Джеймс постарался придать своему лицу бесстрастное выражение. Он достаточно хорошо знал леди Кэтрин, чтобы понимать, что она никогда не скажет впрямую то, что хотела бы сказать.

— У вас есть новости для меня? — спокойно спросил он.

Она вздохнула и закатила глаза.

— А как вы думаете, зачем я пришла сюда в столь неподходящее время?

Как он ни старался, но голос выдавал его волнение.

— Скажите мне, Кэтрин, вы действительно знаете, где Кейт? — проговорил он, едва сдерживая нетерпение.

— Конечно, знаю, глупый вы человек. — Она сделала очередной глоток и, вытянув руку, внимательно посмотрела на ухоженные ногти. — Она остановилась у меня.

Глава 38

Прошло не более двух часов, а Джеймс уже входил в городской особняк Кэтрин Эверсли. Миновав холл, он остановился перед дверью розового салона, где, по словам Кэтрин, мог найти Кейт. После двух чашек чая ему удалось разговорить Кэтрин, и она рассказала, что Лили и Энни упросили ее принять у себя Кейт. Леди Кэтрин никогда не боялась скандалов, напротив, ей было лестно принять у себя даму, о которой говорил весь Лондон. Роль тайной спасительницы беглянки пришлась ей по вкусу. Более того, казалось, Кэтрин упивается этой ролью. Ей доставляло искренне удовольствие пребывание под ее крышей той самой молодой леди, которая стала главной сенсацией зимнего сезона. Причем все это следовало хранить в строжайшей тайне, что придавало ситуации еще большую пикантность.

— Я думала, вы умнее, Медфорд, — заметила леди Кэтрин, и ее длинные ресницы дрогнули. — Честно говоря, удивлена, что вам потребовалось так много времени, чтобы выяснить это.

— Я не выяснял... — Он взглянул на нее из-под полуопущенных век.

— Именно поэтому я здесь, дорогой виконт. Я хотела избавить вас от страданий. И направить эту маленькую драму в иное русло. Честно говоря, об этом слишком долго судачат. — Она рассмеялась, приоткрывая ряд безупречных зубов. — Кроме того, дорогой Медфорд, я всегда питала к вам симпатию. И вы прекрасно знаете это. Поэтому мне больно видеть, как вы страдаете.

— Благодарю, — сказал он, чуть наклоняя голову. А далее он употребил все свое красноречие, чтобы ему было позволено как можно скорее увидеть Кейт. И вот он здесь.

Глубоко вздохнув, он посмотрел на дверь. Что он скажет ей? Она сбежала от него. Почему? Она провела с ним ночь, они обсуждали будущую свадьбу, а затем она исчезла, оставив ему короткую записку, невразумительно объясняющую ее уход. Он принял решение. Он должен спросить Кейт, почему она ушла, и сказать ей, почему она должна вернуться, а затем пусть решит раз и навсегда. Каково бы ни было ее решение, ему придется смириться с ее желанием. Но, черт подери, пусть она скажет это ему в лицо. И больше никаких записок. Джеймс расправил плечи и решительно постучал в дверь. Кейт сбежала от него уже во второй раз. Третьему не бывать.

За дверью послышались какое-то движение, и она открылась. Кейт стояла в дверях в красивом платье из изумрудно-зеленого бархата. Джеймс почувствовал себя так, словно кто-то ударил его в грудь. Господи, Кейт выглядела, как всегда, потрясающе. Изумление, отпечатавшееся на ее лице, говорило, что она никак не ожидала его прихода. Изумление и потрясение.

Ее рука потянулась к шее.

— Джеймс.

— Я могу войти?

В течение нескольких секунд она не двигалась с места, затем отошла в сторону и шире отворила дверь, пропуская его.

Он прошел мимо нее в розовую гостиную.

— Как ты нашел меня? — спросила Кейт, притворяя за ним дверь.

— Не беспокойся, Лили и Энни не выдали твою тайну. Я провел несколько дней, обходя все отели Лондона и подкупая владельцев. Увы...

— Нарушая все правила? — Ее губы чуть дрогнули. — Это так не похоже на тебя.

— Заверяю тебя. Все, что я делал в последнее время, не похоже на меня.

— И все же... Как ты узнал... — Кейт теребила поясок платья.

— Сегодня утром меня навестила леди Кэтрин.

— Понимаю... — Кейт опустила глаза.

— Не стоит винить ее. Она это сделала из-за расположения ко мне.

— Я не собираюсь винить ее. — Кейт стиснула руки. — Она так добра, что согласилась приютить меня. — Ее глаза вглядывались в его лицо. — С тобой все хорошо, Джеймс?

— Хорошо? Как ты можешь спрашивать? — Джеймс криво усмехнулся.

Она подошла к окну и выглянула, обнимая себя руками за плечи.

— Зачем ты пришел?

— Забавно. — В его голосе слышалось напряжение. — Кажется, я просил тебя выйти за меня замуж, а ты так ничего и не ответила мне. Или ты забыла?

Она провела пальцем по подоконнику.

— Я думаю, что ответ был в моей записке. Я написала тебе, что уезжаю.

Джеймс пристально следил за ней.

— Да, ты оставила записку, которую я порвал.

— Прости, Джеймс. — Ее голос дрожал.

— Если твой ответ «нет», скажи мне это в лицо, — потребовал Джеймс. На его щеке дернулся мускул.

Она развернулась к нему, в ее глазах стояли слезы.

— Через два дня я уезжаю на континент, Джеймс.

Кейт выдержала его взгляд. Его волосы были взъерошены, отдельные пряди падали на лоб, галстук съехал в сторону. Он выглядел как человек, совершенно выбитый из колеи, но, несмотря на это, был поразительно красив. И все это дело ее рук. Его дом разрушен, репутация под вопросом, а сейчас он, видимо, хочет, чтобы она довершила это разрушение. Нет, она не может допустить этого.

И все же в ответ на его вопрос она не смогла произнести это короткое, но такое всеобъемлющее слово «нет». Не смогла заставить свои пересохшие губы произнести это слово. О, как бы она хотела сказать «да», но и это было невозможно.

Он не любил ее. Он никогда не говорил об этом. Он сделал ей предложение из чувства долга. Точно так, как было с Лили. Он опять хотел все исправить.

Но существуют вещи, которые вы не силах исправить. И это не самая худшая из них. Скорее самая трудная. Да, Кейт любила его. Она влюбилась в него сразу и навсегда. И не могла допустить, чтобы он пожертвовал собой ради нее. Она изгнана из общества, она пария, она изгой... Она ничего не могла дать ему, кроме разрушения. Если бы он действительно любил ее, они могли бы попробовать. Но позволить ему разрушить себя из-за кого-то, кого он не любит? Нет, этого допустить она не могла. Она прожила годы в браке без любви и не желала повторять эту ошибку вновь.

— Джеймс, — прошептала она, повернувшись к нему. — Я не могу позволить тебе разрушить из-за меня свою жизнь.

— Предоставь это решать мне... Это мое решение.

Ее ногти впились в ладонь.

— Нет, не только твое, но и мое тоже.

— Я так не думаю... — С его губ сорвалось проклятье.

Она закрыла глаза и подняла руку.

— Я знаю. Ты, как всегда, пытаешься все исправить, но я не могу позволить тебе...

— Глупости, Кейт, ты не позволяешь мне...

Ее глаза снова открылись.

— Джеймс, я знаю тебя. Ты благородный, честолюбивый. Ты хочешь быть хорошим со всеми. — Она не могла упомянуть Лили. Да и зачем? И какое это имеет значение? Даже если бы он не делал предложения Лили, ситуация была бы тупиковой из-за испорченной репутации Кейт.

— Кейт, не говори так. — Он потянулся к ней, и она должна была закрыть глаза, чтобы скрыть набежавшие слезы. Он не облегчил ей задачу, только что Кейт разыграла последнюю карту. Повернувшись к нему спиной, она уставилась невидящим взором в замерзшее окно.

— Брак — не панацея, Джеймс. Когда я вышла замуж в первый раз, о, каждый относился ко мне так, как будто я подарок небес. Но я быстро поняла, насколько это далеко от правды. Ты простишь меня, если я скажу, что не думаю, будто замужество с еще одним дворянином — это ответ на мои молитвы?

Повисла долгая тяжелая пауза. Оба молчали. Первым заговорил Джеймс. Его голос был резким и напряженным.

— Ты действительно так думаешь? Ты сравниваешь меня с Джорджем?

И снова губы не слушались, Кейт не могла выговорить ни слова. Просто кивнула и закрыла глаза.

— Прощай, Джеймс, — прошептала она.

Через секунду она услышала, как за ним хлопнула дверь. А дальше удаляющиеся звуки его шагов по мраморному полу коридора. Прижавшись лбом к холодному стеклу, Кейт зарыдала. Слезы, которые она больше не сдерживала, хлынули из глаз неудержимым потоком. Ее тело сотрясали рыдания. О Господи, она только что совершила самый самоотверженный акт в своей жизни, позволила Джеймсу, которого любила безмерно, уйти навсегда.

Глава 39

Джеймс опрокинул очередную порцию джина и скрипнул зубами. Чудовищный вкус. Но таверна «Любопытный козел» — прекрасное место, чтобы напиться и забыть обо всем. Его усадили за столик в задней части таверны, дали бутылку джина и сомнительно чистый стакан. Отлично.

Джеймс поднес бутылку к стакану и чокнулся. Дзинь... Пошло все к дьяволу! Кого винить в том, что произошло? Джеймс сам совершил то, что поклялся не делать никогда. Он влюбился. Будь оно неладно. Это правда, что он не исключал возможность женитьбы. Проклятье, несколько месяцев назад он делал предложение Лили. Она, разумеется, отказала, но любовь тут была ни при чем. Брак по любви он не заключит. Именно в этом Джеймс поклялся годы назад. Годы и годы назад. Брак и дети — это одно. Любовь — совсем другое.

Если Джеймс и любил, то одну-единственную женщину в мире. Он никогда не встречал ее, и так случилось, что стал невольным виновником ее смерти. Любовь заключает в себе огромную долю боли и огромную долю риска, это две вещи нераздельные. Всю свою строго контролируемую жизнь он стремился к совершенству. А совершенство подразумевает принятие правильных решений. Любовь не приносит ничего, кроме неприятностей. Больших, отвратительных неприятностей. От которых необходимо очиститься, и чем скорее, тем лучше.

Правильно. Нет, в его жизни нет места для любви. Но он все-таки взял и попал в эту ловушку, несмотря ни на что. Несмотря на все его клятвы и благие намерения, он влюбился в Кейт. И она отказала ему. Черт, это больно. Она объясняла свой отказ тем, что будто бы не может позволить ему разрушить из-за нее свою жизнь. И ничего больше, никаких других объяснений. Если бы Кейт любила его, она не допустила бы того, что происходило с ним сейчас. Что значит репутация, по сравнению с любовью? Ба-а-а... Он уже не в состоянии слушать свои собственные размышления. Он превратился в слюнявого романтика. Бр-р-р... Он думал, что на свете была одна-единственная женщина, которую он мог бы полюбить, а вместо этого нашел вторую, которая смертельно ранила его. И как он мог позволить себе подобную потерю самоконтроля? Обхватив бутылку рукой, он сжал ее что есть силы.

Наполнив стакан, выпил до дна и налил снова. Все постепенно обретало смысл. Отлично. На какое-то время он явно потерял голову. Но сейчас, как никогда, причина и логика вновь заявили о себе. Подсказывая, что он не только должен немедленно забыть о своей любви к Кейт, но и никогда больше не открывать себя для подобной боли. Его затуманенный алкоголем мозг, наконец, позволил признать правду. Все это началось и закончилось на его матери. Глубоко в душе, Джеймс всегда знал это. Всю свою жизнь он ощущал боль потери единственной женщины, которую любил. И сейчас потерял вторую. Это закончилось. Кейт не могла бы обидеть его больше, чем уже обидела. Он потерял ее. И сейчас должен спасти свое сердце от малейшего проявления слабости, от малейшего желания вновь влюбиться. Кончено. Сделано. Кончено.

И завтра же он начнет новую жизнь. А сегодня? Сегодня он будет пить.

Дверь таверны открылась, головы присутствующих повернулись посмотреть на двух джентльменов, которые только что вошли. Они не спеша пробрались между столиками в заднюю часть таверны, где сидел Джеймс.

Ах, как раз вовремя. С кем еще лучше выпить?

Джордан Холлуэй присвистнул.

— На этот раз я должен поверить своим глазам. Решил напиться, Медфорд? Что происходит?

— Заткнись и выпей, — бросил Джеймс, подвигая к друзьям бутылку.

— И в самой грязной дыре, какую только можно найти. — Колтон огляделся вокруг. — Почему бы тебе не пойти в клуб и не выпить в приличной обстановке? — Он сокрушенно покачал головой. — Вместо того, чтобы сидеть здесь за грязным столом? Галстук развязан, с прической черт знает что, рубашка в пятнах и... подбитый глаз? Что, черт побери, происходит? А, Медфорд?

— В клуб? Не желаю, чтобы весь этот высокомерный сброд видел меня. Проклятые снобы. Многие из них, во всяком случае. А что касается глаза, один бедолага сказал что-то, что мне не понравилось. Только и всего.

— Драка в публичном месте, Медфорд? Правда? — Эшборн покачал головой, стараясь сдержать смех.

Джеймс прищурился, не сводя с графа глаз.

— Осторожнее, старина, не давай мне другой причины для драки.

Эшборн поднял обе руки, объявляя перемирие.

— Не думай, что я... — Он присмотрелся. — Господи, старина, ты пьешь джин?

— Да, — буркнул Джеймс и продолжил, еле выговаривая слова: — И на... намерен и дальше пить, еще и еще... А сейчас сядьте. Я хочу, чтобы вы выпили со мной, не осу... осуждая меня.

Колтон и Эшборн обменялись понимающими взглядами, пододвинули два грязных стула и сели.

Эшборн расплылся в улыбке.

— Не хочу спорить с тобой, когда ты в таком настроении, Медфорд. Скажи нам, ты нашел герцогиню?

— Не называй ее так, — с угрожающим видом отрезал Джеймс.

— О нет. — Эшборн покачал головой. — Только не это, не говори мне, что ты напился и поэтому злишься. Выпивка, напротив, должна веселить... как меня.

— Да, я видел ее, — рявкнул Джеймс.

— И..? — Колтон изогнул бровь.

— И она отказала мне. — Джеймс снова выпил.

— Отказала... сейчас? — переспросил Эшборн.

— Ты ду... ду... думаешь, я стал бы сочинять? — отрезал Джеймс.

— Попробуй найти в этом хорошую сторону, старина, — усмехнулся Эшборн. — Ты же не хочешь, чтобы тебя связали по рукам и ногам? Кроме того, не лучшая идея просить только что овдовевшую леди выйти за тебя замуж. Если вы оба еще не учинили скандал, то после такой поспешной женитьбы, боюсь, тебе пришлось бы бежать из города. Ей еще положено носить траур.

Джеймс, покачиваясь, поднялся и бросился на Эшборна. Колтон вскочил и удержал его.

— Стоп, стоп, стоп. Нет нужды распускать руки, — сказал Колтон, проследив, чтобы Джеймс тяжело опустился на стул.

— Правильно, старина, — хмыкнул Эшборн. — Ведь ты не хочешь, чтобы тебе подбили другой глаз?

Джеймс огрызнулся, подняв на него затуманенные глаза.

— Чего ты злишься, Медфорд? — поддержал друга Колтон. — Ведь она не первая леди, которой ты делал предложение.

Джеймс поставил локти на стол, обхватил голову и запустил пальцы в волосы.

— Это совсем другое.

Эшборн и Колтон переглянулись.

— Дай мне бутылку. — Джеймс потянулся через стол.

— Держи, — сказал Эшборн. Джеймс наблюдал, как Эшборн и Колтон получили стаканы от одного из слуг и наполнили их.

Эшборн поднял стакан.

— Что ж... Если ты решил напиться, ты можешь сделать это по всем правилам. Давай!

Спустя несколько часов, Джеймс, покачиваясь, вышел из-за стола. Колтон и Эшборн тоже встали, бросили на стол несколько монет и, подхватив Джеймса под руки, потащили безжизненное тело друга к выходу.

— Подумать только, — качая головой, говорил Эшборн, — сколько лет нам понадобилось, чтобы наш примерный виконт расслабился и провел-таки время подобающим образом.

— Кажется, он усвоил это слишком хорошо, — усмехнулся Колтон.

— Неудивительно, он всегда был примерным студентом, — со смехом заметил Эшборн.

— Даже слишком, я бы сказал, — ухмыляясь, согласился Колтон. — Но, не стоит скромничать, сегодня он перенял урок от лучших учителей. — Он взвалил отяжелевшее тело Медфорда на плечи. — Давай, старина, доставим его домой.

Нахлобучив шляпу на голову Джеймса, накинув ему на плечи накидку, они вытащили друга на улицу, где после разных ухищрений усадили в карету Колтона.

— Я отвезу его к себе, — предложил Колтон. — Присмотрю за ним. Одному Богу известно, как он будет чувствовать себя утром, думаю, что не лучшим образом.

— Ты ведь знаешь, что мы должны сделать, правда? — сказал Эшборн, поднимаясь по ступенькам кареты.

— Что ты имеешь в виду? — спросил Колтон.

Они усадили Медфорда в углу, он свесил голову на грудь. Эшборн устроился напротив.

— Когда мы были в схожих обстоятельствах, этот парень много сделал для нас обоих.

— Ты имеешь в виду амурные дела? — спросил Колтон, приподнимая бровь.

— Совершенно верно, — ответил Эшборн, откидываясь на спинку сиденья. Вытянув ноги, он скрестил их в лодыжках.

Колтон пожал плечами.

— То есть?

— То есть теперь наша очередь, Колтон. Мы задолжали ему. Наш долг помочь бедняге.

Глава 40

Проснувшись на следующее утро, Джеймс несколько минут пытался понять, что происходит. Кровать под ним описывала круги, словно чья-то невидимая рука крутила ее по кругу. Он приоткрыл один глаз и попытался оглядеться. Нет, это не кровать. Это комната плыла перед ним кругами. Проклятье, что это за комната? Так и не найдя ответа на этот вопрос, он попытался сесть, но тут же, почувствовав жуткую боль в голове, застонал и осторожно отклонившись на подушки, обхватил голову руками.

Где, он, черт побери? Что произошло ночью? Он попытался вспомнить, постепенно восстанавливая ход событий. Проклятье! Так и есть. Скверный джин. Таверна. Колтон и Эшборн. Он, должно быть, перебрал и отключился. И что можно вспомнить после пяти... или шести стаканов джина? Стиснув зубы, Джеймс тихо изрыгал проклятья. Видимо, Колтон и Эшборн привезли его сюда и уложили в свободной комнате. Чудесно.

Послышался стук в дверь, и Джеймс заморгал.

— Войдите, — прохрипел он.

Дверь со скрипом открылась, и в комнату вошла Лили с легкой улыбкой на устах.

Гмм. Очевидно, он у Колтона. Джеймс опустил глаза, проверяя, прилично ли он выглядит. Надо же, он и не раздевался! Что ж, так даже лучше.

— Доброе утро, — бодро прощебетала Лили. — Я ждала, когда вы проснетесь. — Она держала в руках стакан с желто-зеленой жидкостью.

Джеймс снова прилег на подушки и приложил ладонь ко лбу.

— Пожалуйста, Лили, говорите тише. — Он поморщился. — Что вы здесь делаете?

Лили рассмеялась, но тут же одернула себя и прошептала:

— Что я здесь делаю? Отличный вопрос. Я у себя дома, а вы у нас... в гостях. Девон и Джордан доставили вас сюда ночью. — Она зацокала языком, качая головой.

— Ай-ай-ай. Что с вашим глазом?

— Долгая история.

— Должна сказать, что я чуть-чуть потрясена, Медфорд. — Лили, сокрушаясь, снова покачала головой. — Никогда не видела вас таким... таким растрепанным.

— А я никогда не чувствовал себя так... скверно, — прохрипел Джеймс, приоткрыв один глаз.

— Как?

— Как будто у меня в голове играет целый оркестр. И содержимое моего желудка просится...

— О да, конечно. — Лили протянула ему стакан. — Девон сказал, вы непременно должны выпить это.

— Что это? — Превозмогая боль, Джеймс приподнял голову и, открыв один глаз, подозрительно уставился на стакан.

— Не знаю, — отвечала Лили, пожимая плечами. — И, если честно, и знать не хочу. Но Девон сам приготовил это питье. Оно выглядит отвратительно, а пахнет еще хуже. Но он клянется, что стоит выпить, и ваша голова тут же пройдет.

— Колтон сам приготовил это? Черт побери, он переквалифицировался в аптекари?

— Пожалуйста, Медфорд, не надо ругаться, будьте паинькой, — проговорила Лили, строго глядя на Джеймса.

Протянув руку, он взял стакан.

— Оно пахнет еще хуже, чем выглядит.

Лили натянуто улыбнулась.

— Может, вы и правы, но неужели вы сомневаетесь, что Девон не знает, как избавиться от последствий чрезмерного возлияния?

— К сожалению, я не сомневаюсь в этом, — пророкотал Джеймс. Он поднес стакан к губам, сделал глоток и содрогнулся. — Б-р-р... я не буду пить эту гадость.

— О, чуть не забыла, — защебетала Лили. — Девон сказал, что пробовать не стоит, нужно зажать нос и выпить все залпом. Так будет лучше.

— Спасибо, что сказали мне это после того, как я уже попробовал.

— Пожалуйста. — Улыбнувшись уголками рта, она сделала книксен.

Джеймса трясло. Проклятье, так или иначе, нужно справиться с этой задачей. Наверняка другие люди употребляли это пойло. Колтон уж точно знает, он всегда был большой любитель выпить. Зажав нос двумя пальцами, Джеймс запрокинул голову и влил содержимое стакана прямо в горло. Проглотил и закашлялся.

— О Господи! Что за дрянь!

Лили поморщилась.

— Да, Девон говорил, что вы скажите именно это.

Джеймс покачал головой, показывая, что еще мягко выразился. Он постучал себя по груди кулаком.

— Думаю, лучше бы меня стошнило.

— Вот увидите, — успокоила Лили, похлопав его по ногам, скрытым по пледом, — глазом моргнуть не успеете, как почувствуете себя гораздо лучше, так сказал Девон. Как только будете готовы, мы отвезем вас домой. Уже почти полдень, не забудьте, что к вечеру вы должны быть в форме.

Голова Джеймса снова упала на подушки, он закрыл глаза и поморщился.

— Уже почти полдень? Неудивительно, что я никогда не пил. Прошла добрая половина дня. — Он помолчал и открыл один глаз. — Подождите, что вы сказали? Вечер? Какой еще вечер?

— Как? Вы не помните? — всплеснула руками Лили. — Разумеется, новогодний маскарад у леди Кэтрин Эверсли. Вы не можете пропустить это событие. Она страшно обидится, если вы не придете.

— Я не пойду ни на какой... — Его голос сорвался, и он замолчал. Черт, он почти кричит.

— О, кажется, вам уже лучше, — спокойно констатировала Лили. — Но вы непременно должны быть, даже если нам придется тащить вас туда силой.

Стук в дверь заставил Кейт насторожиться. Она не могла заставить себя сдвинуться с места. Что, если это опять Джеймс? Их вчерашняя встреча и объяснение просто убили ее. Она не выдержит, если все начнется снова. Что, если он вернулся назад полный обиды и желания, несмотря ни на что, добиться ее согласия? О Господи, она может уступить и забыть о своих планах покинуть Англию и уехать на континент. Нет, она должна быть сильной ради себя и... ради него.

— Кто там? — затаив дыхание, спросила Кейт.

— Это мы, Лили и Энни, — послышался из-за двери голос Лили. — Вы не возражаете? Нас пригласила леди Кэтрин.

Кейт быстро закрыла глаза и прошептала слова молитвы. Затем поспешила к двери и открыла ее. После обычного обмена приветствиями Лили и Энни поочередно обняли Кейт.

— Я боялась, что вы пришли с... — Кейт отвела глаза. — Впрочем, не имеет значения, входите, входите.

Проведя сестер в комнату, она предложила им сесть.

— Лорд Медфорд приходил? — поинтересовалась Энни, стягивая перчатки и устраиваясь на стуле у окна.

— Вчера, — вздохнула Кейт.

Лили покачала головой. Подойдя к окну, она выглянула на улицу.

— Как мы и обещали, ни я, ни Энни не сказали ему, что вы у Кэтрин. Представления не имею, как он узнал?

— Я знаю, он рассказал мне, — кивнула Кейт. — Кажется, он обошел все отели Лондона, предлагая владельцам деньги за информацию. А потом его навестила леди Кэтрин.

— Медфорд подкупал владельцев? — Брови Энни взлетели вверх. — Это так не похоже на него.

Лили отвернулась от окна и посмотрела на Кейт.

— Он был страшно расстроен, когда узнал, что вы уехали. Как говорится, сам не в себе. Даже я попала под горячую руку. Представляете, он кричал на меня!

Кейт прикусила губу, разговор становился невыносимым.

— Я не могу... я бы не хотела говорить о Джеймсе, если вы не возражаете.

— Конечно, мы понимаем. — Лили подошла и обняла Кейт.

— Мы просто заехали посмотреть, как вы, дорогая? — прощебетала Энни.

— И убедиться, что вы будете сегодня на маскараде, — добавила Лили.

— Маска... — растерянно проговорила Кейт. — Маскарад?

Лили сжала ее руку.

— Ну да, здесь, сегодня. Разве леди Кэтрин не сказала вам? Она ежегодно устраивает его в это время. Это так увлекательно! Вы непременно должны присутствовать.

Кейт отстранилась от Лили и покачала головой.

— Леди Кэтрин говорила, но, как мне кажется, просто из вежливости. Она понимает... и вы тоже... я не могу принять участие в событии, где наверняка будет весь высший свет. Это невозможно. Мое присутствие исключено.

— Ах, этим и прекрасен маскарад... дорогая, — подмигнула Лили. — Мы уже все обсудили с Кэтрин и пришли к согласию. Никто не будет знать, кто вы. Энни и я представим вас, как нашу дальнюю родственницу из провинции. Все будут пить и поздравлять друг друга с Новым годом, а у вас будет возможность потанцевать, вы ведь любите танцы, правда? Поверьте, вам абсолютно ничего не грозит.

Кейт вздохнула, заправила за ухо локон, упавший на щеку. Она обожала подобные приемы, и ее радовал шанс потанцевать. В Европе у нее не будет такой возможности. И скорей всего, не будет никогда. И даже при наличии здесь друзей шансы попасть на подобное событие были довольно призрачные. Нет, в ее ближайшем будущем маскарадов больше не предвидится.

— Кроме того, — с широкой улыбкой добавила Энни, — леди Кэтрин наш друг, и она настаивает на вашем присутствии. И, разумеется, никому об этом не скажет.

— Я не знаю, если это безопасно... — Кейт нервно потирала руки.

— Совершенно безопасно, — подтвердила Лили. — Девон и Джордан, разумеется, тоже посетят маскарад. А Кэтрин и ее слуги будут настороже. Вам не нужно ни о чем беспокоиться.

— Но утром я еду в Дувр и оттуда...

— Это еще одна причина, почему вам следует согласиться. Последнюю ночь в Лондоне вы должны провести именно так...

Кейт расправила плечи. Лили права, это веская причина.

— Хорошо. — Кейт кивнула и улыбнулась сестрам. — Я буду. — Ей не терпелось спросить, будет ли на балу Джеймс, но она сдержалась. Возможно, он отказался? Может быть, предполагая, что она может оказаться там, он не почтит этот бал своим присутствием? Нет, вряд ли ему придет в голову, что изгнанная из общества герцогиня осмелится посетить самый грандиозный бал наступившего года. Даже при том, что она остановилась у леди Кэтрин Эверсли. Но Джеймс в дружеских отношениях с леди Кэтрин и наверняка получил приглашение. Придет ли он? Нет, не нужно думать об этом. Если эта встреча все же произойдет, они оба, скорей всего, продемонстрируют полное равнодушие. И потом, на маскараде наверняка будет уйма народу, они могут просто не увидеть друг друга. Но так бы хотелось... взглянуть на него еще раз.

— Что ж, я страшно рада, что вы согласились, — захлопала в ладоши Энни, вскакивая со стула и обнимая Кейт. — Мы сейчас сходим к карете и возьмем ваш костюм.

Кейт заморгала.

— Костюм?

— Ну, конечно, — улыбнулась Лили. — Мы привезли его в надежде, что вы скажете «да».

Кейт не могла сдержать смех.

— Что ж, тогда идите и поскорее возвращайтесь. Мне не терпится взглянуть на мой костюм.

Глава 41

В этом маскарадном костюме Кейт чувствовала себя настоящей принцессой. Платье из темно-синей переливающейся тафты с широкими юбками, двумя слоями нижних юбок, облегающим лифом с провокационно-глубоким декольте и узкими длинными рукавами было поистине восхитительно. Дополняла изысканный туалет полумаска из блестящего синего атласа с двумя пышными перьями над правым глазом — одно синее, другое черное. Энни и Лили убедили Кейт, что она будет неузнаваема в этой маске, и оказались правы. Она вздохнула. Да, во всем этом был элемент рискованной неожиданности. Кому из гостей могло прийти в голову, что скандально известная вдовствующая герцогиня Маркингем осмелится проникнуть на этот маскарад?

На Лили было нечто эффектное, темно-зеленое платье и такого же цвета полумаска, а Энни, как всегда, выбрала любимый розовый и маску того же розового оттенка, что и платье, но только с белой окантовкой.

Лорд Эшборн и лорд Колтон оба были в черном. Черная маска лорда Эшборна выразительно подчеркивала серебристо-серый оттенок его глаз, придавая взгляду некую интригующую загадочность. Серебристая маска Колтона контрастировала с его темными волосами и шоколадным оттенком глаз. Оба лорда и их прелестные жены выглядят очаровательно, отметила про себя Кейт, когда они заехали за ней в дом леди Эверсли. Лили и Энни решили, что если они собираются представить Кейт как свою кузину, то будет лучше, если она приедет на бал с ними, поэтому сестры сначала привезли Кейт в дом Энни, чтобы приготовиться к балу. А затем все вместе прибыли в дом леди Эверсли.

Прежде чем войти в зал, пришлось постоять в бесконечной очереди гостей. И Кейт не могла не приподняться на цыпочки, высматривая, нет ли среди приглашенных Джеймса. Днем, когда она общалась с Лили и Энни, ни та, ни другая ни словом не обмолвились о том, будет ли он на маскараде. Кейт сама попросила их не говорить о нем, поэтому сейчас было бы неуместно с ее стороны проявлять интерес и задавать вопросы. Во всяком случае, ясно одно, если он здесь, то пришел не со своими друзьями. А может быть, он не получил приглашение? О, Кейт так хотела спросить Лили, правда ли это, но пришлось прикусить язык. Когда приходилось знакомиться с кем-то из гостей, Кейт представлялась как кузина Лили, Алтея. Так как настоящая кузина Лили жила в Нортумберленде и давно не появлялась в свете, это не вызывало ни у кого подозрения. Слава богу, что у нее тоже были рыжие волосы. Кейт ущипнула себя за руку. «Кураж! Кураж! Кураж!» — прошептала она про себя.

На Кэтрин Эверсли был роскошный костюм из переливающегося серебристого шелка. Как только они появились, красивая блондинка, шурша шелками юбок и блистая обнаженными плечами и бриллиантами, подошла к ним и поочередно обняла каждого.

— И кто же к нам пожаловал? — проворковала она своим мелодичным, приятным голосом, но так, чтобы никто не слышал. — Ах, боже мой, вы выглядите бесподобно! От всей вашей компании так и веет радостью и счастьем.

Она остановила взгляд кристально-голубых глаз на Кейт и подмигнула ей, и Кейт внезапно расслабилась, ощутив настоящую радость от своего присутствия на маскараде.

— Огромное спасибо за приглашение, леди Эверсли, — просияла Кейт. — Для меня это большая честь. — И потише добавила: — У меня просто нет слов, чтобы отблагодарить вас за все, что вы сделали для меня.

— Ах, пустяки! Добро пожаловать на бал, мои дорогие! — воскликнула Кэтрин. — Но подождите... — И ее бровь приподнялась над маской, когда она посмотрела на Кейт. — У нас существует традиция. Мы считаем секунды, оставшиеся до наступления Нового года, и, когда часы бьют двенадцать и звонят колокола церквей, снимаем наши маски.

Кейт прикусила губу. Значит, она должна уйти до двенадцати.

Леди Кэтрин повернулась к остальным.

— Между прочим, ваш друг Медфорд уже здесь. Что с ним происходит? Никогда не видела, чтобы он так много пил. — Она оглядела толпу гостей. — Он входил во французские двери, когда я видела его в последний раз. Если увижу снова, то пришлю его к вам. Думаю, он будет счастлив познакомиться с вашей кузиной. — И Кэтрин опять улыбнулась.

Сердце Кейт подкатило к горлу. Джеймс здесь? Лили и Энни покачивались на каблучках, обмениваясь многозначительными взглядами. Кейт прищурилась. Почему у нее такое чувство, что она оказалась в центре какого-то грандиозного тайного заговора?

Она хотела спросить Лили, но какое-то движение поблизости привлекло ее внимание. Вспышка красного, громкий смех и темные глаза женщины в прорезях полумаски показались знакомыми.

Леди Беттина.

Лили тоже узнала ее и сжала руку Кейт.

— Пойдемте, — сказала она. — Я уверена, мы можем найти более интересное место.

— Нет, — возразила Кейт, высвобождая руку. — Я хочу кое-что сказать ей.

— Кейт, не стоит. — Лили покачала головой. — Если она узнает, кто вы и что вы здесь, то...

— Не тревожьтесь. — Не дослушав Лили, Кейт уже направлялась к леди Беттине, словно ноги несли ее сами по себе.

— Леди Беттина? — не снимая маску, спросила Кейт.

Черноволосая красавица прекратила смеяться над тем, что рассказывал ее кавалер, и повернулась к Кейт.

— Да?

Ясно, она не узнала Кейт. Слава богу!

— Я хочу принести вам свои соболезнования по поводу безвременной кончины герцога Маркингема.

Глаза леди Беттины сузились.

— Кто вы?

— Это не имеет значения. Я просто старый друг герцога.

Джентльмен, стоявший рядом, рассмеялся.

— Да, разумеется, это печально, что Маркингема застрелил его старый слуга, но тем не менее его уход — моя победа.

Кейт не узнала этого господина. Леди Беттина улыбнулась его остроте, а он наклонился и поцеловал ее в шею. Кейт лишилась дара речи. Не столько слова джентльмена показались ей жестокими, сколько то, что леди Беттина уже завела нового любовника! Господи, а Кейт еще жалела ее, думая, что она любила Джорджа, а оказывается, она уже нашла нового покровителя.

— О, какой вы нехороший, Кингстон, какой нехороший, — надула губы леди Беттина, шутливо хлопая веером своего кавалера. И, снова повернувшись к Кейт, сказала: — Да, дорогая, как видите, я никогда долго не соблюдаю траур. Жизнь так быстротечна. — Она рассмеялась и снова похлопала своего поклонника по груди.

Сердце Кейт сжалось от боли. Нет, не стоило вступать в спор с леди Беттиной и, тем более, снимать маску. Но Кейт чувствовала искреннюю жалость к Джорджу. Он верил, что леди Беттина любила его, а очевидно, она его просто использовала из-за титула и денег.

Не сказав ни слова, Кейт отошла от этой пары. Она закончила не только с ними, но и со своей прошлой жизнью, то есть с каждым, кто так или иначе, имел к ней отношение. Сегодня Кейт намерена веселиться.

И... танцевать, решила она и быстрым шагом направилась к Лили.

— Я хочу танцевать, — шепнула Кейт на ухо подруге. — Я хочу одного — танцевать, танцевать и танцевать.

— Ну, если хотите, так танцуйте, — с улыбкой ответила Лили. Она похлопала по плечу Девона, и вскоре Кейт закружилась в танце с красивым маркизом, с улыбкой на устах и бокалом шампанского в одной руке. И внезапно все отступило и потеряло значение. Неважно, почему она оказалась здесь. Неважно, здесь ли Джеймс. Неважно и то, что леди Беттина оказалась столь отвратительной. Кейт хотела одного — забыть обо всем и вкусить чарующее веселье этой ночи. Да, именно этого она желала больше всего.

После трех танцев подряд с тремя разными кавалерами, Кейт решила отдышаться и сделать паузу. Она подошла к длинному столу, уставленному напитками и закусками, чтобы выпить еще один бокал шампанского. Толпа отделила ее от Лили, Энни и их мужей. И, учитывая то, что все кругом были одеты в маскарадные костюмы, совершенно невозможно было понять, кто есть кто.

И вдруг что-то ударило ее прямо в сердце. Кейт затаила дыхание. Джеймс здесь. Он здесь, где-то в толпе. Но она никогда не узнает его, никогда не найдет. Она представления не имела, как он одет. Какого цвета его маска. О, даже лучше, что она не знает. Если бы она знала, как он выглядит, без сомнения постоянно искала бы его среди толпы, надеясь, что сможет узнать его, поговорить с ним, о Господи, просто услышать его голос.

Кого она обманывает? Она уже ищет его. Прислушиваясь к каждому мужскому голосу, который долетал до нее, Кейт старалась распознать знакомый тембр. И когда какой-нибудь джентльмен проходил мимо, она вглядывалась в прорези маски, надеясь увидеть знакомые зеленые глаза. Кейт залпом выпила второй бокал шампанского. Да, это так. Она должна прекратить думать о Джеймсе. Прежде ей никогда не доводилось бывать на лондонском новогоднем маскараде и, скорей всего, никогда не доведется. И она должна веселиться.

Отойдя от стола с напитками, Кейт отправилась на поиски своих друзей, но остановилась, когда беседа одной пары привлекла ее внимание.

Она оглянулась через плечо. Нет, она не узнала ни даму в платье ужасающего красно-коричневого оттенка, ни ее пожилого спутника, костюм которого, видимо, должен был изображать персик, ибо был яркого персикового цвета, но остановилась как вкопанная.

— Да, но, если вы спрашиваете меня, моя дорогая, вряд ли это произойдет так быстро. Хотя ей следовало бы покинуть этот город как можно скорее, — говорил джентльмен.

— Я слышала, она остановилась в отеле? — с гримасой отвращения на лице проговорила леди.

— Ничего удивительного, — отвечал джентльмен. — Некоторые заведения не гнушаются принять любые отбросы.

Пауза. Дама пригубила шампанское.

— Между нами, я всегда думала, что это она убила его. Слуга мог признаться, но я ни на секунду не верю в это.

Джентльмен кивнул, его второй подбородок затрясся.

— Я согласен с вами, дорогая.

На глаза навернулись слезы обиды. Кейт хотела уйти, не слышать их разговор. Именно поэтому она не сможет войти в лондонский высший свет. Никогда. Даже если на ней будет маскарадный костюм. Ее там никто не ждет. Она хотела найти Лили и Энни, попрощаться и тихонько подняться наверх, в свою комнату. Зачем она вообще пришла сюда?

Кейт уже повернулась, чтобы уйти, когда высокий джентльмен в черном, с зеленой маской на лице прошел мимо. Он обратился к паре, которая только что говорила о Кейт.

— Пожалуйста, заверьте меня, леди Кранберри, что вы только что говорили не о вдовствующей герцогине Маркингем? — сказал он резким тоном.

Кейт замерла, не в состоянии сдвинуться с места. Она узнала этот голос. Такой проникновенный и такой родной. Джеймс. Она не обратила на него внимания, когда он проходил мимо, но сейчас ошибка исключена. Он был здесь и появился именно в тот момент, когда кто-то должен был встать на ее защиту. Кейт отошла к столу и взяла очередной бокал шампанского, стараясь не привлекать внимания к своей персоне. Гости, заинтригованные слишком громким голосом Джеймса, стали потихоньку собираться вокруг трех персон.

— Лорд Медфорд, это вы? — Леди Кранберри выпрямилась во весь рост, что, однако, не сделало ее выше.

— Да, — произнес он сквозь стиснутые зубы.

Кейт поспешила отойти в угол зала, зашла за пальму и с замиранием сердца следила за развитием скандала. Группа любопытных росла, но, слава богу, никто не обращал внимания на нее.

— А разве запрещается говорить о герцогине? — кашлянув, вмешался в разговор лорд Кранберри. — И вы смеете защищать эту потаскуху?

Джеймс вплотную подошел к лорду Кранберри и теперь возвышался над ним.

— Да, именно это я и делаю. — Он с трудом сдерживал себя.

Толпа, собравшаяся вокруг них, становилась все больше и больше.

Лорд Кранберри с воинственным видом расправил плечи и подтянул толстый живот, как будто бы хотел всосать его.

— Кажется, вы получили хороший урок, когда спрятали ее в своем доме, — пыхтел он, тряся вторым подбородком. — Я удивлен, как это леди Кэтрин пригласила вас сегодня? Наверно, она не очень внимательно просмотрела список гостей.

Джеймс уже не сдерживался, его голос был похож на угрожающее рычание.

— Что, черт побери, это означает? — спросил он.

— Только то, что если вы продолжите в том же духе, то получите по заслугам, — поддержала мужа леди Кранберри. — Каждый знает, что ваш городской дом пострадал, потому что вы взялись опекать эту преступницу.

Чеканя слова так, чтобы было слышно всем и каждому, Джеймс произнес:

— Зарубите себе на носу, вдовствующая герцогиня Маркингем лучше вас всех. Она добрая, щедрая, прелестная леди, которую ошибочно обвинили в преступлении и которая была полностью оправдана.

Лицо лорда Кранберри стало багровым, что никак не вязалось с его персиковым нарядом. Он пыхтел и запинался, не в состоянии подобрать нужные слова.

— Вы... вы... что ж... может, ее и оправдали, но это не доказывает...

— Вы безмозглый глупец! — бросил Джеймс. — И если я когда-нибудь еще услышу от вас плохие слова о герцогине, вы ответите мне за это. Понятно?

Лорд и леди Кранберри возмущенно вздыхали, охали и ахали. Они оглядывались вокруг, ища поддержки. Но, оказалось, все любопытствующие внезапно куда-то растворились, занятые собственными разговорами.

И все выглядело так, будто они вовсе не наблюдали за перепалкой между Медфордом и четой Кранберри.

Джеймс повернулся к поредевшей группе гостей, держа в руке стакан бренди.

– Надеюсь, все слышали? Это ждет каждого из вас. Любой, кто неуважительно отзовется о герцогине, ответит мне.

Полное молчание.

Тогда Джеймс зашагал прочь. Пробираясь сквозь толпу, он направился к выходу из зала. А вся многолюдная толпа взорвалась морем шепота и предположений. Все присутствующие, казалось, говорили о нем. И о ней. О, он пришел и сделал это. Защитил ее. Блестяще, героически, смело защитил ее.

Кейт наблюдала за ним, и слезы наполняли ее глаза.

Глава 42

Она допила шампанское, надеясь, что это придаст ей отваги, и поставила пустой бокал на стол. Слезы слепили ее, пока она пробиралась сквозь толпу. Продвижение давалось с трудом, потому что люди, привлеченные громким скандалом, сплошной стеной двигались ей навстречу. И Кейт приходилось работать локтями, чтобы пробиться сквозь эту стену и не потерять из виду Джеймса. Она не раз ругала свои широкие юбки, которые мешали ей.

Наконец Кейт удалось продвинуться вперед, она прошла через открытые двери и вышла в холодный коридор. Где-то в глубине темного коридора мелькнул силуэт Джеймса, она видела, как он вышел на балкон. Подобрав юбки, Кейт бросилась бежать, ее синие туфельки выстукивали дробь по мраморному полу.

Коридор был такой длинный, что, когда она наконец-то достигла его конца, пришлось остановиться и отдышаться. Она опустила юбки и взялась за ручку французских дверей, открыв их, шагнула в сумрак ночи. Резкий промозглый ветер сразу же дунул в лицо, но она едва заметила это.

Джеймс стоял, облокотившись на балюстраду, со стаканом бренди в руке.

Он был так красив... так благороден и так... совершенен. Сердце Кейт болезненно сжалось. Она вряд ли поверила бы в это прежде, если бы не услышала слова, обращенные к Кранберри. Но это не были слова человека, который просто старался исправить что-то, что казалось ему неправильным. Нет, это были слова человека, который любил. Действительно любил. Любил ее? Неужели такое возможно? Каждое сказанное им слово обжигало ее сердце, и она не могла уехать, не дав им обоим еще один шанс.

— Джеймс, — тихо позвала она.

Он повернулся на звук ее голоса. Помолчал. И плотно сжал губы.

— Я не знал, что ты здесь.

— Я пришла с Лили и Энни, я... я слышала, как ты сказал...

— Кранберри сами не знают, что говорят. — Джеймс цедил слова сквозь стиснутые зубы.

— Джеймс. — Она потянулась к нему, дотронулась до его рукава. — Спасибо.

Джеймс передернул плечами и поднес к губам стакан с бренди.

— Ты уже благодарила меня, Кейт. — Сделав глоток, добавил: — И совсем не за что благодарить сейчас.

— Я всегда буду благодарить тебя.

— Насколько я слышал, ты завтра отбываешь на континент? — смерив ее взглядом, поинтересовался Джеймс.

Изо всех сил она старалась сдержать волнение. О Господи, она же все это предвидела. Сейчас решается их судьба.

— Это зависит от... — еле слышно проговорила Кейт. Он пристально смотрел на нее.

— От того, хочешь ли ты все еще жениться на мне. — Ее голос совсем затих на последних словах.

Она не могла не видеть, как изменилось его лицо. Оно стало твердым, как камень, и сердце Кейт покатилось вниз.

— О чем ты говоришь, Кейт? — жестко спросил Джеймс.

Она вглядывалась в его лицо, стараясь найти хоть что-то, что могло дать ей надежду. Его зеленые глаза сейчас казались еще ярче от цвета маски.

— Джеймс, ты хочешь жениться на мне? — собравшись с духом, наконец, выговорила Кейт.

Он молча повернулся к ней спиной, отставил стакан и уперся руками в балюстраду.

— Хочу ли я? — спросил Джеймс, вглядываясь в сумрак ночи. — Проклятье, Кейт. Я хотел. Одному Богу известно, как я хотел.

— Но больше... не хочешь? — Кейт затаила дыхание, холодные слезы дрожали на кончиках длинных ресниц. Не могло же все измениться за один день? Не говоря о том, что несколько минут назад Джеймс с такой самоотверженностью встал на ее защиту. Он не может не любить ее.

Или может?

Он шумно выдохнул, еще одно белое облачко повисло в морозном воздухе.

— Да, Кейт, я просил тебя выйти за меня замуж, но ты отказала и ушла.

Она потянулась к нему, ухватила за рукав. И заговорила быстро-быстро, в страхе, что еще чуть-чуть, и она навеки потеряет его.

— Джеймс, я люблю тебя. Я просто не могла сказать тебе это раньше. Я не хотела испортить тебе жизнь. Не хотела позволить тебе погубить свою репутацию. Но несколько минут назад, — она указала рукой в сторону зала, — я поняла, что ты уже сделал это.

— Кейт, все, что я хотел, я уже тебе сказал. Что изменилось после Рождества? Разве ты не любила меня тогда?

— О, конечно, конечно любила. Просто не хотела причинить тебе боль.

Опустив глаза, Джеймс покачал головой.

— Ты не могла причинить мне боль.

Кейт стиснула руки, ногти впились в ладонь. Он говорит так, словно все в прошлом. Словно надежды больше нет. Кейт не могла смириться с этим. Что всегда говорила ей мать? Ничто так не лечит, как несколько глубоких вздохов. Кейт вздохнула и... выдохнула, и снова вздохнула и...

— Я не понимала этого тогда. Я думала... Лили рассказала мне, что весной ты делал ей предложение. И я была уверена, что в случае со мной ты просто хотел, чтобы все было правильно. Мы провели вместе ночь, значит, ты обязан... Пойми, Джеймс, я не знала, любишь ли ты меня? Но сейчас это так? Да, Джеймс? Ты любишь меня?

Он повернулся к ней лицом. Ее глаза жадно всматривались в его лицо, ища ответа.

Джеймс прикусил нижнюю губу, после минутного молчания он сказал:

— Не заставляй меня отвечать, Кейт. Сейчас это уже не имеет значения.

Слезы текли по ее щекам и почти замерзали на холоде.

— Почему? Почему нет?

— Я ни к одной женщине не испытывал того, что чувствую к тебе. Я никогда... Проклятье! Я не хотел потерять тебя. Потерять еще одну, нет, я даже думать не мог об этом. Но я это сделал. Я потерял тебя. — Джеймс отвел глаза, что-то далекое, отстраненное было в его взгляде. Сердце Кейт упало. — И не могу потерять снова.

— Нет, Джеймс. Послушай меня. — Она подошла вплотную к нему и взяла его за плечи. — Разве мы не можем начать сначала? Снова попроси меня выйти за тебя замуж. Попроси меня...

Шум, доносившийся из зала, становился все громче. Видимо, близилась полночь. Кейт, затаив дыхание, смотрела на окаменевшее лицо Джеймса. Он хранил молчание.

Из зала послышались дружные возгласы. Начался отсчет времени.

Десять, девять, восемь, семь, шесть, пять, четыре, три, два, один!

И толпа взорвалась общим гулом, к которому примешивался звон церковных колоколов.

Сорвав с лица маску, Кейт заглянула Джеймсу в глаза.

— Попроси меня, Джеймс... — шептала она. — Попроси...

Он убрал ее руки со своих плеч и покачал головой.

— Слишком поздно, Кейт.

Глава 43

Джеймс сам не помнил, как оказался в доме Колтона. После объяснения с Кейт он вернулся в зал, игнорируя любопытные взгляды и перешептывания, танцевал и пил, пил, пил и снова танцевал. Он был абсолютно уверен, что Лили и Энни уже ушли, предварительно попрощавшись с Кейт и проводив ее в комнату. Но, оказалось, Колтон и Эшборн следили за ним весь остаток ночи, и сейчас Джеймс смотрел на стакан с отвратительным питьем, тем самым, что Колтон заставил его выпить днем раньше. Как, черт возьми, Колтону и Эшборну удалось справляться с этим в ранние годы? Джеймс пил пару ночей и уже чувствовал себя трупом. Хотя он должен был признать, как бы ни было отвратительно это пойло, но оно делает свое дело. Когда он выпил его в прошлый раз, то сразу почувствовал себя гораздо лучше.

И вот Лили опять принесла это зелье. На серебряном подносе, вместе с запиской, в которой Колтон просил Джеймса встретиться с ним в кабинете через полчаса.

— Как вы чувствуете себя сегодня, Медфорд? — спросила Лили, внимательно глядя на него.

— Не очень... — отвечал он.

— Вы знаете, Кейт...

— Нет! — Он поднял руку. — Я не хочу говорить о Кейт. Лили поставила поднос на постель рядом с Джеймсом и с воинственно подбоченилась.

— И все же, милорд, я скажу вам то, что хочу сказать, даже если вы не желаете слушать.

Джеймс с болезненной гримасой на лице потер виски.

— Прекрасно, — пробормотал он. — И закончим с этим.

— Вчера ночью я говорила с Кейт и... — Лили прикусила губу. — К несчастью, я как-то обмолвилась, что вы делали мне предложение... и, конечно, она пришла в замешательство. Простите, Медфорд. Потом я объяснила ей, как все это произошло, рассказала о нашей дружбе и о том, почему вы это сделали.

— Не понимаю, при чем тут это? — равнодушно спросил Джеймс.

Лили вздохнула.

— Вы, видимо, плохо знаете женщин, хотя уверены в обратном.

Он приподнял бровь и криво усмехнулся.

— Послушайте, — продолжала она. — Мы оба знаем, что вы сделали мне предложение только потому, что ваше сердце было свободно. Если бы это было не так, то вы никогда не предложили бы...

Он отвернулся и тихо прошептал проклятье.

— О Господи, Лили, стоит ли выяснять...

— Вы сердитесь на Кейт, я понимаю вас, — перебила его Лили. — Но знаете, что я думаю?

— Что-то подсказывает мне, — начал он с неожиданной для него самого резкостью, — что вы не остановитесь и продолжите говорить, даже если я не буду слушать.

— Вы правы. — Она поправила воротничок платья. — Я думаю, вы оттолкнули Кейт, потому что она способна причинить вам боль. Она способна причинить вам боль, а вы не можете это позволить.

— Вы уверены? — Джеймс вздохнул и закрыл глаза.

— Да, я уверена. — Лили расстроенно поджала губы и подвинула к нему поднос. — Но хочу, чтобы вы хотя бы прислушались к моим словам. — Она указала на питье. — Выпейте, сразу станет лучше. И потом спуститесь вниз, вас ждет Колтон. Может быть, ему удастся найти для вас нужные слова?

— Не рассчитывайте на это, — отрезал Джеймс. Он наблюдал за уходом Лили. Видел, как совершенно без внимания к его больной голове хлопнула за ней дверь. Он поморщился. Что делать? Он заслужил это. С того момента, как Лили вошла в комнату, он вел себя как последний негодяй. Он не хотел слушать ее. Он прекрасно знал, что делает. Используя причину. Используя логику. С каких пор эти две вещи позволили ему так опуститься?

А теперь с ним хотел поговорить Колтон. Прекрасно. Он будет готов к разговору с маркизом через пять минут и непременно поблагодарит его за чудодейственное питье. Лили и Девон смогли, в конце концов, обрести настоящую любовь, но оба немало для этого сделали. Однако, увы, счастливый конец выпадает далеко не каждому.

Зажав нос пальцами, Джеймс залпом выпил напиток, привел себя в порядок и спустился в кабинет Колтона.

Формируя в уме решение, Джеймс толкнул дверь и вошел в кабинет. Но, увы, Колтона там не было, только Джастин сидел на софе посреди кабинета с открытой книгой на коленях. Две собаки Бандит и Лео расположились по обеим сторонам от мальчика.

— Доброе утро, дядя Джеймс, — радостно произнес мальчик. Джеймс улыбнулся в ответ. — Лили сказала мне, что вы здесь, — добавил Джастин.

— Доброе утро, Джастин. — Джеймс подошел и сел в кресло напротив мальчика. — Лили права. Я снова здесь. Что ты читаешь?

— Это книга о Египте, — смущенно произнес Джастин. — Я хотел бы когда-нибудь поехать туда. А вообще хотел бы объехать весь свет. Побывать в Индии, Константинополе и в Америке. Везде!

— А как насчет континента? Ты бы хотел посмотреть Европу?

— О да, конечно. — Джастин кивнул. Он поднял голову и посмотрел на Джеймса темными, оценивающими глазами. — Дядя Джеймс, — вдруг спросил мальчик, — а почему вы здесь? Я не припомню, чтобы вы останавливались у нас прежде?

Джеймс прочистил горло. Похоже, Джастин слишком проницательный. И всегда был таким.

— Боюсь, что я чуть-чуть переусердствовал ночью.

— Лили сказала, что вы очень расстроены.

— Она так сказала, да? — нахмурившись, спросил Джеймс.

— Да. Почему вы расстроены, дядя Джеймс? Потому что сгорел ваш дом?

— Что? — Джеймс чуть не поперхнулся. — Кто рассказал тебе об этом?

— Лили и тетя Энни, — ответил мальчик, пожимая плечами.

— Ну да, конечно. — Джеймс покачал головой. — Нет, я не из-за этого расстроился, это всего лишь дом.

Видимо, Джастин был искренне заинтересован. Он закрыл книгу и отложил ее в сторону. Бандит подвинулся, чтобы не мешать.

— Тогда из-за чего вы расстроены, дядя Джеймс?

— Я не... — Джеймс вздохнул. Он потер рукой лоб, не в силах притворяться перед мальчиком. Дети обладают способностью видеть суть вещей, особенно этот не по летам умный ребенок.

— Просто... просто... я немного несчастлив.

— Почему?

Снова этот вопрос. Джеймс посмотрел на мальчика. Да, очень проницательный ребенок. Джеймс пожал плечами.

— Так. Это сложно.

— Когда люди говорят «это сложно», — Джастин положил руку на колено Джеймса, — они обычно просто не считают нужным объяснять это мне, потому что думают, что я маленький и не пойму.

— Ты так думаешь? — Джеймс постарался спрятать улыбку.

Джастин кивнул.

— Лили говорила мне, что у нас с вами много общего. Я знаю, почему вы такой печальный.

Джеймс резко выдохнул, как будто кто-то дал ему под дых. Он никогда прежде не думал об этом, но это была правда. Мать Джастина когда-то была любовницей Колтона. Он даже не знал о существовании ребенка. Одна, без денег, она родила мальчика в приюте для бедных и в тот же день умерла. Другая женщина, которая жила там, пожалела сиротку и взяла на себя заботу о нем. Если бы не попытка отца Колтона использовать мальчика как пешку в собственной игре и забрать его, Джастин имел бы совсем другую жизнь и рос бы без отца и без семьи. Да, мальчик прав, у них обоих много общего. Их появление на свет стало причиной смерти их матерей.

— Мне очень жаль, что твоя мама умерла, — печально произнес Джеймс.

— А мне жалко, что умерла ваша мама, — ответил Джастин. — Он погладил Бандита, который старался лизнуть его в лицо. — Вы знаете, что миссис Эпплби говорила мне о моей матушке?

Джеймс приготовился выслушать рассказ об ангелах, о том, как они наблюдают за нами сверху, без сомнения, это будет именно так, думал он. И был рад, что подобные вещи могут успокоить мальчика, но ему самому это вряд ли может помочь.

— И что же?

— Жизнь дана для того, чтобы жить.

— Что? — Джеймс резко вскинул голову. Нахмурившись, переспросил: — Что ты сказал?

— Жизнь дана для того, чтобы жить, — повторил Джастин. — Я всегда грустил, потому что моя мама умерла и потому что я не видел ее. Но миссис Эпплби, сказала, что мама не хотела бы, чтобы я грустил. И еще, что она будет недовольна, если узнает, что я провожу время, печалясь о ней.

Джеймс смотрел на Джастина с интересом. Он всегда знал, что Джастин необыкновенно умен для своих лет. Лили не раз говорила об этом. Но сейчас ребенок удивил его. Никакого сомнения.

— Я уверен, что это именно так.

— Вы знаете, что я думаю, дядя Джеймс? — спросил Джастин.

— Нет.

Мальчик встал, поднял книгу и пошел к двери. Оба пса мгновенно соскочили с софы и побежали за ним.

— Ваша мама тоже не хотела бы, чтобы вы печалились о ней. Она хотела бы, чтобы вы жили. — Джастин скрылся за дверью, а Джеймс продолжал смотреть ему вслед с выражением полнейшего изумления на лице.

Он растерянно почесал голову. Черт подери, он только что получил урок от пятилетнего ребенка. Джеймс задумался над его словами. «Жизнь дана для того, чтобы жить». Джеймс провел всю свою жизнь в поисках совершенства, в старании загладить свою вину за потерю матери. Ему самому не просто было посмотреть на свою жизнь со стороны, но, когда он обдумывал ситуацию Джастина, это казалось таким ясным. Конечно, мать Джастина не могла винить его. Он был дитя, невинное дитя. И ничего не мог сделать, чтобы предотвратить ее смерть. И такой хороший отец, как Колтон, никогда ни одним словом не обвинил его в гибели женщины, которую безумно любил. Нормальный человек не способен винить за это ребенка. Но Джеймс знал, что его отец был сумасшедшим, хотя это не так больно терзало его сердце теперь, после разговора с Джастином. Слава богу, ребенок прав. Жизнь дана для того, чтобы жить. И маленький мальчик напомнил ему об этом.

Джеймс поднялся со своего места. Кейт обидела его, это так. Обидела своим уходом, и его сердце снова ожесточилось. Но причина этой невыносимой боли коренилась совсем в другом, и это другое — смерть его матери. Правда, которую он мог сказать себе той ночью, когда напился в таверне. А Кейт старалась все исправить. Она вышла за ним на балкон и умоляла дать им еще один шанс. Он отказал ей. Он обидел ее. Господи, они квиты.

Быстрым шагом он вышел из комнаты. Позвал дворецкого Николаса, попросил принести ему шляпу и пальто. Он должен действовать немедленно. Господи, он должен жить для этого. Жить без постоянного чувства вины за смерть матери. Жить без осуждения со стороны отца. Жить той жизнью, какой хотел. Жизнью, какую хотела бы для него мать. И он знал, что обязан сделать прежде всего.

Глава 44

Лили принесла Кейт памфлет, положила его на прикроватный столик обложкой вниз, но Кейт даже не удосужилась взглянуть на него. Уже несколько дней она была занята тем, что описывала в своем дневнике последние события. И решала, что ей делать дальше. Континент по-прежнему занимал ее мысли, но она почему-то не могла заставить себя уехать. Особенно после встречи с Джеймсом на маскараде. Он выглядел таким потерянным, так много пил и... был далек от совершенства. Что она сделала с ним? И поймет ли он, что они значат друг для друга? Конечно, он имел в виду свою мать, когда сказал ей, что сначала потерял одну женщину и вот теперь — другую. Он мог не упоминать ее имя, но Кейт поняла. Он винил себя за многие вещи. И именно поэтому постоянно стремился к совершенству во всем. Все в его жизни лежало на его сильных плечах. Он взял на себя непосильный груз ответственности. И когда Кейт думала об этом, сердце сжималось от боли.

Слава богу, леди Кэтрин была так добра, что уговорила Кейт остаться у нее столько, сколько она захочет. И, конечно, обе сестры, то есть Лили и Энни, тоже предложили ей пожить у них, но Кейт предпочла дом леди Кэтрин. Менее вероятно, что здесь она может встретиться с Джеймсом.

И более безопасно... для ее сердца.

Кейт бросила беспокойный взгляд на памфлет. Он выглядел как маленькое бумажное обвинение. Что ж, она была рада, что Джеймс наконец-то решил опубликовать его. Возможно, это хоть каким-то образом возместит затраты на восстановление пострадавшего от пожара дома. Она уже несколько раз читала памфлет прежде, знала каждое слово наизусть. О, она до сих пор помнила те страшные, тревожные часы, когда начала писать его. Но сейчас не могла заставить себя открыть его и прочесть. Теперь это дело Лондона, не ее. Так или иначе, пусть ее судит город. По крайней мере, она смогла высказать свой собственный взгляд на эту историю. Интересно, прочтут ли его леди и лорд Кранберри? Изменится ли после этого их суждение о ней? Скорей всего, нет. Но она писала его не для таких злостных сплетников, как эта пара. Она писала его для... Джеймса.

И сейчас в этом не оставалось сомнения. Стоит ли обманывать себя? Она была полностью сосредоточена на том, поверит он ей или нет. Он поверил. В конце концов, поверил. И он понимал, лучшее, что он мог сделать, это защитить ее. Он спас ее от разъяренной толпы. Укрыл в своем доме, предложил ей... И Кейт оттолкнула его.

Нет, она не будет читать этот памфлет. Она не может. Не сейчас. Может быть, никогда не сможет.

Через два дня Лили приехала в дом леди Кэтрин и постучала в дверь комнаты Кейт. С усталым вздохом взглянув на гостью, Кейт пригласила Лили войти.

— Вы должны непременно отправиться со мной на прогулку в парк, — сказала Лили. — Моя коляска ждет и...

— Я просто не в состоянии, — вновь тяжело вздыхая, ответила Кейт. — И к тому же сегодня слишком холодно.

Лили подбоченилась, принимая воинственную позу.

— Я отказываюсь выслушивать какие-либо возражения, — категорично заявила она. — Вы сидите взаперти уже несколько дней, ничего не делая, никого не видя. Куда это годится? Свежий воздух пойдет вам на пользу.

Кейт устало подняла подбородок.

— Но я не сижу без дела, я пишу дневник...

— Этого недостаточно. Я настаиваю на своем предложении. Вам надо проветриться, дорогая. Здесь вы сойдете с ума.

— А что, если кто-нибудь увидит меня?

— Пошли они все к дьяволу. — Лили сделала неопределенный жест рукой. — Если кто-то позволит себе сказать хоть какое-то нелицеприятное слово в ваш адрес, то будет иметь дело со мной. И моим... кнутом.

Кейт не могла не улыбнуться, но все же покачала головой.

Но Лили не собиралась отступать.

— Я подожду, пока вы наденете пелерину.

— Лили, правда, я не хочу...

— Вы едете, и точка. — Лили топнула ногой. — И больше никаких возражений!

Кейт беспомощно пожала плечами и направилась к гардеробу.

— Похоже, кто-то из нас сошел с ума, ну да ладно...

— Не тревожьтесь, — успокоила ее Лили. — В это время года в парке немноголюдно. Слишком холодно.

Кейт неохотно накинула пелерину. В глубине души она готова была признать, что это вовсе не так уж плохо — покинуть комнату.

— Что ж, я готова.

Лили взяла ее под руку, и они пошли к двери.

— Теперь, когда это улажено, я не могу не спросить, что вы думаете о памфлете Медфорда?

Кейт остановилась.

— Я не читала. Простите, но я просто не могла.

Лили повернулась к ней. В ее широко открытых глазах светилось недоумение.

— Вы, должно быть, шутите?

— Нет, нет, я просто не могла. Кроме того, я же прекрасно знаю, что там написано.

Отпустив руку Кейт, Лили вернулась к столику и взяла памфлет.

— Пойдемте! — сказала она. И, подойдя к дверям, потянула за собой Кейт.

— Что вы задумали? — недоумевала Кейт. — Хотите заставить меня прочесть его?

— Именно это я и собираюсь сделать, — решительно заявила Лили и закрыла за ними дверь.

Пока они ехали через парк в коляске Лили, Кейт думала, что маркиза была права. Навстречу попадались лишь редкие прохожие. И по понятной причине. День выдался на редкость холодный. Но Кейт нравился этот обжигающий морозный воздух, который так приятно холодил щеки. И сегодня скупое январское солнце определенно решило порадовать своим появлением. Подставив лицо солнцу, Кейт с блаженной улыбкой закрыла глаза. Она вдыхала морозный воздух, а Лили тем временем уверенной рукой управляла коляской.

— Вы видели его? — наконец спросила Кейт, нарушая молчание. И тут же отругала себя. Очевидно, она и пятнадцати минут не может выдержать, не упомянув имя Джеймса.

Лили ответила ей слабой улыбкой.

— Медфорда?

— Да. Как он? — Она расправила юбки рукой, затянутой в лайковую перчатку.

— Честно говоря, — сказала Лили, глядя куда-то вдаль, — я никогда не видела его таким печальным. И я говорила с ним.

Рука Кейт замерла около шеи, она потуже затянула пелерину.

— Правда?

— Да, — кивнула Лили.

Кейт прикусила губу.

— Я знаю, мне следовало уже уехать на континент, но я не могу заставить себя.

— Можно я дам вам один совет? — Лили взглянула на нее краем глаза.

— Да, разумеется.

— Вам нужно прочитать памфлет. — И Лили кивнула на памфлет, который лежал на сиденье, она положила его туда, когда они садились в коляску.

Кейт прикусила губу и отвернулась.

— Я же сказала вам, я не могу.

— Вы готовы прислушаться к моему совету или нет? — спросила Лили.

— Лили, — начала Кейт, едва сдерживая раздражение, — я прекрасно знаю, что там написано.

— А я вам говорю, прочтите его, — повторила Лили, указывая на памфлет кнутом. И в подтверждении своих слов кивнула головой.

— Лили. Я не...

На этот раз Лили округлила глаза.

— Вы прекратите упрямиться? Прочтите его.

Кейт упрямо поджала губы. Она не хотела вновь оживлять ту боль, не хотела вспоминать о том, как нашла мертвое тело Джорджа. Она больше не хотела вспоминать те тягостные дни. И, возможно, не захочет никогда. Почему Лили так упорно настаивает?

Кейт взяла памфлет с сиденья. Посмотрела и... замерла.

«Секреты скандального джентльмена».

Она заморгала, недоумевая, подняла глаза и снова опустила их. Видимо, это заглавие?

«Это чистая правда, памфлет действительно должен был содержать признание Кейт Таунсенд, вдовствующей герцогини Маркингем».

Сердце Кейт забилось с бешеной скоростью.

«Но это не так. Да, это признание, но не герцогини. Это мое признание».

Кейт проглотила комок в горле.

— Джеймс, нет, — прошептала она.

«Я, Джеймс Банкрофт, виконт Медфорд, и именно я владелец печатного станка и издатель этого памфлета. И не только этого, «Тайны брачной ночи», «Секреты сбежавшей невесты» — все это тоже моя работа. И я был счастлив представить вам, жителям Лондона, скандальные истории в форме памфлетов. Я намеривался опубликовать историю герцогини. Но один очень юный и очень умный человек недавно преподал мне хороший урок, и теперь я понимаю, что публикация скандальных историй не истинная моя цель».

Глаза Кейт наполнились слезами.

«Сейчас все вы знаете, что герцогиня оправдана и с нее сняты все обвинения в убийстве. Я лично проверял каждое свидетельство и знаю, что она невиновна, но для этого потребовалось время».

Кейт прижала руку к груди, Лили искоса поглядывала на нее.

«Герцогиня была по ошибке обвинена в убийстве, и в умах и сердцах многих из нас она стала виновна чуть ли не во всех смертных грехах. Только такая невежественная ненависть могла толкнуть разгневанную толпу на разрушение моего дома. Только неосведомленность и огульное осуждение могли вызвать подобную нетерпимость».

Кейт проглотила комок, вставший в горле. Она не могла читать быстрее.

«Я написал это не для того, чтобы убедить вас в ее невиновности, потому что уверен, вы способны сделать свое собственное заключение на этот счет. Я пишу это для того, чтобы проинформировать вас, что я решил связать с ней свою жизнь».

Кейт ахнула. Слезы лились из ее глаз, капая на страницы и размазывая чернила. Она смахнула их и продолжила чтение.

«Вы понимаете? Секрет, который я открываю здесь, состоит совсем не в том, что я издатель скандальных историй, хотя, вероятно, это тоже удивит многих из вас. Секрет на самом деле прост — я люблю Кейт, безумно люблю. И моя единственная надежда заключается в том, что она согласится стать моей женой».

Кейт подняла на Лили заплаканные глаза. Она едва могла говорить. Да что там говорить, комок в горле мешал не только говорить, но и дышать.

— Где он? — рыдая, выговорила Кейт. Лили понимающе улыбнулась.

— Я думаю, в своем доме на Риджент-стрит. Он живет там, пока ремонтируют сгоревший.

— Я должна идти, — заявила Кейт. — Немедленно! Я...

— Не объясняйте. — Лили уже развернула коляску. И с предельной скоростью они направились к выходу из парка.

Глава 45

Подхватив юбки, Кейт взбежала по ступеням дома Джеймса на Риджент-стрит. Ее каблучки отстукивали дробь по мраморным ступеням. Она постучала и замерла в ожидании, нервно поправляя перчатку и глядя на дверь так, словно она могла открыться от ее взгляда. Спустя пару минут тяжелая дверь отворилась, и в дверном проеме появилась внушительная фигура Лока.

Как только старый дворецкий увидел Кейт, его морщинистое лицо расплылось в улыбке.

— Ваша светлость?

Кейт пришлось отдышаться, прежде чем она смогла выговорить:

— Скажите, Лок, Джеймс дома? — Она вытянула голову, стараясь заглянуть в холл, скрытый за спиной дворецкого.

— К сожалению, его нет, — растерянно произнес Лок. Сердце Кейт упало. Она вглядывалась в лицо Лока.

— А где он?

— Его сиятельство на заседании парламента. Только что началась новая сессия.

Приподнявшись на цыпочки, Кейт чмокнула оторопевшего дворецкого в щеку. Он покраснел и произнес в замешательстве:

— Ваша светлость, зачем, я...

— Вы даже не представляете, как я вам благодарна, Лок. — Она резко развернулась и сбежала вниз по ступеням к коляске, где ее поджидала Лили.

— Ну? — спросила Лили. Ее глаза стали огромными как блюдца. — Его нет?

— Он на сессии в палате лордов.

Вздохнув, Лили покачала головой.

— Как вам это нравится? Неудобнее не придумаешь. Но не волнуйтесь, дорогая. Я отвезу вас назад к леди Кэтрин, а сюда мы вернемся попозже, когда он...

— Никаких попозже, — воскликнула Кейт. — И слушать вас не желаю!

Лили резко отпрянула. Наверное, ее бы меньше потрясло, если бы Кейт ударила ее.

— Что, простите? Я думаю...

— Мне плевать на то, что вы думаете. Я сказала, что не желаю вас слушать.

Лили смотрела на Кейт, не веря своим глазам.

— Что происходит, Кейт? Что вы задумали? — спросила она, невольно подняв руку и обмахиваясь ладонью наподобии веера.

С загадочной улыбкой на лице, Кейт подобрала юбки, поднялась в коляску и уселась рядом с Лили.

— Везите меня прямо в парламент. Сейчас же! — сказала она, кивнув на лошадей.

Лили ахнула.

— Пар... пар... парламент? — заикаясь, проговорила она.

— Да и сейчас же. Пожалуйста, — добавила Кейт, дабы смягчить резкость своего тона.

Лили покачала головой.

— Кейт, опомнитесь, мы не можем...

— Не можем или не должны? — спросила Кейт, приподнимая бровь.

— И то и другое.

Кейт повернулась к Лили и встретила ее взгляд.

— Несмотря на все мое уважение к вам, леди Колтон, несколько недель назад я пришла к решению, что намерена жить. И попробуйте мне сказать, что сейчас не время для осуществления этого намерения, — решительно заключила Кейт.

Лили осторожно приподняла на нее глаза.

— Но, Кейт, вы представляете, какой скандал разразится, если вы прервете заседание парламента?

Кейт запрокинула голову и рассмеялась. Сейчас, когда она приняла решение, на нее снизошло странное спокойствие. Спокойствие в сочетании с предвкушением счастья.

— Я ни на кого непохожая, самая скандальная невеста во всем благочестивом Лондоне. Чего мне бояться? Вы действительно думаете, что я могу беспокоиться по поводу нового скандала? Неужели вы и правда так думаете, Лили?

Лили открыла рот, собираясь ответить, но в следующую секунду закрыла его.

— Если вы так считаете... — Она дернула поводья. Лошади побежали быстрее. Кейт прижала к голове капор и покачивалась в такт движениям коляски.

О чем она думает? Она ущипнула себя за руку. Неужели она способна совершить это? Ворваться в парламент, прервать заседание и найти Джеймса? По спине пробежал холодок нетерпения. Кейт постаралась успокоиться, вытянула руки и положила их на колени. Да, слава богу. Она может сделать это и сделает. Кураж. Кураж. Кураж. Жить. Жить. Жить.

Через несколько минут коляска остановилась перед Вестминстерским дворцом. Кейт, запрокинув голову, смотрела на величественное готическое строение.

— Вы не передумали? — поинтересовалась Лили.

— Ни в коем случае.

Кейт расправила плечи. Недели, может быть, дни она жила в ожидании смертного приговора. Да, она учинит новый скандал. Сказав человеку, которого любит, что ни секунды больше не может жить без него, и ничто не может остановить ее от намерения ворваться в палату лордов. Черт подери, да она ворвалась бы в ванную принца-регента, если потребовалось бы. Хотя вряд ли ей понравилось бы то, что она могла увидеть.

Кейт подобрала юбки и спрыгнула на землю. Повернувшись, подмигнула Лили.

— Если меня арестуют, я надеюсь, вы сообщите мистеру Абернети?

— Не волнуйтесь, сделаю это сразу же, — заверила Лили и поджала губы, боясь рассмеяться. — Удачи! Ну, идите, идите! — Она кивком головы указала на здание. — Да, еще одно.

— Что? — спросила Кейт.

— Если увидите Девона, не говорите ему, что я здесь, — сказала Лили, подмигивая Кейт.

Покачав головой на нерешительность подруги, Кейт повернулась к величественному зданию парламента. Она поглубже вздохнула, втянув холодный воздух в легкие. Сохраняя решимость, она направилась к южной стороне здания, где размещалась палата лордов, и остановилась перед высокими массивными дверями зеленого цвета. Караульный огромного роста стоял у входа.

— Вы по какому вопросу? — высокомерно спросил он.

По какому вопросу? Гмм. Как это она не подумала об этом?

— Я — вдовствующая герцогиня Маркингем, и у меня срочная информация для виконта Медфорда, — произнесла Кейт непререкаемым тоном, который дался ей без труда. Она подняла подбородок и посмотрела караульному прямо в глаза. Если этот верзила был в неведении два последних месяца, то наверняка слышал ее имя раньше. Но поверит ли он, что ее дело не терпит отлагательств?

В его глазах вспыхнул интерес. Ах, значит, она не ошиблась, и ее имя ему знакомо. Он осмотрел ее с ног до головы. Она, в свою очередь, выжидающе смотрела на него. В чем дело? Никогда не имел дела со столь скандальной леди? Наконец он отошел в сторону, поклонился ей, затем выпрямился и кивнул.

— Прямо по коридору, ваша светлость, через эти двери.

Кейт наконец-то смогла вздохнуть с облегчением, она не дышала с того момента, как подошла к зданию. Слава всевышнему! Это получилось. Она никогда не была так благодарна своему ненавистному титулу, как сейчас. Глупо было бы отрицать, что именно титул открыл перед ней эти двери. Да, именно он открыл перед ней эти массивные, тяжелые двери.

— Благодарю. — Она кивком головы поблагодарила караульного и, пройдя мимо него, пошла по коридору, испытывая ту степень терпения, о которой не подозревала. Ей страшно хотелось подобрать юбки и броситься бежать, но она сдержалась, представив, как охранник схватит ее и отправит в Тауэр, сделай она это. Нет, лучше сохранять спокойствие и вести себя так, как будто ей надо срочно передать Джеймсу маленькую записку.

Она вошла на боковую галерею и сделала пару глубоких вздохов. Остановилась перед дверью, чувствуя, как от страха засосало под ложечкой. Затем дрожащей рукой открыла резные двери и вошла в большой зал.

— Желание благородных джентльменов... — Громкий голос мгновенно оборвался, и все головы повернулись к ней.

Кейт замерла, единственное, что ей удалось, это поднять подбородок. Она чувствовала себя камешком, брошенным в море. В зале дюжины джентльменов, может быть, сотни. И все они епископы, или пэры. Представители палаты лордов. Те самые джентльмены, которым предстояло вынести ей приговор, если бы дошло до суда. Кейт сжала кулаки. Кураж. Кураж. Кураж. Она решила сделать это, а если решила, то непременно сделает.

— Ваша светлость, — обратился к ней один из присутствующих, Кейт повернула голову и поняла, что эти слова произнес лорд-канцлер. Он смотрел прямо на нее.

Она вежливо наклонила голову.

— Лорд-канцлер. — Очевидно, репутация предшествовала ей. Кейт следовало ожидать этого.

— Мы можем чем-либо помочь вам? — Он нахмурил брови.

Его голос эхом отражался от деревянных панелей на стенах.

Она откашлялась.

— Как я понимаю, вам уже известно, я — вдовствующая герцогиня Маркингем, и я здесь для того, чтобы увидеть виконта Медфорда.

По рядам пробежал глухой шепот. Если до сих пор не все глаза были устремлены на нее, то сейчас, без сомнения, все взгляды остановились на ней. Она чуть выше приподняла подбородок. Где Джеймс?

Кто-то что-то бормотал, кто-то кашлянул... ее глаза пробежали по обеим сторонам галереи. Как только Джеймс встал, она тотчас увидела его. Он занимал место на скамье с правой стороны галереи.

— Я здесь, Кейт. — Джеймс смотрел на нее с благоговением. Ее дыхание сбилось. В груди ломило. Кейт бросилась к нему.

— Ваша светлость, как это понимать? — Раздался стук молотка, и с другой стороны галереи послышался возмущенный голос лорда-канцлера.

Но Кейт не обращала внимания. Она кинулась бежать, стук ее каблуков гулко отдавался в зале. Она остановилась только тогда, когда ее обхватили руки Джеймса. Он перегнулся через барьер ложи, в которой сидел, покрепче обнял ее и поднял.

— Я думал, ты никогда не придешь, — прошептал он ей на ухо. По ее щекам бежали слезы.

— Я только сегодня прочла твой памфлет, — сказала она, всхлипывая и касаясь щекой его грубой, но такой родной щеки.

— Ваша светлость! — Молоток стукнул снова. — Это переходит все границы.

Не отрывая глаз от Джеймса, не пытаясь повернуться к лорду-канцлеру, Кейт постаралась отыскать самый громкий голос, на который была способна.

— Мы уже давно перешли все границы, милорд. — Она улыбнулась, мысленно вообразив, как вытянулось лицо сановника. Бедный лорд-канцлер.

Джеймс зажал ее голову в своих больших ладонях и поцеловал в губы, колени Кейт задрожали.

— Кейт...

Он пробормотал всего лишь одно слово, но она услышала в нем так много.

— Джеймс, — прошептала она в ответ. — Я жду, когда ты скажешь, что любишь меня.

Он растаял. Прижимая к себе, он поцеловал ее, а затем прошептал ей на ухо:

— Я люблю тебя, Кейт. Люблю. Люблю.

— И я люблю тебя, Джеймс, — сказала она между поцелуями и слезами. — Ты знаешь, что твоя репутация будет разрушена окончательно, если ты женишься на мне? — тихонько посмеиваясь, проговорила она.

Он целовал ее мокрые щеки, лоб, виски.

— С этим уже покончено. И поверь, я не переживаю по этому поводу.

— Но ты отдаешь себе отчет в том, что не сможешь исправить это?

Он посмотрел на толпу людей, которые глазели на них со смешанным чувством потрясения, гнева и удивления. И криво усмехнулся.

— После этой маленькой сцены я сомневаюсь, что мы сможем что-то исправить. — И улыбнулся Кейт.

Она опять поцеловала его.

— Ты хочешь сказать, что собираешься прекратить печатать памфлеты?

— Нет, но я хочу использовать печатный станок для того, чтобы помогать людям. То есть последовать твоему совету, Кейт. Я никогда не печатал ничего лишь с целью вызвать скандал. Я всегда старался что-то исправить. Сначала история испуганной невесты. Затем, дабы удовлетворить любопытство юных женщин, которые обдумывали, как бы сбежать в Гретна-Грин. Но сейчас, сейчас, Кейт, я намерен использовать его в более высоких целях. Например, попытаться изменить жизнь тех несчастных, кто ошибочно обвинен в том или ином преступлении.

Какой-то молодой человек поднялся со своего места.

— Верно! Верно!

Джеймс и Кейт повернулись к нему.

— Кто это? — спросила она.

— Оливер Таунсенд, — с улыбкой ответил Джеймс. — Новый герцог Маркингем. Славный малый.

Ах, конечно, она просто не узнала его. Она недолго рассматривала нового герцога. Лорд-канцлер с такой силой ударил молотком по трибуне, что Кейт подумала, она должна треснуть, не иначе. Оливер Таунсенд сел.

— Лорд Медфорд, — прогремел голос лорда-канцлера. — О чем, черт возьми, вы говорите?

— О моих памфлетах, джентльмены. И о моем печатном станке, — добавил Джеймс. — Все правильно. Я уверен, вы все читали последний памфлет в его окончательном виде. И я совершенно не намерен оставлять место в парламенте. Вам придется смириться с пребыванием скандального виконта в ваших рядах. А сейчас прошу извинить нас. Моя будущая жена и я, мы уходим. — Он поклонился, взял Кейт за руку и повел ее к выходу.

Эпилог

Лондон, конец марта 1817 года.

Кейт сидела рядом с мужем на переднем сиденье коляски. Они решили поехать на прогулку в парк. Они и так пропустили всю зиму. И сегодня наконец-то был первый хороший день для прогулки.

— Ты уверена, что хочешь поехать в парк? — спросил Джеймс, поглядывая на жену краем глаза.

— Да. — Кейт упрямо вздернула подбородок. — Мне все равно, что каждый встречный будет смотреть на нас косо. У нас есть точно такое же право быть там, как и у других. И потом, я в своих любимых сапфирах чувствую себя прекрасно. — Она потрогала ожерелье на шее.

— Ваше желание для меня закон, виконтесса Медфорд. — Джеймс подмигнул жене. — Едем! — Он отдал команду лошадям, и коляска медленно покатила по Риттен-роу.

Кейт рассмеялась.

— Я думала, что никогда больше не буду так счастлива, как тогда, когда ты подарил мне на свадьбу Маргарет ll, — сказала она. — Но я так люблю эти сапфиры! — Она снова дотронулась до ожерелья и улыбнулась.

— Сапфиры тут ни при чем, — ответил Джеймс, улыбаясь жене. — Они просто оттеняют твою красоту. А что касается Маргарет II, смею заметить, ты единственная виконтесса, которая держит в городском доме поросенка.

— Да. Но я в прекрасной компании, моя подруга маркиза держит собаку, как две капли воды похожую на енота, а графиня — лису.

— Не стану спорить, — согласился Джеймс.

Они приехали. Лили, Девон, Энни и Джордан уже ждали их в парке. Они помахали, приветствуя своих друзей.

— А, вот и вы, виконт и виконтесса! — воскликнула Лили.

Джеймс помог жене выйти из коляски и повел ее к поджидавшей компании. Кейт несла корзину для пикника.

— Неужели это те самые Лорд и Леди Скандал? — сказал Колтон, встречая друзей широкой улыбкой.

Энни дернула его за рукав.

— О, не слушайте его, — обратилась она к Кейт и Джеймсу. — Ваша свадьба была бесподобна. Даже при том, что нас было всего шестеро, да еще Джастин. Кого волнует, что вы не стали ждать конца траура?

— Кого волнует? — Кейт давилась от смеха. — Ну, отчего же, я думаю, весь Лондон.

— Но не нас, — пожала плечами Лили.

— Весь город, исключая нас четверых и леди Кэтрин, — уточнила Кейт. — Но мы решили, что и так уже устроили скандал, так что стоит ли останавливаться?

— Кажется, — вздохнула Лили, — так всегда говорит леди Кэтрин?

— Если вы собрались учинить скандал, дорогая, то тогда пусть это будет настоящий скандал, то есть идите до конца, — произнесла Энни низким, грудным голосом, подражая леди Кэтрин.

Все рассмеялись.

Лили покачала головой.

— Не могу передать вам, как я счастлива, что все это, в конце концов, случилось. Если бы только и остальные представители света оставили свое высокомерие.

Кейт присела на одеяло, расстеленное на траве.

— Я до сих пор не могу поверить в это. Не могу поверить, что меня обвиняли в убийстве. Не могу поверить, что меня оправдали. Не могу поверить даже в то, что я когда-то была замужем. В тот первый раз. — Она улыбнулась Джеймсу. — Целых десять лет, подумать только! Десять лет, похожие на дурной сон, от которого я, наконец, пробудилась.

— Честно говоря, я так и не понял, почему признался камердинер? — задумчиво произнес Джеймс.

Лили подтолкнула мужа локтем, и Девон кашлянул.

— Расскажи им, — настаивала Лили. — Кажется, время пришло.

— Рассказать нам? — Джеймс нахмурился.

Девон взглянул на жену.

— Да, лорд Колтон, расскажите нам, о чем идет речь? — попросила Кейт, пристально глядя на Колтона.

Девон прочистил горло.

— Что ж... дело в том, что пришлось немножко потратиться, чтобы правда вышла наружу.

— Это «немножко» подразумевает огромную сумму денег, — усмехнувшись, вставил Джордан.

Джеймс еще больше нахмурился.

— Да в чем дело, черт подери?

— Все очень просто... Я пообещал тугой кошелек любому, кто сможет хоть что-то рассказать об убийстве, — пожимая плечами, пояснил Колтон. — За правдивую информацию, разумеется. Мы все это организовали вместе с мистером Хортоном.

Кейт ахнула.

Джеймс молчал, широко открыв глаза.

— Так вот почему слуга выдал камердинера? — сказал он после продолжительной паузы.

— Никогда не стоит недооценивать знания слуг, — ответил Колтон. — В моем доме они знают абсолютно все. И я был уверен... если кто-то совершил это преступление... то, наверняка найдется кто-то другой, кто знает об этом. Мне оставалось только подтолкнуть того парня дать показания.

— Не знаю, как вас благодарить, милорд, — тихо проговорила Кейт, качая головой.

— Я перед тобой в вечном долгу, — произнес Джеймс, сжав челюсти.

— Нет, теперь мы квиты. Это я был перед тобой в долгу за ту помощь, которую ты оказал нам, обеспечив безопасность моей жены. — Он и Лили обменялись улыбками.

— Что ж, я просто не могу поверить, что, несмотря на все наши неимоверные усилия, — а вы должны поверить мне, Медфорд, мы действительно старались, — вы нам нравитесь все больше и больше, Лорд Совершенство, — добавил Эшборн, давясь от смеха.

Энни снова толкнула мужа локтем, и Джеймс, прищурившись, посмотрел на своего друга.

— Я заметила, вы перестали носить галстук, Медфорд, — сказала Лили, наливая ему бокал вина.

Джеймс потянулся рукой к шее.

— Совершенно верно, он имеет обыкновение съезжать в сторону, и меня это раздражает.

— Да, — кивнула Кейт. — Вы можете не верить, но теперь он часами сидит дома, и даже бумаги на его столе в полном беспорядке.

Джеймс улыбнулся жене.

— И я наслаждаюсь каждым мгновением, дорогая. — Он поцеловал ее в щеку. Затем отклонился назад, опираясь на локти, и посмотрел на голубое весеннее небо. — А что касается беспорядка на моем столе, честное слово, я перестал реагировать на подобные мелочи...

Лили, Кейт и Энни разгружали корзину и раскладывали ее содержимое на одеяле, вокруг которого на траве расселись джентльмены. Они уже предвкушали то удовольствие, которое обычно дает еда на природе, когда увидели, что за ними собралась небольшая толпа.

— Чего они хотят? — настороженно спросил Джордан, глядя через плечо.

Джеймс прищурился. И обнял Кейт за плечи, словно хотел защитить ее.

— Если что-то пойдет не так...

Девон и Джордан обменялись тревожными взглядами и приготовились к возможному нападению.

Один из мужчин вышел вперед.

— Когда выйдет ваш следующий памфлет, лорд Медфорд?

— Слушайте, слушайте! — послышались голоса из толпы, которая становилась все больше.

— Да, когда? — крикнул кто-то еще.

Джеймс нахмурился. Они имели в виду его последнее рискованное начинание, серию памфлетов, где он попытался рассказать об узниках тюрьмы Ньюгейт. Он и Кейт посещали казематы тюрьмы, встречались с опустившимися, затравленными заключенными, слушали их рассказы. Они только что опубликовали историю вдовы, которую по ложному доносу обвинили в воровстве. Ей грозила виселица. Если бы казнь свершилась, дома остались бы четверо малолетних детей. Сироты.

Джеймс и Кейт наняли Абернети и мистера Хортона, чтобы проверить факты и раскрыть это преступление. И правда восторжествовала. Оказалось, что эта бедная женщина даже не была в городе в тот день, когда произошло ограбление. И вскоре ее освободили из тюрьмы. Лондон был просто загипнотизирован этой историей, и памфлет расходился на ура. Так же успешно, как и скандальные памфлеты, что было удивительно для обоих. И для Джеймса, и для Кейт. Они ожидали, что скорее их памфлеты вызовут резкий протест у всего Лондона, хотя и это не остановило бы их.

Глаза Лили расширились.

— Они спрашивают, когда выйдет следующий памфлет?

— Представляешь? — выдохнула Энни.

— Он будет напечатан через две недели, — ответил Джеймс. — Его написала моя жена. — Он наклонился и поцеловал Кейт в висок. Ответом была буря аплодисментов.

Кейт не могла не улыбнуться.

— Не могу поверить в это. Я никогда бы не поверила, если бы ты убеждал меня, что скандальная слава может быть столь велика.

— Очевидно, скандал — гвоздь этого сезона, — со смехом заключила Лили.

Джеймс фыркнул.

— Стоит только взглянуть на меня, я как раз начал получать удовольствие от нашей подмоченной репутации.

Рот Лили приоткрылся, брови удивленно приподнялись.

— Ушам своим не верю, я только что слышала, кто-то сказал, будто все они знали, что Кейт была не виновна. И что она не могла совершить такое ужасное преступление.

— Ах, этот переменчивый, переменчивый мир, — вздохнул Девон.

— Они получат свои памфлеты, — кивнул Джеймс.

— О чем будет следующий, Медфорд? — спросила Энни, ставя на одеяло тарелки.

Ответила Кейт.

— Следующий памфлет о женщине по имени Флора, которую обвиняли в убийстве мужа. Доказательств почти нет, как нет и улик.

— Конечно, мы очень внимательны к историям, которые берем, — объяснил Джеймс. — Кроме того, есть много преступников, которые действительно виновны.

Энни раскладывала еду, а Кейт склонила голову на плечо мужа.

— Да, но есть и много таких, кто не виновен, — прошептала она. — Мне повезло.

— Не знаю, кому из нас повезло больше, любовь моя. — Джеймс поднес ее руку к губам и поцеловал.

Кейт шепнула ему на ухо:

— Помнишь ту ночь, когда ты увез меня из Тауэра и привез в свой дом? И как мы ехали на лошади?

— Еще бы, — кивнул он.

— Я молилась в ту ночь. Я так хотела вновь поверить в любовь. Найти ее снова. И вот я люблю. О, Джеймс, ты сделал это, я так люблю тебя!

Толпа снова приветствовала их, когда Джеймс поцеловал жену.

— Ты права, Лили, — сказал он, оглядываясь на прохожих. — Скандал действительно стал гвоздем сезона.

Кейт вздохнула и снова прильнула к нему.

— Я очень рада слышать это, потому что, как выяснилось, я — самая скандальная персона во всем Лондоне.

Джеймс обнял ее.

— И я не хотел бы, чтобы ты была другой, дорогая. Оставайся такой, какая ты есть, несмотря ни на что.

Литературно-художественное издание

Боумен Валери

СКАНДАЛ С ГЕРЦОГИНЕЙ

Роман

Ответственный редактор *О. Ежова*
Редактор *М. Елькина*
Художественный редактор *Е. Фрей*
Технический редактор *Г. Этманова*
Компьютерная верстка *Е. Илюшина*
Ответственный корректор *И. Мокина*
Корректор *В. Соловьева*

Общероссийский классификатор продукции
ОК-005-93, том 2; 953000 — книги, брошюры

ООО «Издательство АСТ»
129085, г. Москва, Звездный бульвар, д. 21, строение 3, комната 5
Наш электронный адрес: **www.ast.ru**
E-mail: **astpub@aha.ru**

«Баспа Аста» деген ООО
129085, г. Мәскеу, жұлдызды гүлзар, д. 21, 3 құрылым, 5 бөлме
Біздің электрондық мекенжайымыз: www.ast.ru
E-mail: astpub@aha.ru

Қазақстан Республикасында дистрибьютор
және өнім бойынша арыз-талаптарды қабылдаушының
өкілі «РДЦ-Алматы» ЖШС, Алматы қ., Домбровский көш., 3«а», литер Б, офис 1.
Тел.: 8(727) 2 51 59 89,90,91,92
Факс: 8 (727) 251 58 12, вн. 107; E-mail: RDC-Almaty@eksmo.kz
Өнімнің жарамдылық мерзімі шектелмеген.

Өндірген мемлекет: Ресей
Сертификация қарастырылмаған

Подписано в печать 23.10.2014. Формат 84x108^{1}/$_{32}$.
Гарнитура Newton. Печать офсетная. Усл. печ. л. 16,8.
Тираж 2000 экз. Заказ 6782.

Отпечатано в ОАО «ПИК „Офсет“»
660075, г. Красноярск, ул. Республики, 51
Тел. (391) 211-76-20. E-mail: marketing@pic-ofset.ru

ISBN 978-5-17-084318-3

16+